Mise à niveau post-bac
Premiers cycles universitaires scientifiques

Mécanique & énergie

Cours, applications & exercices

Joseph Cipriani

Agrégé de sciences physiques
Maître de conférences à l'université Pierre et Marie Curie/Paris-VI

Hans Hasmonay

Docteur ès sciences
Maître de conférences à l'université Pierre et Marie Curie/Paris-VI

Ouvrages récents de sciences physiques chez le même éditeur

(extrait du catalogue)

Collection « Référence »

J. L. MERIAM et L. G. KRAIGE, *Statique : mécanique/génie mécanique/sciences de l'ingénieur,* XVIII+526 p.

Collection « Vuibert Supérieur »

• Série « Mise à niveau » par J. CIPRIANI et H. HASMONAY

Mécanique & énergie, 248 p.
Électricité & électromagnétisme, 208 p.
Optique, ondes, atome & noyau, 208 p.

• Série « Nouveaux programmes de sciences physiques »

J.-M. PARISI et R. SIMON, *Optique géométrique, 68 sujets corrigés,* 288 p.

• Série « Grandes annales des concours »

J. ARZALLIER et A. CUNNINGTON, *Chimie : problèmes corrigés types posés aux concours,* 240 p.

L. DESNOËL, *Physique : 12 problèmes posés au concours commun polytechnique et autres écoles d'ingénieurs,* 240 p.

M.-O. BERNARD et CH. DUPONT (OUVRAGE COLLECTIF), *Physique : 10 problèmes posés aux concours communs Mines/Ponts et Centrale/Sup'Élec,* 240 p.

M.-O. BERNARD et CH. DUPONT (OUVRAGE COLLECTIF), *Physique : 10 problèmes posés à l'École polytechnique et aux Écoles normales supérieures,* 224 p.

• Série « Platine »

G. LAVERTU, *Thermodynamique. Cours complet avec 91 exercices et problèmes corrigés,* 448 p.

• Nouveau cours de physique par J. BOUTIGNY et A. GEORGES

Mécanique du corps solide, 192 p.
Le champ électrique dans le vide, 160 p.
Le champ électrique dans les milieux matériels, 160 p.
Le champ magnétique dans le vide, 128 p.
Le champ magnétique dans les milieux matériels, 144 p.

• Série « Usuels »

I. JELINSKI, *Nouveau formulaire d'électronique*, 80 p.

F. MORELLO, D. OBERT et CH. PLOUHINEC, *Nouveau formulaire de physique, deuxième édition,* 352 p.

• Série « Vuibert Technologie »

A. JANSEN et J. ROSSETTO, *Sciences industrielles : 32 sujets corrigés des concours avec les rapports du jury,* 352 p.

I. JELINSKI, Toute l'électronique du premier cycle : Cours complet, exercices corrigés d'application et problèmes de synthèse

Amplificateurs-Oscillateurs (avec 77 exercices corrigés), 240 p.

Traitement du signal - Asservissements linéaires (avec 62 exercices corrigés et 13 problèmes résolus), 288 p.

Signaux et systèmes numériques - Filtres - Modulation (avec 48 exercices corrigés et 13 problèmes résolus), 304 p.

Composants – Électronique de puissance (avec 46 exercices corrigés), 288 p.

• Série « Enseignement supérieur et informatique »

PH. FORTIN et R. POMÈS, *Premiers pas en Maple*, 288 p.

A. LEROUX et R. POMÈS, *Toutes les applications de Maple*, 288 p.

F. MORAIN et J.-L. NICOLAS, *Mathématiques/Informatique*, 256 p.

D. MONASSE, *Option informatique. Cours complet : prépa MPSI*, 208 p.
*Option informatique. Cours complet : prépa MP & MP**, 160 p.

Collection « Les blocs Vuibert »

A.-M. REDON, *90 exercices corrigés posés en première année du DEUG : mécanique et électricité*, 352 p.

A.-M. REDON, *140 exercices corrigés posés en première année du DEUG : électrostatique et thermodynamique*, 448 p.

Collection « Sciences de l'éducation »

B. BELHOSTE, H. GIESPERT et N. HULIN (coordinateurs), *Les sciences au lycée. Un siècle de réformes des mathématiques et de la physique en France et à l'étranger*, 320 p.

Hors collection

I. BERKES, *La physique de tous les jours*, 376 p.

Dessin de couverture : Nicolas Dahan
Composition et mise en page : Régis Médioni

ISBN 2-7117-8866 0

TABLE DES MATIÈRES

[AVANT-PROPOS]

Nous nous sommes fixé un objectif ambitieux : donner un exposé aussi complet que possible de la physique, de façon élémentaire mais rigoureuse, tout en prenant en compte l'orientation des programmes mis en place dans l'enseignement secondaire en 1995.

En physique, aucun pré-requis n'est nécessaire mais le physicien ne pouvant se passer de l'outil mathématique certaines notions sont supposées connues : ce sont les critères d'égalité des angles, les relations trigonométriques dans un triangle, le théorème de Pythagore, la notion de vecteur et de coordonnée, la résolution des équations du second degré ainsi que celle des systèmes d'équations linéaires à deux ou trois inconnues. Certains chapitres font appel à des notions étudiées en Première ou en Terminale (dérivées de fonctions, primitives, produits de vecteurs : dans *Mécanique et énergie* les chapitres 5, 7, 11 à 17 ; dans *Électricité/Électromagnétisme* les chapitres 9 à 15). Par ailleurs, dans le premier volume, des chapitres préliminaires répertoriés de A à F regroupent des notions générales et des compléments de mathématiques : nous vous recommandons d'en prendre rapidement connaissance pour pouvoir par la suite les consulter de façon plus approfondie à chaque fois que ce sera nécessaire.

Le contenu de l'ouvrage déborde celui des programmes des lycées ou les complète : en particulier les chapitres 18 et 19 du premier volume, les chapitres 3, 6, 7, 9, 15 du deuxième volume et les chapitres 1 à 6, 10, 12, 17 du troisième volume intitulé *Optique, ondes, atome et noyau* ne font plus partie de l'enseignement secondaire obligatoire (certains sont abordés dans l'enseignement de spécialité) ou y sont à peine effleurés. Bien que ce manuel puisse être utilisé avec profit dès la classe de Première, il s'adresse plus particulièrement aux étudiants en formation permanente, à ceux qui s'apprêtent à s'engager dans la voie de l'enseignement supérieur (classe préparatoire, DEUG, DUT, médecine, DAEU). Il devrait être utile tout spécialement aux étudiants qui préparent les concours paramédicaux, dont les épreuves interprètent assez librement le programme défini par le Ministère de la Santé.

Chaque chapitre traite d'un point précis et est organisé en trois parties :

— les notions fondamentales sont d'abord exposées ;

— le lecteur est ensuite sollicité directement et guidé pour traiter des applications : la solution complète et commentée y est toujours détaillée (certains chapitres ne comportent pas de première partie, les notions considérées comme fondamentales étant exposées dans un chapitre précédent) ;

— enfin, des exercices similaires sont proposés et suivis de réponses, d'indications ou de solutions abrégées.

Pour ses précieux conseils nous tenons à exprimer notre gratitude à Michel Lainey, professeur à l'École supérieure d'ingénieurs en électronique et électrotechnique (ESIEE) auquel les chapitres 5, 6 et 7 du deuxième volume doivent beaucoup.

Les auteurs

[DONNÉES]

Constantes universelles

Vitesse de la lumière dans le vide :	$c = 299\,792\,458\ \text{m.s}^{-1}$
Perméabilité magnétique du vide :	$\mu_0 = 4\pi.10^{-7}\ \text{H.m}^{-1}$
Permittivité électrique du vide :	$\varepsilon_0 = 8{,}854\,187\,817.10^{-12}\ \text{F.m}^{-1}$
Constante de gravitation :	$G = 6{,}672\,598.10^{-11}\ \text{m}^3.\text{kg}^{-1}.\text{s}^2$
Constante de Planck :	$h = 6{,}626\,075\,5.10^{-34}\ \text{J.s}$
Charge élémentaire :	$e = 1{,}602\,177\,33.10^{-19}\ \text{C}$
Nombre d'Avogadro :	$\mathcal{N} = 6{,}022\,136\,7.10^{23}\ \text{mol}^{-1}$
Constante des gaz parfaits :	$R = 8{,}314\,510\ \text{J.K}^{-1}\text{mol}^{-1}$
Masse du proton :	$m_p = 1{,}007\,27\ \text{u} = 1{,}672\,61.10^{-27}\ \text{kg}$
Masse du neutron :	$m_n = 1{,}008\,66\ \text{u} = 1{,}674\,92.10^{-27}\ \text{kg}$
Masse de l'électron :	$m_e = 0{,}000\,548\,6\ \text{u} = 9{,}109.10^{-31}\ \text{kg}$

Unités dérivées

Accélération	(m.s^{-2})	Impédance	ohm (Ω)	Permittivité	(F.m^{-1})
Aire	(m^2)	Inductance	henry (H)	Pression	pascal (Pa)
Angle	radian(rad)	Intensité électrique	ampère (A)	Puissance	watt (W)
Capacité	farad(F)	Intensité lumineuse	candela (cd)	Pulsation	(rad.s^{-1})
Champ électrique	(V.m^{-1})	Longueur	mètre (m)	Quantité de matière	mole (mol)
Champ magnétique	tesla (T)	Masse	kilogramme (kg)	Résistance	(Ω)
Charge électrique	coulomb (C)	Masse molaire	mole (mol)	Température absolue	kelvin (K)
d.d.p, tension, f.é.m.	volt (V)	Masse volumique	(kg.m^{-3})	Temps	seconde (s)
Énergie	joule (J)	Moment d'une force	(N.m)	Travail	(J)
Force	newton (N)	Période	(s)	Vitesse	(m.s^{-1})
Fréquence	hertz (Hz)	Perméabilité	(H.m^{-1})	Volume	(m^3)

Utilisation des préfixes décimaux devant les unités

femto (f)	pico (p)	nano (n)	micro (μ)	milli (m)	kilo (k)	méga (M)	giga (G)	téra (T)
10^{-15}	10^{-12}	10^{-9}	10^{-6}	10^{-3}	10^{3}	10^{6}	10^{9}	10^{12}

MESURE ET HOMOGÉNÉITÉ DES GRANDEURS PHYSIQUES

CHAPITRE A

[l'essentiel]

[1] Le système international d'unités

Une longueur, une masse, une durée, une aire, une force, etc., sont des *grandeurs physiques*. On peut comparer des grandeurs physiques seulement si elles sont de même nature (par exemple, deux masses) ; mesurer une grandeur physique consiste précisément à la comparer à une autre, de même nature, choisie comme référence : l'**unité**. On mesure une masse en la comparant à l'unité de masse, le **kilogramme**, qui est la masse d'un cylindre de platine irridié conservé au Pavillon des Poids et Mesures à Sèvres.

Cependant, on ne peut choisir arbitrairement toutes les unités car les grandeurs physiques de nature différente ne sont pas en général indépendantes : le volume d'un cube d'arête a est a^3 et l'unité de volume sera donc dérivée de l'unité de longueur si l'on veut disposer d'un système d'unités cohérent. Le système légal est le Système International (plus brièvement S.I.) dont les unités sont rappelées dans un tableau ci-après.

✗ **Dans les applications numériques les grandeurs apparaissant dans les formules doivent être obligatoirement exprimées en unités S.I. : le résultat est alors automatiquement en unité S.I.**

On conviendra de représenter une grandeur physique donnée, ou l'unité correspondante, par une lettre d'imprimerie entre crochet [ ].

Dans le Système International on dénombre seulement sept grandeurs fondamentales dont dérivent toutes les autres :

- la longueur [L] exprimée en **mètre (m)** ;
- la masse [M] exprimée en **kilogramme (kg)** ;
- le temps [T] exprimé en **seconde (s)** ;
- l'intensité électrique [I] exprimée en **ampère (A)** ;
- la température absolue [Θ] exprimée en **kelvin (K)** ;
- l'intensité lumineuse exprimée en **candela (cd)** ;
- la quantité de matière exprimée en **mole (mol)**.

[a] Unités fondamentales

Longueur [L]	Masse [M]	Temps [T]	Intensité électrique [I]	Température absolue [Θ]	Quantité de matière	Intensité lumineuse
mètre (m)	kilogramme (kg)	seconde (s)	ampère (A)	kelvin (K)	mole (mol)	candela (cd)

[b] Unités dérivées

Accélération	$(m.s^{-2})$
Aire	(m^2)
Angle	radian(rad)
Capacité	farad(F)
Champ électrique	$(V.m^{-1})$
Champ magnétique	tesla (T)
Charge électrique	coulomb (C)
d.d.p, tension, f.é.m.	volt (V)
Énergie	joule (J)
Force	newton (N)
Fréquence	hertz (Hz)
Impédance	ohm (Ω)
Inductance	henry (H)

Masse molaire	mole (mol)
Masse volumique	$(kg.m^{-3})$
Moment d'une force	(N.m)
Période	(s)
Perméabilité	$(H.m^{-1})$
Permittivité	$(F.m^{-1})$
Pression	pascal (Pa)
Puissance	watt (W)
Pulsation	$(rad.s^{-1})$
Résistance	(Ω)
Travail	(J)
Vitesse	$(m.s^{-1})$
Volume	(m^3)

[c] Constantes universelles

Vitesse de la lumière dans le vide : $c = 299\,792\,458\,\text{m.s}^{-1}$;

Perméabilité magnétique du vide : $\mu_0 = 4\pi.10^{-7}\,\text{H.m}^{-1}$;

Permittivité électrique du vide : $\varepsilon_0 = 8{,}854\,187\,817.10^{-12}\,\text{F.m}^{-1}$;

Constante de gravitation : $G = 6{,}672\,598.10^{-11}\,\text{m}^3.\text{kg}^{-1}.\text{s}^2$;

Constante de Planck : $h = 6{,}626\,075\,5.10^{-34}\,\text{J.s}$;

Charge élémentaire : $e = 1{,}602\,177\,33.10^{-19}\,\text{C}$;

Nombre d'Avogadro : $\mathcal{N} = 6{,}022\,136\,7.10^{23}\,\text{mol}^{-1}$;

Constante des gaz parfaits : $R = 8{,}314\,510\,\text{J.K}^{-1}\text{mol}^{-1}$.

[2] Utilisation des préfixes décimaux devant les unités

Il est courant, pour simplifier l'écriture, d'utiliser des préfixes représentant des puissances de 10 devant les unités S.I. : les unités obtenues ne sont pas, à strictement parler, S.I. mais la conversion en unités S.I. est très simple. Voici la liste des principaux préfixes utilisés en Physique et leur symbole entre parenthèses :

femto (f)	pico (p)	nano (n)	micro (μ)	milli (m)
10^{-15}	10^{-12}	10^{-9}	10^{-6}	10^{-3}

kilo (k)	méga (M)	giga (G)	téra (T)
10^{3}	10^{6}	10^{9}	10^{12}

On utilise aussi quelquefois :

centi (c) pour 10^{-2} ; déci (d) pour 10^{-1} ; déca (da) pour 10 ; hecto (h) pour 10^2.

Ainsi :

1 km= 10^3 m ; 1 μg (microgramme)= 10^{-6} g ; 1 mA (milliampère)= 10^{-3} A ;
1 nm (nanomètre)= 10^{-9} m ; 1 MJ (mégajoule)= 10^6 J ; 1 pF (picofarad)= 10^{-12} F ; ...

[3] Unités courantes hors du Système International

L'usage ou la commodité d'emploi ont consacré les unités suivantes :

Longueur : $1\,\text{Å}$ (angström) $= 10^{-10}\,\text{m}$;

Aire : $1\,\text{cm}^2 = 10^{-4}\,\text{m}^2$;

$1\,\text{mm}^2 = 10^{-6}\,\text{m}^2$;

Volume : $1\,\text{L}$ (litre) $= 10^{-3}\,\text{m}^3$;

$1\,\text{cm}^3 = 1\,\text{mL} = 10^{-6}\,\text{m}^3$;

Masse : 1 g (gramme) $= 10^{-3}$ kg ;
1 tonne $= 10^3$ kg ;
1 u (unité de masse atomique) $= 1{,}66.10^{-27}$ kg ;

Pression : 1 bar $= 10^5$ Pa ;
1 mbar = 1 hPa $= 10^2$ Pa ;
1 mm Hg (mm de mercure) = 133 Pa ;
1 atm (atmosphère) = 760 mm Hg = 1,013 bar ;

Énergie : 1 kWh (kilowatt-heure) = 3,6 MJ ;
1 cal (calorie) = 4,185 J ;
1 eV (électronvolt) $= 1{,}6.10^{-19}$ J ;
1 MeV (mégaélectronvolt) $= 1{,}6.10^{-13}$ J ;
1 GeV (gigaélectronvolt) $= 1{,}6.10^{-10}$ J ;

[4] L'analyse dimensionnelle

[a] Homogénéité des formules

On a vu que les unités sont pour la plupart dérivées de quelques unités fondamentales. Cela va fournir un outil de choix pour vérifier si les formules obtenues au bout d'un calcul s'expriment bien dans l'unité attendue compte tenu des paramètres qui interviennent dans la formule.

Par exemple, l'aire d'un rectangle de côtés a, b est $S = ab$, celle d'un carré $S = a^2$, celle d'un disque de rayon R est $S = \pi R^2$. Dans tous les cas S s'exprime en m^2 et est proportionnelle à un produit de deux longueurs : on dit que la formule donnant S est *homogène* ou que le second membre a la *dimension* du carré $[\mathrm{L}]^2$ d'une longueur ou, plus brièvement, est homogène à $[\mathrm{L}]^2$. Ainsi l'expression $S = ab^2$ a la dimension d'un volume, $[\mathrm{L}]^3$, et ne peut *a priori* convenir pour l'aire d'un rectangle.

Le facteur π dans l'expression $S = \pi R^2$ est indépendant des unités utilisées : on dit que c'est un *nombre pur* ou *sans dimension*, ou encore de dimension 1 et on écrit d'une façon générale que l'**équation dimensionnelle** d'une aire est :

$$[\mathrm{S}] = [\mathrm{L}]^2. \qquad (\mathrm{A}, 1)$$

Une vitesse se calcule en divisant une distance parcourue (*longueur* [L]) par la durée du trajet (*temps* [T]). Son équation dimensionnelle est :

$$[\mathrm{V}] = [\mathrm{L}]\,[\mathrm{T}]^{-1}. \qquad (\mathrm{A}, 2)$$

Pour une accélération :

$$[\mathrm{A}] = [\mathrm{L}]\,[\mathrm{T}]^{-2}. \qquad (\mathrm{A}, 3)$$

L'angle constitue une grandeur à part. En effet, on définit l'angle θ sous-tendant un arc $\widehat{AB}$ sur un cercle de rayon R par le rapport :

$$\theta = \frac{\widehat{AB}}{R}. \qquad (\mathrm{A}, 4)$$

$[\widehat{AB}]$ =[L] et [R] =[L] donc $[\theta] = 1$.

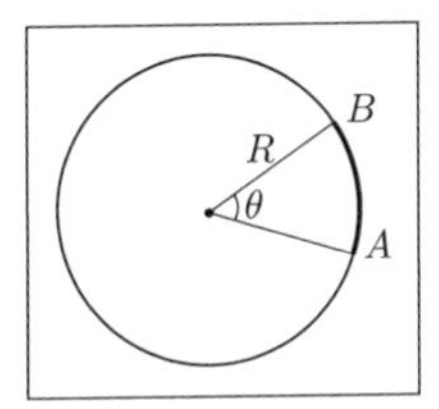

L'angle est donc sans dimension, c'est-à-dire que son unité est indépendante du système d'unités considéré. L'unité d'angle, définie de façon naturelle par (A,4), est le **radian** (**rad**), mais on utilise aussi le **degré d'angle** (°) défini par l'équivalence :

$$2\pi \text{ rad} = 360\,°. \qquad (A, 5)$$

✗ **Il faut toujours vérifier l'homogénéité du résultat d'un calcul *avant* de procéder à l'application numérique.**

[b] Changement d'unités

Supposons que nous voulions convertir une vitesse exprimée en km.h^{-1} en m.s^{-1}. L'équation dimensionnelle de la vitesse signifie aussi :

$$[1\,\text{km.h}^{-1}] = [1\,\text{km}] \times [1\,\text{h}]^{-1},$$

soit

$$[1\,\text{km.h}^{-1}] = [10^3\,\text{m}] \times [3\,600\,\text{s}]^{-1} = \left[\frac{10^3\,\text{m}}{3\,600\,\text{s}}\right] = \frac{10^3}{3\,600}\,\text{m.s}^{-1},$$

soit enfin :

$$[1\,\text{km.h}^{-1}] = \frac{1}{3{,}6}\,\text{m.s}^{-1}.$$

Par exemple, 100 km.h^{-1} représentent $\dfrac{100}{3{,}6} = 27{,}8\,\text{m.s}^{-1}$.

✗ **Le rapport de deux grandeurs de même nature est sans dimension : on peut donc dans ce cas exprimer les deux grandeurs avec une unité quelconque (mais la même !).**

[c] Détermination d'une loi physique

Il est très fréquent en Physique que l'expression d'une grandeur X soit le produit d'autres grandeurs $A, B, C, \ldots$ et d'un nombre pur k. L'analyse dimensionnelle permet de trouver l'expression de X au facteur k près. Le principe est très simple : on suppose que X est de la forme $X = kA^\alpha B^\beta C^\gamma \ldots$, où k est un coefficient sans dimension ; on exprime alors [X],[A],[B],[C],... en fonction des grandeurs fondamentales et l'identification des deux membres de l'équation aux dimensions fournit un système d'équations linéaires dont $\alpha, \beta, \gamma, \ldots$ sont solutions (voir exercice **A.[1]** p.6).

[de l'essentiel à la pratique]

Mots-clés

homogénéité

dimension

grandeur fondamentale

[1] *Trouver, en utilisant la relation (10,1), l'ordre de grandeur de la force d'interaction électrostatique moyenne entre l'électron (charge $-e = -1{,}602.10^{-19}$ C) et le noyau d'hydrogène (charge $+e$) sachant que la distance moyenne entre l'électron et le noyau est de $7{,}94.10^{-11}$ m.*

La force électrostatique est $F = K\dfrac{e^2}{r^2} = 9.10^9\dfrac{(1{,}602.10^{-19})^2}{(7{,}94.10^{-11})^2}$ soit $F = 3{,}7.10^{-8}$ N : l'ordre de grandeur est donc de 10^{-8} newton.

[2] *Un pendule pesant simple est constitué par un fil inextensible de masse négligeable, de longueur ℓ, fixé à une extrémité et comportant une masse M de petite dimension à l'autre extrémité. La période T des oscillations du pendule dans le champ de pesanteur ne peuvent donc dépendre que de ℓ, m et g. Trouver une expression possible pour cette période.*

T est vraisemblablement de la forme $T = k\ell^\alpha m^\beta g^\gamma$ où $[\mathrm{k}] = 1$ et, d'après (A,3), $[\mathrm{g}] = [\mathrm{L}]\,[\mathrm{T}]^{-2}$. L'homogénéité de l'expression de T exige que :

$$[\mathrm{T}] = [\mathrm{L}]^\alpha [\mathrm{M}]^\beta \left([\mathrm{L}]\,[\mathrm{T}]^{-2}\right)^\gamma,$$

soit

$$[\mathrm{T}] = [\mathrm{L}]^{\alpha+\gamma} [\mathrm{M}]^\beta [\mathrm{T}]^{-2\gamma}.$$

Le second membre aura la dimension d'un temps si et seulement si :

$$\begin{cases} \alpha + \gamma = 0 \\ \beta = 0 \\ -2\gamma = 1. \end{cases}$$

T ne peut donc dépendre de la masse m. De plus $\gamma = -\dfrac{1}{2}$ et $\alpha = -\gamma = \dfrac{1}{2}$. Finalement la période ne peut être que de la forme $T = k\ell^{\frac{1}{2}} g^{-\frac{1}{2}}$, c'est-à-dire :

$$T = k\sqrt{\frac{\ell}{g}}.$$

On retrouve la relation (16,15) mais l'analyse dimensionnelle ne permet pas de trouver le nombre sans dimension $k = 2\pi$.

[exercices]

[1] Déterminer l'équation dimensionnelle d'une force (en fonction des grandeurs fondamentales). Partir de la $2^{\text{ème}}$ loi de Newton (11,4).

[2] Même question pour l'énergie $\mathcal{E}$ en partant de la définition du travail (6,1) puis de l'énergie cinétique (8,1), ainsi que pour le moment $\mathcal{M}$ d'une force.

[3] Même question pour la raideur k d'un ressort et pour la constante de torsion C (*cf.* (7,2) et (7,5)).

[4] Utiliser la loi de gravitation universelle (9,1) pour trouver l'équation dimensionnelle de la constante de gravitation K_G, en fonction des grandeurs fondamentales.

[5] Même question pour le champ électrique en utilisant la relation (10,3) et l'équation dimensionnelle de la charge.

[6] Trouver l'équation dimensionnelle de la permittivité du vide ε_0 en fonction de la capacité. Comment peut-on dans ces conditions définir l'unité S.I. de ε_0 ?

[7] Convertir 8 mm^2 en cm^2.

[8] Un nettoyeur à haute pression a un débit de 8 litres par minute. Quel est le débit en $\text{m}^3.\text{h}^{-1}$? en $\text{m}^3.\text{s}^{-1}$? en $\text{cm}^3.\text{s}^{-1}$?

[9] La période T des oscillations d'un pendule élastique vertical ne peut dépendre que de la masse m suspendue au ressort, de la raideur k de celui-ci et de l'accélération de la pesanteur g.

T est donc probablement de la forme $T = Ak^{\alpha}m^{\beta}g^{\gamma}$ où A est une constante sans dimension. Trouver α, β, γ.

[10] Un corps pesant peut osciller autour d'un axe horizontal. Son moment d'inertie est J, sa masse m et la distance de son centre d'inertie à l'axe est a. La pulsation de ses petites oscillations est donnée par l'une des formules suivantes :

$$\omega = \sqrt{\frac{mga}{J}} \ ; \ \omega = \sqrt{\frac{g}{Ja}} \ ; \ \omega = \frac{J}{mga} \ ; \ \omega = \frac{mg}{Ja}.$$

Laquelle est la bonne ?

[11] Un corps suspendu à un fil de torsion constante C et de moment d'inertie J peut effectuer des oscillations autour de l'axe du fil. Déterminer par analyse dimensionnelle la forme de la fréquence de ses oscillations.

[réponses]

[1] $[F] = [M]\,[L]\,[T]^{-2}$.

[2] Les lignes trigonométriques sont sans dimension car elles ne dépendent pas du système d'unité. $[\mathcal{E}] = [M]\,[L]^2[T]^{-2} = [\mathcal{M}]$, $\mathcal{M}$ et $\mathcal{E}$ ont même dimension : ce sont pourtant des grandeurs de nature différentes.

[3] $[k] = [M]\,[T]^{-2}$; $[C] = [M]\,[L]^2[T]^{-2}$.

[4] $[K_G] = [M]^{-1}[L]^3[T]^{-2}$.

[5] $[Q] = [I]\,[T]$ et $[E] = [M]\,[L]\,[T]^{-3}[I]^{-1}$.

[6] $[\varepsilon_0] = [C]\,[L]^{-1}$ (utiliser la formule (24,2) donnant la capacité d'un condensateur plan). Unité S.I. : $F.m^{-1}$.

[7] $0{,}08\,cm^2$.

[8] $0{,}48\,m^3.h^{-1}$; $1{,}33.10^{-4}\,m^3.s^{-1}$; $133\,cm^3.s^{-1}$.

[9] $\beta = -\alpha = \dfrac{1}{2}$ et $\gamma = 0$.

[10] Seule $\sqrt{\dfrac{mga}{J}}$ est homogène à une pulsation $[\omega] = [T]^{-1}$.

[11] $f = A\sqrt{\dfrac{C}{J}}$.

PRÉCISION DES RÉSULTATS NUMÉRIQUES ET INCERTITUDES SUR LES MESURES

CHAPITRE B

[l'essentiel]

[1] Ordres de grandeur

On appelle *ordre de grandeur* d'une puissance la puissance de 10 qui se rapproche le plus de la mesure : l'ordre de grandeur du rayon terrestre (6 370 km en moyenne) est 10^4 km ; celui de la vitesse de la lumière dans le vide ($c = 3{,}00.10^8$ m.s^{-1}) est 10^8 m.s^{-1} ; l'ordre de grandeur des dimensions d'un atome est l'angström (10^{-10} m).

[2] La notation scientifique

Il est d'usage en Physique d'écrire un résultat numérique en *notation scientifique*, c'est-à-dire de l'exprimer par un nombre compris entre 1 et 9, multiplié par une puissance positive ou négative de 10 : ainsi la vitesse de la lumière $c = 3.10^5$ km.s^{-1} plutôt que 300 000 km.s^{-1}, la masse de la Terre $M = 5{,}96.10^{24}$ kg plutôt que 596 suivi de 22 zéros, le diamètre d'un cheveu $2{,}8.10^{-5}$ m plutôt que 0,000 028 m, etc. L'intérêt de cette notation pour écrire des nombres très petits ou très grands est évident mais il ne se limite pas à cela, comme on va le voir ci-après.

[3] Chiffres significatifs

Il y a en Physique des limites à la précision des mesures et, par conséquent, l'on est limité dans l'utilisation des chiffres pour exprimer le résultat d'une mesure. La notation scientifique permet d'en tenir compte en n'écrivant pas les chiffres sur lesquels on n'a pas d'information. Supposons par exemple que la mesure de la longueur d'une plaque métallique au double décimètre donne 5,4 cm (soit $5{,}4.10^{-2}$ m) sans que l'on soit sûr du troisième chiffre ; cette écriture indique que l'on est sûr de deux chiffres et l'on dit que l'on a deux *chiffres significatifs*. Supposons maintenant que l'on refasse la mesure avec un pied à coulisse permettant d'apprécier le dixième de millimètre et que l'on trouve 54 mm et zéro dixième ; on écrira alors, pour la longueur de la plaque, 54,0 mm (soit $5{,}40.10^{-2}$ m) et non 54 mm ou 5,4 cm, c'est-à-dire que l'on a trois chiffres significatifs[1].

✗ **La précision numérique d'un résultat est indiquée par le nombre de chiffres significatifs, c'est-à-dire par le nombre de chiffres du résultat écrit en notation scientifique.**

Toute calculatrice scientifique permet, au moyen d'une instruction appropriée, d'afficher les calculs en notation scientifique avec le nombre désiré de chiffres significatifs.

Il est capital pour un physicien qui a effectué un calcul de ne donner que les chiffres significatifs : donner des chiffres supplémentaires peut amener les personnes qui les utilisent à y croire alors qu'ils sont très probablement faux.

Dans la pratique, on se gardera en tout cas de donner dans les résultats plus de chiffres significatifs qu'il n'y en a dans les données de l'énoncé.

[4] Incertitudes sur les mesures

Toute mesure est entachée d'une *erreur*. Celle-ci est due pour une part à l'expérimentateur lui-même et, pour une autre part, à la précision des appareils de mesure. L'erreur peut être *systématique*, c'est-à-dire toujours dans le même sens (on obtient toujours une valeur par excès par exemple), ou au contraire *aléatoire*. Les *erreurs systématiques* sont généralement difficiles à apprécier.

[a] Incertitudes absolues

On appelle *incertitude absolue* sur la mesure d'une grandeur x la valeur maximale *en valeur absolue* de l'*erreur aléatoire* que l'on peut commettre. L'incertitude absolue sur x est généralement notée[2] Δx. Si la mesure obtenue est x_0, on peut seulement affirmer que $x_0 - \Delta x \leqslant x \leqslant x_0 + \Delta x$. On notera ce résultat plutôt sous la forme :

$$\boxed{x = x_0 \pm \Delta x.} \tag{B, 1}$$

L'appréciation des incertitudes est avant tout une affaire de bon sens : la mesure d'une longueur ℓ avec une règle graduée au millimètre se fait en gros au demi-millimètre près ($\Delta\ell = 0{,}5$ mm). La meilleure méthode consiste à effectuer un grand nombre n de mesures

---

[1] Attention ! Si l'on écrit 0,0540 m, cela ne signifie par pour autant que l'on a cinq chiffres significatifs, car les zéros de gauche n'entrent pas dans le décompte, contrairement à ceux de droite.

[2] Ne pas confondre l'incertitude, qui est un nombre *positif*, avec l'accroissement, qui est algébrique.

et d'en faire la moyenne, notée $\overline{x}$; on prend alors pour Δx l'*écart quadratique moyen* ou *dispersion*[1] σ_n et l'on écrit :

$$\boxed{x = \overline{x} \pm \sigma_n.} \tag{B, 2}$$

La plupart des calculatrices scientifiques donnent directement $\overline{x}$ et σ_n.

✘ **Règle 1**

L'incertitude absolue sur le résultat d'une somme algébrique de mesures indépendantes est égale à la somme des incertitudes absolues.

Par exemple, si $A = 2x - y - 3z$, alors $\Delta A = 2\Delta x + \Delta y + 3\Delta z$.

[b] Incertitudes relatives

Une incertitude de 0,5 mm sur la mesure d'une longueur de 10 cm n'a pas la même portée que pour une longueur de 100 m ; de plus, le nombre qui mesure l'incertitude absolue dépend des unités choisies :

$$0{,}5\,\text{mm} = 0{,}000\,5\,\text{m} = 500\,\mu\text{m}.$$

On appelle *incertitude relative* sur la mesure x_0 d'une grandeur x le rapport $\dfrac{\Delta x}{x_0}$. L'incertitude relative est un nombre sans dimension qui donne une appréciation plus claire de la précision de la mesure que l'incertitude abolue. On dira par exemple qu'une mesure $x_0 = 10\,\text{cm}$ à 0,5 mm près est effectuée avec une précision de $\dfrac{\Delta x}{x_0} = \dfrac{0{,}5}{100} = 0{,}5\%$ ou que $x = 10\,\text{cm}$ à 0,5% près.

✘ **Règle 2**

Si $A = \dfrac{x^\alpha y^\beta}{z^\gamma}$ où x, y, z sont des grandeurs dont les mesures sont indépendantes, alors :

$$\boxed{\frac{\Delta A}{A} = \alpha\frac{\Delta x}{x} + \beta\frac{\Delta y}{y} + \gamma\frac{\Delta z}{z}.} \tag{B, 3}$$

En particulier si $A = xy$ ou $A = \dfrac{x}{y}$, alors $\dfrac{\Delta A}{A} = \dfrac{\Delta x}{x} + \dfrac{\Delta y}{y}$.

✘ **Les calculs d'incertitudes sont quelquefois appelés improprement calculs d'erreur : on ne connaît jamais l'erreur commise ; on peut seulement estimer sa valeur maximale en valeur absolue, c'est-à-dire l'incertitude.**

---

[1] σ_n est par définition la racine carrée de la moyenne de $(x - \overline{x})^2$.

[c] Incertitude et chiffres significatifs

La valeur estimée de l'incertitude détermine les chiffres significatifs. L'incertitude n'est qu'*estimée* et cela n'aurait guère de sens de parler de sa valeur *exacte* : **aussi une incertitude ne se donne qu'avec un ou deux chiffres significatifs au maximum**. Ceux-ci définissent les chiffres significatifs du résultat de la mesure et il est donc impératif de donner le résultat et son incertitude avec la même notation.

Par exemple, on écrira $\lambda = 589{,}20 \pm 0{,}02$ nm ou bien $\lambda = (5{,}892\,0 \pm 0{,}000\,2).10^{-7}$ m mais on s'abstiendra d'écrire $\lambda = 5{,}892\,0.10^{-7} \pm 2.10^{-9}$ m, ou pis encore $589{,}2 \pm 0{,}02$ nm, ce qui ferait porter sur la deuxième décimale un doute incompatible avec l'incertitude de 0,02 nm.

[d] Approfondissement : erreurs liées

NB : le développement suivant fait appel à des notions de calcul infinitésimal (différentielle d'une fonction : *cf* **F[2]**).

Désignons par $\mathrm{d}A$ l'*erreur* commise sur une grandeur[1] A : on n'en connaît ni le sens ni la valeur ; on sait seulement estimer que $|\,\mathrm{d}A| \leqslant \Delta A$, l'incertitude absolue ; $\mathrm{d}A$ peut être considéré comme un accroissement aléatoire inconnu et, en général, infinitésimal de A.

Supposons que la mesure de A résulte de celles de u et de v ; par exemple $A = \dfrac{u}{v}$. Considérons $\ln A = \ln u - \ln v$. De l'erreur $\mathrm{d}A$ sur A résulte sur $\ln A$ l'erreur $\mathrm{d}\ln A = \mathrm{d}\ln u - \mathrm{d}\ln v$, soit :

$$\frac{\mathrm{d}A}{A} = \frac{\mathrm{d}u}{u} - \frac{\mathrm{d}v}{v}.$$

En majorant $\left|\dfrac{\mathrm{d}A}{A}\right|$, on obtient l'incertitude relative :

$$\left|\frac{\mathrm{d}A}{A}\right| \leqslant \left|\frac{\mathrm{d}u}{u} - \frac{\mathrm{d}v}{v}\right| \leqslant \left|\frac{\mathrm{d}u}{u}\right| + \left|\frac{\mathrm{d}v}{v}\right| \leqslant \frac{\Delta u}{u} + \frac{\Delta v}{v},$$

soit[2]

$$\frac{\Delta A}{A} = \frac{\Delta u}{u} + \frac{\Delta v}{v}. \qquad \text{(B, 4)}$$

Supposons maintenant que u et v soient déduites de la mesure d'une même variable x, c'est-à-dire que $u = u(x)$ et $v = v(x)$:

$$\frac{\mathrm{d}u}{u} = \frac{u'(x)}{u(x)}\mathrm{d}x \quad \text{et} \quad \frac{\mathrm{d}v}{v} = \frac{v'(x)}{v(x)}\mathrm{d}x,$$

alors $\dfrac{\mathrm{d}A}{A} = \left(\dfrac{u'}{u} - \dfrac{v'}{v}\right)\mathrm{d}x$ peut être majorée par :

$$\left|\frac{\mathrm{d}A}{A}\right| \leqslant \left|\frac{u'}{u} - \frac{v'}{v}\right|\Delta x. \qquad \text{(B, 5)}$$

[1] Nous supposerons toutes les grandeurs positives pour simplifier l'écriture.

[2] (B,4) apparaît comme un cas d'application du (B,3).

La majoration (B,5) est plus stricte que (B,4) où $\frac{\Delta u}{u} = \frac{|u'|}{u}\Delta x$ et $\frac{\Delta v}{v} = \frac{|v'|}{v}\Delta x$, c'est-à-dire que (B,4) *donnerait ici une surestimation de l'incertitude* : ceci est dû au fait que, u et v étant fonctions de x, les erreurs du et dv ne sont pas aléatoires entre elles mais *liées*.

[de l'essentiel à la pratique]

[1] *La mesure d'un côté d'un rectangle donne* $a = 8{,}0 \pm 0{,}1\,\text{cm}$ *et* $b = 12{,}0 \pm 0{,}1\,\text{cm}$. *Que valent l'aire S du rectangle et son périmètre* ℓ *?*

$$S = ab = 8 \times 12 = 96\,\text{cm}^2.$$

S est un *produit* de deux termes ; il est donc tout indiqué de calculer d'abord l'incertitude relative, en utilisant (B,3) :

$$\frac{\Delta S}{S} = \frac{\Delta a}{a} + \frac{\Delta b}{b} = \frac{0{,}1}{8} + \frac{0{,}1}{12} = 0{,}02,$$

soit 2%.

$$\Delta S = \left(\frac{\Delta S}{S}\right) S = 0{,}02 \times 96 = 1{,}9\,\text{cm}^2.$$

Finalement :

$$S = 96{,}0 \pm 1{,}9\,\text{cm}^2.$$

Notez bien le nombre de chiffres significatifs donnés et la correspondance entre les chiffres significatifs sur l'incertitude et sur la valeur de S.

Le périmètre est dans ces conditions $\ell = 2(a + b) = 40{,}0\,\text{cm}$; ℓ est une *somme* de deux termes : on obtient donc directement l'incertitude absolue.

$$\Delta\ell = 2(\Delta a + \Delta b) = 2 \times 0{,}2 = 0{,}4\,\text{cm}.$$

Finalement :

$$\ell = 40{,}0 \pm 0{,}4\,\text{cm}.$$

ℓ est donc connu avec une incertitude relative de $\frac{\Delta\ell}{\ell} = 1\%$: la précision relative est meilleure que sur S.

[2] *On décide de mesurer l'espace entre les interlignes d'une feuille de papier quadrillée à l'aide d'un double décimètre. On estime à un cinquième de millimètre l'incertitude de lecture.*

[a] *On estime à* 1,9 mm *la largeur d'une interligne. Quelle est la précision relative de cette mesure ?*

$$a = 1{,}9 \pm 0{,}2\,\text{mm}.$$

$\frac{\Delta a}{a} = \frac{0{,}2}{1{,}9} = 0{,}11$ soit une précision relative de 11%.

[b] *On trouve* 199,9 mm *pour 100 interlignes. Quelle valeur de l'interligne obtient-on et avec quelle précision ? Conclure.*

$a = \dfrac{\ell}{100} = 1{,}999\,\text{mm}$ et $\Delta a = \dfrac{\Delta \ell}{100} = \dfrac{0{,}2}{100} = 2.10^{-3}\,\text{mm}= 2\,\mu\text{m}.$

Donc $a = 1{,}999 \pm 0{,}002\,\text{mm}$.

La précision relative $\dfrac{\Delta a}{a} = 0{,}1\%$ est très supérieure à celle de **[a]**. Remarquons cependant que cette évaluation ne tient pas compte de l'épaisseur de trait sur la feuille...

[3] Erreurs liées

L'indice n d'un prisme est donné par (42,7). L'angle du prisme $A = 57°26'$ et l'angle minimal de déviation de la lumière par le prisme, $D_m = 41°07'$ sont mesurés à $1'$ près avec un goniomètre. Déterminer n.

Cherchons d'abord l'incertitude relative sur n et calculons pour cela la différentielle logarithmique $\text{d}(\ln n) = \dfrac{\text{d}n}{n}$, avec :

$$n = \frac{\sin \frac{A+D_n}{2}}{\sin \frac{A}{2}}, \quad \frac{\text{d}n}{n} = \frac{\cos \frac{A+D_n}{2}}{\sin \frac{A+D_n}{2}} \frac{\text{d}A + \text{d}D_n}{2} - \frac{\cos \frac{A}{2}}{\sin \frac{A}{2}} \frac{\text{d}A}{2}.$$

En regroupant $\text{d}A$ et $\text{d}D_n$, il vient :

$$\frac{\text{d}n}{n} = \left(\frac{1}{\tan \frac{A+D_n}{2}} - \frac{1}{\tan \frac{A}{2}} \right) \frac{\text{d}A}{2} + \frac{\text{d}D_n}{2 \tan \frac{A+D_n}{2}}.$$

Donc (voir **B.[4].[d]**), compte tenu que $\Delta A = \Delta D_n = 1'$:

$$\frac{\Delta n}{n} = \left(\left| \text{cotan} \frac{A + D_n}{2} - \text{cotan} \frac{A}{2} \right| + \left| \text{cotan} \frac{A + D_n}{2} \right| \right) \frac{\Delta A}{2}.$$

Avec $1' = \pi \div 180 \div 60 = 2{,}9.10^{-4}$ rad, il vient : $\dfrac{\Delta n}{n} = 2{,}7.10^{-4}$.

L'application numérique donne :

$$n = 1{,}577\,28 \quad \text{et} \quad \Delta n = 0{,}000\,42.$$

soit

$$n = 1{,}577\,28 \pm 0{,}000\,42.$$

NB : si l'on n'avait pas tenu compte du caractère lié des erreurs sur le numérateur et le dénominateur dans l'expression de n, on aurait obtenu :

$$\frac{\Delta n}{n} = \left(\left| \text{cotan} \frac{A + D_n}{2} \right| + \frac{1}{2} \left| \text{cotan} \frac{A}{2} \right| \right) \Delta A = 5{,}2.10^{-4},$$

soit le double de l'incertitude réelle.

[exercices]

[1] Notre galaxie, La Voie Lactée, mesure à peu près 100 000 années lumière dans sa plus grande dimension. Quel est l'ordre de grandeur de cette dimension, en mètres ?

[2] Quels sont, en mètres, les ordres de grandeur du volume de la Terre et de sa surface ?

On donne le rayon de la Terre : 6 380 km.

[3] Quel est l'ordre de grandeur de la distance entre les atomes de cuivre dans le métal ? La masse volumique du cuivre est 8,6 $g.cm^{-3}$, sa masse molaire atomique 63,5 $g.mol^{-1}$, le nombre d'Avogadro $6{,}02.10^{23}$ mol^{-1}.

[4] Un coureur parcourt $100 \pm 0{,}5$ m en $10{,}40 \pm 0{,}05$ s. Quelle est la vitesse du coureur ?

[5] Un tas de billes a pour masse 5 612 g à 1 g près. En pesant successivement 10 billes prises au hasard on trouve : 11,00 g ; 10,95 g ; 11,02 g ; 10,98 g ; 10,88 g ; 11,05 g ; 11,04 g ; 11,02 g ; 10,87 g ; 10,92 g.

Calculer le nombre de billes. On pourra calculer l'incertitude à l'aide d'une calculatrice en mode statistique.

[réponses]

[1] 10^{21} m.

[2] 10^{21} m^3 et 10^{15} m^2.

[3] 10^{-8} cm : considérer que chaque atome est au centre d'un cube, compter les atomes dans 1 cm^3, en déduire le volume du cube puis son arête, qui est égale à la distance entre deux atomes voisins.

[4] $9{,}62 \pm 0{,}09$ $m.s^{-1}$.

[5] 511 ± 3 billes.

LA NOTION DE CHAMP EN PHYSIQUE

CHAPITRE C

On emploie souvent le terme de « champ » en Physique : parmi les expressions les plus familières on note le champ de pesanteur, le champ électrique ou le champ magnétique. On dit souvent d'une particule, par exemple, « qu'elle se déplace dans un champ magnétique ». En fait, le mot champ a en Physique une signification d'une part quelque peu différente de « région de l'espace » et d'autre part beaucoup plus précise.

[l'essentiel]

[1] Définition à partir d'un exemple

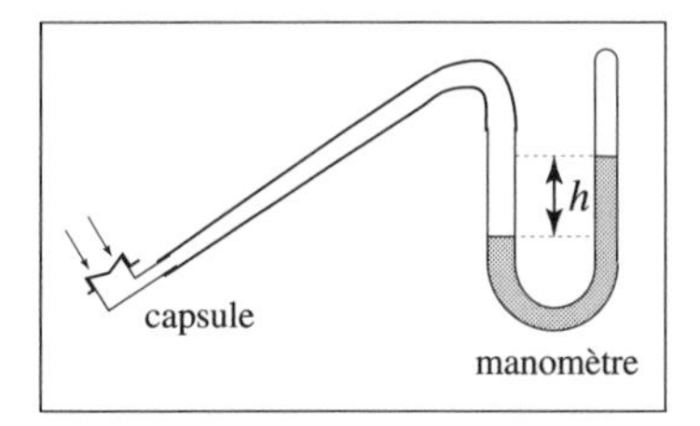

Considérons une capsule manométrique plongée dans un fluide. La pression exercée sur la capsule provoque sa déformation et il en résulte un dénivelé dans le tube manométrique, qui permet de mesurer la pression. La déformation de la capsule dépend non seulement de la pression dans le fluide, mais aussi de la nature de la capsule. Plus généralement, les effets de la pression sur un objet dépendent de l'objet, alors que la pression, elle, ne dépend que du point où est placé cet objet et non de celui-ci : on dit que la pression dans un fluide est un champ.

✗ **Un champ est une grandeur physique qui ne dépend que du point où l'on se trouve et, éventuellement, du temps. Il se manifeste par ses effets sur un objet mais lui-même ne dépend pas de l'objet.**

[2] Champs scalaires

Une grandeur physique qui est complètement déterminée par sa valeur numérique, comme une longueur, un volume, une masse, une pression ou une tension électrique, est dite **scalaire**. Certaines grandeurs physiques scalaires sont des champs : ainsi la pression ou la température à la surface de la Terre, la masse volumique d'un gaz, etc., sont des champs scalaires.

Notons *a contrario* que la masse ou le volume d'un objet, la charge électrique, qui caractérisent l'objet et non l'espace, ne sont pas des champs.

[3] Champs vectoriels

Pour caractériser une force, il faut indiquer en plus de sa valeur numérique la direction et le sens dans lesquels elle s'exerce : on a affaire, par définition même, à une **grandeur vectorielle**. Cependant la force n'existe en un point donné que s'il s'y trouve un objet et elle dépend de cet objet : il en est ainsi du poids d'un corps ou de la force électrostatique exercée par une charge sur une autre charge. Une force n'est donc pas un champ vectoriel. Par contre le rapport du poids $\overrightarrow{P}$ d'un objet à sa masse m ne dépend pas de l'objet : c'est un champ (le **champ de pesanteur** $\vec{g} = \overrightarrow{P}/m$) ; le rapport de la force électrostatique $\overrightarrow{F}$ exercée sur une charge à la valeur q de cette charge ne dépend lui aussi que du point où est placé la charge : c'est le **champ électrique** $\overrightarrow{E} = \overrightarrow{F}/q$. Les forces magnétiques sont dues elles aussi à l'existence d'un champ vectoriel (le champ magnétique $\overrightarrow{B}$) mais la relation qui les lie au champ est plus complexe. Citons également le champ gravitationnel qui se manifeste par l'apparition des forces de gravitation entre des masses.

Toutes les forces ne sont pas pour autant dues à des champs : c'est le cas des forces de frottement et de la résistance de l'air. Signalons enfin un exemple de champ vectoriel dépendant du temps : lorsqu'on applique une tension variable aux bornes d'un condensateur, il apparaît entre les armatures de celui-ci un champ électrique qui dépend du temps.

[4] Champs uniformes

Un champ est dit *uniforme* s'il est indépendant du point considéré. Le champ de pesanteur $\vec{g}$ est un champ vectoriel dont l'intensité, la direction, le sens sont les mêmes en tout point (au moins localement) : c'est un champ vectoriel uniforme. De même, le champ électrique entre les armatures d'un condensateur plan est lui aussi uniforme ; il peut être à la fois uniforme et dépendant du temps si l'on soumet le condensateur à une tension variable.

Citons pour terminer quelques exemples de champs scalaires uniformes : la masse volumique dans un liquide, la pression atmosphérique locale.

GÉNÉRALITÉS SUR LES OSCILLATEURS LINÉAIRES

CHAPITRE D

[l'essentiel]

[1] L'oscillateur harmonique

Un *oscillateur harmonique* x est une grandeur physique qui est une fonction sinusoïdale du temps t. On rencontre des oscillateurs harmoniques dans tous les domaines de la Physique :

– en Mécanique, où les dispositifs qu'ils caractérisent prennent le nom de *pendules*, ce sera par exemple une coordonnées cartésienne ou angulaire, comme on pourra le voir au chapitre **16** ;

– en Électricité, on verra la charge électrique d'un condensateur, une tension ou une intensité dans un circuit effectuer des oscillations sinusoïdales (*cf.* Tome **II** chapitre **14**) ;

– en Physique Ondulatoire, nombreuses sont les grandeurs sujettes à des oscillations sinusoïdales.

[2] Les caractéristiques d'un ocillateur harmonique

L'expression la plus générale d'un oscillateur harmonique x est :

$$x = A\sin(\omega t + \varphi) \qquad \text{(D, 1)}$$

ou

$$x = A\cos(\omega t + \psi). \qquad \text{(D, 2)}$$

A, ω, φ (ou ψ) sont des constantes caractéristiques de l'oscillateur harmonique. Les expressions (D,1) et (D,2) sont strictement équivalentes, car l'on passe de l'une à l'autre en posant

$\varphi = \psi + \dfrac{\pi}{2}$.

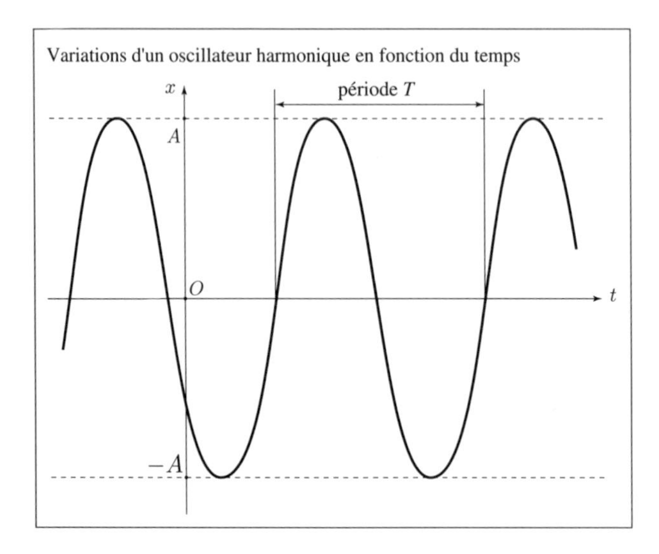

• $\omega t + \varphi$ est la **phase** de l'oscillateur et s'exprime en **radian (rad)** ;

• φ (ou ψ) est la **phase à l'origine** ; c'est un nombre algébrique dont la valeur dépend du choix de l'origine des temps ;

• ω est la **pulsation** de l'oscillateur et s'exprime en **radian par seconde ($\mathbf{rad.s^{-1}}$)** ;

• A est l'**amplitude** des oscillations ; son unité dépend de l'oscillateur considéré.

L'amplitude et la pulsation sont habituellement définis par des nombres positifs, grâce au choix de la phase à l'origine. Par exemple, l'amplitude de $x = -3\cos\left(5t - \dfrac{\pi}{3}\right)$ est 3 car $x = +3\cos\left(5t - \dfrac{\pi}{3} + \pi\right)$ et la pulsation de $y = 4\sin\left(-2t + \dfrac{\pi}{6}\right)$ est $2\,\text{rad.s}^{-1}$ car $y = -4\sin\left(+2t - \dfrac{\pi}{6}\right) = 4\sin\left(2t - \dfrac{\pi}{6} + \pi\right)$. Ainsi, on peut toujours se ramener, si on le désire, à l'une des formulations (D,1) ou (D,2).

• La durée T d'une oscillation complète est la **période de l'oscillateur** et s'exprime en **secondes (s)** ;

• le nombre N d'oscillations par seconde est la **fréquence de l'oscillateur** et s'exprime en **hertz (Hz)** dans le système international.

Les fonctions sinus et cosinus ayant une période angulaire égale à 2π, on a :

$$\omega T = 2\pi.$$

On peut écrire, en résumé :

$$\boxed{N = \frac{1}{T}} \qquad \boxed{T = \frac{2\pi}{\omega}} \qquad \boxed{\omega = 2\pi N} \qquad \text{(D, 3)}$$

[3] L'équation différentielle de l'oscillateur harmonique

Il existe une relation très simple entre un oscillateur harmonique x et sa dérivée seconde $\ddot{x}$ par rapport au temps (nous noterons, selon l'usage, par $\dfrac{\mathrm{d}x}{\mathrm{d}t}$ ou $\dot{x}$ la dérivée première par rapport au temps et par $\dfrac{\mathrm{d}^2x}{\mathrm{d}t^2}$ ou $\ddot{x}$ la dérivée seconde). On peut utiliser la formulation (D,1), par exemple[1] :

$$\begin{aligned} x &= A\sin(\omega t + \varphi) \\ \dot{x} &= \omega A\cos(\omega t + \varphi) \\ \ddot{x} &= -\omega^2 A\sin(\omega t + \varphi). \end{aligned}$$

Il est clair que x et $\dot{x}$ satisfont l'*équation différentielle linéaire*[2] :

$$\ddot{x} + \omega^2 x = 0.$$

Mais le point le plus intéressant est (nous l'admettrons) que la réciproque est vraie : si une grandeur x vérifie une équation différentielle du type :

$$\boxed{\ddot{x} + Kx = 0,} \qquad \text{(D, 4)}$$

où K est une *constante positive*[3], alors x est un oscillateur harmonique de pulsation $\omega = \sqrt{K}$, c'est-à-dire que x est de la forme :

$$x = A\sin\left(\sqrt{K}t + \varphi\right).$$

Les constantes A et φ apparaissent ici comme indéterminées ; pour les calculer, on a besoin de deux équations : celles-ci seront fournies en général par la connaissance des valeurs de x et de sa dérivée $\dot{x}$ à un instant particulier t_0. On appelle *conditions initiales* l'ensemble de ces deux données.

[4] L'oscillateur linéaire amorti

Il est fréquent, lors de l'étude d'un oscillateur, d'aboutir à une équation linéaire entre x, $\ddot{x}$ mais aussi $\dot{x}$ du type :

$$\ddot{x} + 2\lambda\dot{x} + \omega_0^2 x = 0, \qquad \text{(D, 5)}$$

où λ est une constante *positive*. Dans la pratique le terme $2\lambda\dot{x}$ apparaît lorsqu'il y a dissipation d'énergie en chaleur. Nous ne nous occuperons pas ici de son origine mais plutôt de voir comment est modifiée la solution de (D,4). On démontre en Mathématiques que la solution (D,5) passe par la résolution de son *équation caractéristique*, obtenue en y remplaçant $\ddot{x}$ par r^2, $\dot{x}$ par r, x par 1 :

$$r^2 + 2\lambda r + \omega_0^2 = 0. \qquad \text{(D, 6)}$$

---

[1] Le lecteur s'assurera que l'on arrive exactement au même résultat en partant de (D,2).

[2] On dit que l'oscillateur harmonique est un *oscillateur linéaire non amorti*.

[3] Il est essentiel que la constante K soit positive.

[a] Le régime oscillatoire amorti

Si $\lambda^2 - \omega_0^2 < 0$, il n'y a pas de racines réelles ; on pose $\lambda^2 - \omega_0^2 = -\omega^2$ et la solution de (D,5) est de la forme :

$$x = Ae^{-\lambda t}\sin(\omega t + \varphi). \qquad \text{(D, 7)}$$

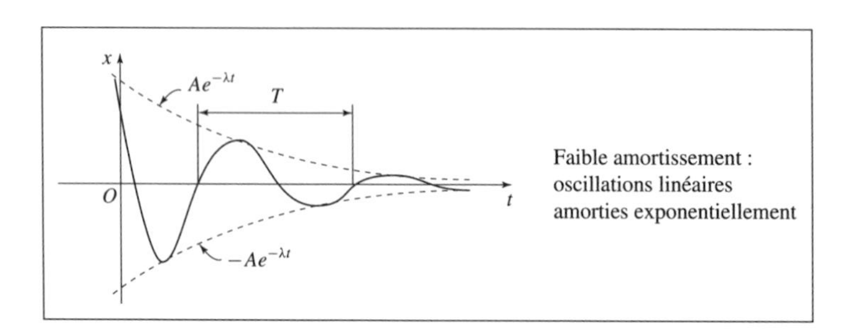

Le graphe de $x(t)$ oscille entre les deux exponentielles représentant $x = \pm Ae^{-\lambda t}$. Les oscillations sont pseudo-périodiques et s'atténuent à mesure que le temps s'écoule. La pseudo-période T diffère de la période $T_0 = \dfrac{2\pi}{\omega_0}$ de l'oscillateur harmonique non amorti de moins de 10% si $\lambda < 0{,}4\omega_0$ et l'on pourra très souvent confondre T et T_0 (amortissement faible).

[b] Les régimes critique et sous-critique

Si $\lambda^2 - \omega_0^2 \geqslant 0$, l'équation caractéristique (D,6) admet deux racines *réelles* et *négatives*, $-a$ et $-b$. La solution e (D,5) est alors de la forme :

$$x = Ae^{-at} + Be^{-bt}. \qquad \text{(D, 8)}$$

si $\lambda \neq \omega_0$;

$$x = (A + Bt)e^{-\omega_0 t}, \qquad \text{(D, 9)}$$

si $\lambda_c = \omega_0$.

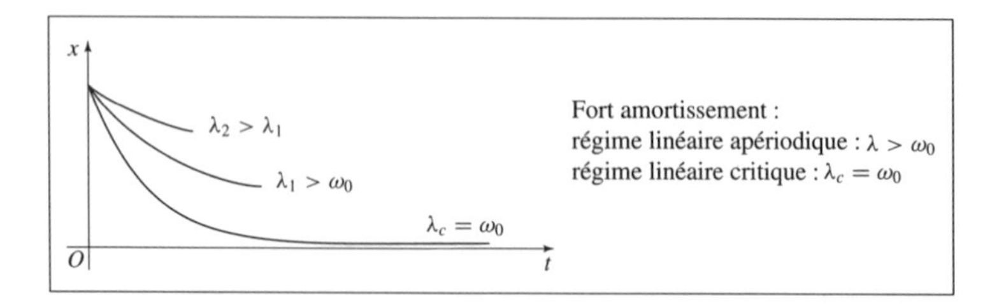

Dans ce cas, l'oscillateur ne peut pas osciller, il tend à retrouver sa valeur de repos $x = 0$, d'autant plus rapidement que λ est plus petit, c'est-à-dire plus proche de la valeur critique $\lambda_c = \omega_0$. On dit que le régime est *sous-critique* ou *apériodique*.

[c] Le facteur de qualité de l'oscillateur

Le rapport sans dimension $Q = \frac{\omega_0}{2\lambda}$ est quelquefois utilisé pour caractériser l'amortissement :

– si $Q > \frac{1}{2}$, le régime est oscillatoire (amortissement faible) ;

– si $Q < \frac{1}{2}$, le régime est sous-critique (amortissement fort : pas d'oscillation) ;

– si $Q = \frac{1}{2}$, le régime est critique (amortissement critique : pas d'oscillation).

L'amplitude des oscillations est divisée par deux au bout de deux oscillations si $Q = 9$, au bout de vingt oscillations si $Q = 90$.

FORMULAIRE

CHAPITRE E

Quelques notations : $\ll$ petit devant ;

$\gg$ grand devant ;

$\simeq$ à peu près égal à ;

$\sim$ de l'ordre de grandeur de ;

$\propto$ proportionnel à.

[l'essentiel]

[1] Trigonométrie

$$\sin\theta = 2\sin\frac{\theta}{2}\cos\frac{\theta}{2}$$

$$1+\cos\theta = 2\cos^2\frac{\theta}{2} \qquad 1-\cos\theta = 2\sin^2\frac{\theta}{2}$$

$$1+\tan^2\theta = \frac{1}{\cos^2\theta} \qquad 1+\mathrm{cotan}^2\theta = \frac{1}{\sin^2\theta}$$

$$\cos(a+b) = \cos a\cos b - \sin a\sin b$$

$$\cos(a-b) = \cos a\cos b + \sin a\sin b$$

$$2\cos a\cos b = \cos(a+b) + \cos(a-b)$$

$$2\sin a\sin b = \cos(a-b) - \cos(a+b)$$

$$\sin(a+b) = \sin a\cos b + \sin b\cos a$$

$$\sin(a-b) = \sin a\cos b - \sin b\cos a$$

$$2\sin a\cos b = \sin(a+b) + \sin(a-b)$$

$$\cos p + \cos q = 2\cos\frac{p+q}{2}\cos\frac{p-q}{2}$$

$$\cos p - \cos q = -2\sin\frac{p+q}{2}\sin\frac{p-q}{2}$$

$$\sin p + \sin q = 2\sin\frac{p+q}{2}\cos\frac{p-q}{2}$$

$$\sin p - \sin q = 2\sin\frac{p-q}{2}\cos\frac{p+q}{2}$$

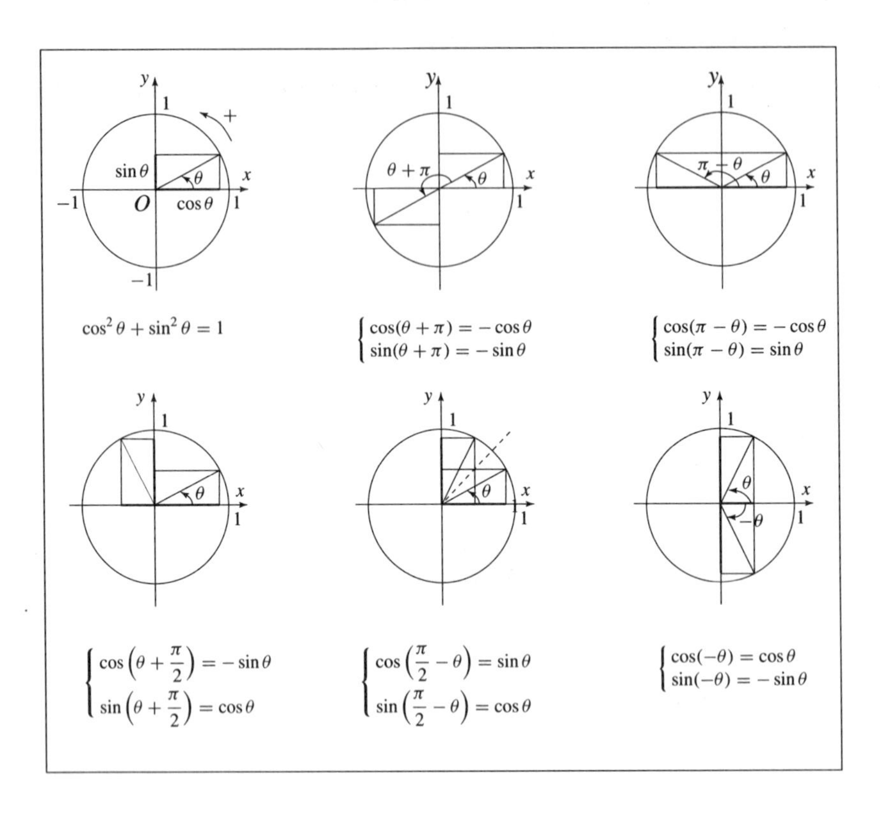

Relations approchées

Si θ est petit (en pratique si $\theta \leqslant 15°$) :

$$\sin\theta \simeq \tan\theta \simeq \theta \qquad (\theta \text{ en radian})$$

$$\cos\theta \simeq 1 - \frac{\theta^2}{2}.$$

[2] Dérivées et différentielles

La *dérivée* $f'(x)$ d'une fonction $x \longmapsto f(x)$, soit $y = f(x)$, est :

$$f'(x) = \lim_{\Delta x \to 0} \frac{f(x + \Delta x) - f(x)}{\Delta x} = \lim_{\Delta x \to 0} \frac{\Delta y}{\Delta x}.$$

$f'(x)$ est le coefficient directeur de la tangente à la courbe représentant $y = f(x)$ au point d'abscisse x.

Différentielle dy et accroissement Δy ; $f'(x)$ est le coefficient directeur de la tangente (MT)

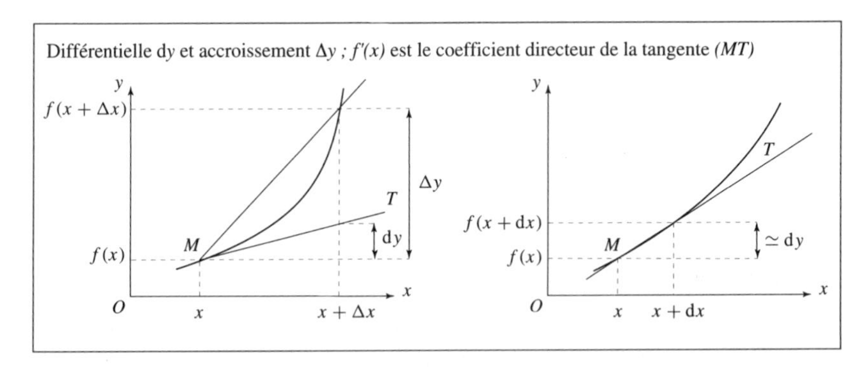

La *différentielle* $\mathrm{d}y$ d'une fonction $x \longmapsto f(x)$ est :

$$\mathrm{d}y = f'(x)\Delta x.$$

Si $\mathrm{d}x$ est un accroissement *infinitésimal* (c'est-à-dire petit) de x, il découle de la définition de la dérivée que :

$$\mathrm{d}y \simeq \Delta y.$$

Dérivées des fonctions usuelles

$f(x)$	cte	x^α (α réel)	$\sin x$	$\cos x$	$\tan x$	$\mathrm{e}^{\alpha x}$	$\ln x$
$f'(x)$	0	$\alpha x^{\alpha-1}$	$\cos x$	$-\sin x$	$\dfrac{1}{\cos^2 x}$	$\alpha\,\mathrm{e}^{\alpha x}$	$\dfrac{1}{x}$

Dérivées composées

$f(x)$	$u(x)v(x)$	$\dfrac{u(x)}{v(x)}$	$v[u(x)]$	$[u(x)]^\alpha$
$f'(x)$	$u'(x)v(x) + u(x)v'(x)$	$\dfrac{v(x)u'(x) - u(x)v'(x)}{v^2(x)}$	$u'(x)v'[u(x)]$	$\alpha u'(x)[u(x)]^{\alpha-1}$

[3] Primitives

Une fonction f est dérivée d'une infinité de fonctions F appelées primitives de f et notées $F(x) = \int f(x)$. Deux primitives diffèrent d'une constante. Les primitives des fonctions usuelles s'obtiennent en lisant les tableaux de **[2]** en sens inverse (à une constante additive indéterminée près). En particulier :

$$\left.\begin{aligned} \int x^\alpha\,\mathrm{d}x &= \frac{x^{\alpha+1}}{\alpha+1} + \text{cte} \\ \int [u(x)]^\alpha u'(x)\,\mathrm{d}x &= \frac{[u(x)]^{\alpha+1}}{\alpha+1} + \text{cte} \end{aligned}\right\}\quad \text{si } \alpha \neq 1$$

$$\int \frac{\mathrm{d}x}{x} = \ln|x| + \text{cte}$$
$$\int \frac{u'(x)}{u(x)}\,\mathrm{d}x = \ln|u(x)| + \text{cte}$$
$$\int \cos(\omega t + \varphi)\,\mathrm{d}t = \frac{1}{\omega}\sin(\omega t + \varphi) + \text{cte}$$
$$\int \sin(\omega t + \varphi)\,\mathrm{d}t = -\frac{1}{\omega}\sin(\omega t + \varphi) + \text{cte}.$$

Calcul infinitésimal

Si $\mathrm{d}x$ est un accroissement infinitésimal de x, alors $f(x)\,\mathrm{d}x = F'(x)\,\mathrm{d}x$ est l'accroissement infinitésimal $\mathrm{d}y$ d'une primitive quelconque F de f, c'est-à-dire la différentielle de F (*cf.* **[2]**) :

$$\mathrm{d}y = F'(x)\,\mathrm{d}x \simeq F(x + \mathrm{d}x) - F(x).$$

La somme algébrique des $\mathrm{d}y$ sur un intervalle $[a, b]$ de la variable x découpé en parties de longueur $\mathrm{d}x$ est donc l'accroissement de $F(x)$ antre $x = a$ et $x = b$. On le note :

$$\int \mathrm{d}y = \int_a^b f(x)\,\mathrm{d}x = F(b) - F(a).$$

[4] Relations approchées

Si x est petit :

$$(1 + x)^\alpha \simeq 1 + \alpha x \qquad (\alpha \text{ réel positif ou négatif})$$
$$\mathrm{e}^x \simeq 1 + x$$
$$\ln(1 + x) \simeq x$$
$$\sin x \simeq \tan x \simeq x \qquad (x \text{ en radian})$$
$$\cos x \simeq 1 - \frac{x^2}{2}. \qquad (x \text{ en radian})$$

[5] Angles égaux

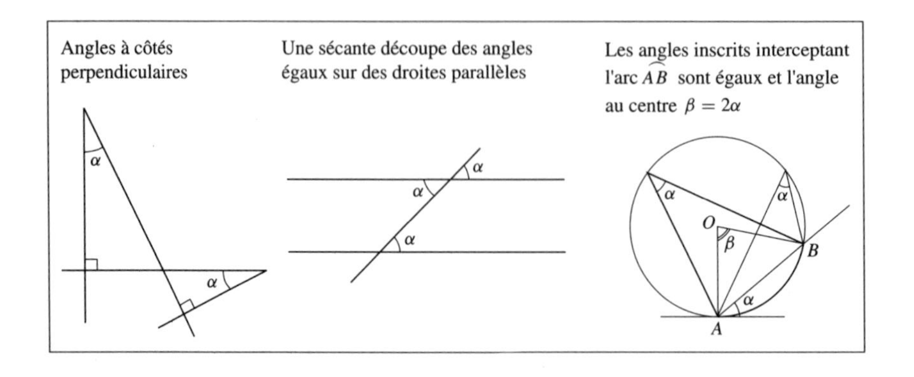

PRODUITS DE VECTEURS

CHAPITRE F

[l'essentiel]

[1] Produit scalaire de deux vecteurs

[a] Définition

Le produit scalaire de deux vecteurs $\vec{V}$ et $\vec{V'}$ est le **nombre** noté :

$$\boxed{\vec{V} \cdot \vec{V'} = \| \vec{V} \| \, \| \vec{V'} \| \cos\theta.} \qquad (F, 1)$$

L'angle θ des deux vecteurs est défini entre 0 et 180°.

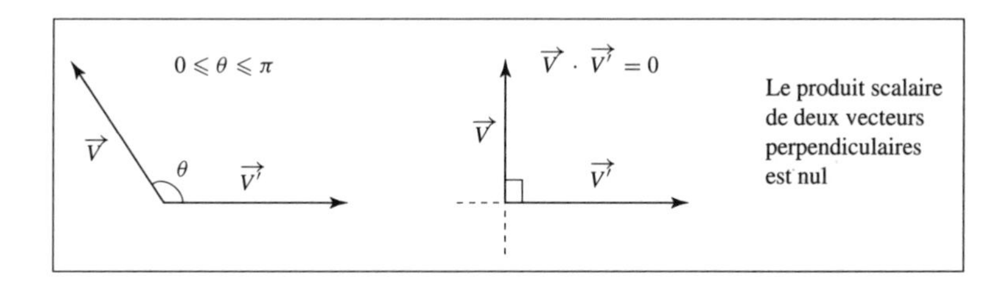

L'expression de $\vec{V} \cdot \vec{V'}$ en fonction des coordonnées (X, Y, Z) et (X', Y', Z') de $\vec{V}$ et $\vec{V'}$ sur un repère orthonormé est :

$$\boxed{\vec{V} \cdot \vec{V'} = XX' + YY' + ZZ'.} \qquad (F, 2)$$

En particulier :

$$\| \vec{V} \|^2 = \vec{V} \cdot \vec{V} = X^2 + Y^2 + Z^2.$$

[b] Propriétés

$$\vec{V'} \cdot \vec{V} = \vec{V} \cdot \vec{V'}$$ (commutativité)

$$\vec{V} \cdot \left(\lambda \vec{V'}\right) = \left(\lambda \vec{V}\right) \cdot \vec{V'} = \lambda \left(\vec{V} \cdot \vec{V'}\right)$$ (associativité de la multiplication par un nombre λ)

$$\vec{V} \cdot \left(\vec{V_1} + \vec{V_2}\right) = \vec{V} \cdot \vec{V_1} + \vec{V} \cdot \vec{V_2}$$ (distributivité sur l'addition vectorielle)

$$\vec{V} \cdot \vec{V'} = \vec{O} \iff \vec{V} = \vec{0} \text{ ou } \vec{V'} = \vec{0} \text{ ou } \vec{V} \perp \vec{V'}.$$

[2] Produit vectoriel de deux vecteurs

[a] Définition

Le produit vectoriel de $\vec{V}$ et $\vec{V'}$ est un **vecteur** noté $\vec{V} \wedge \vec{V'}$ tel que :

(i) $\| \vec{V} \wedge \vec{V'} \| = \| \vec{V} \| \, \| \vec{V'} \| \sin\theta$; $(F, 3)$

(ii) sa direction est perpendiculaire à chacun des vecteurs $\vec{V}$ et $\vec{V'}$;

(iii) son sens est tel que le trièdre $\vec{V}$, $\vec{V'}$, $\vec{V} \wedge \vec{V'}$ est *direct*.

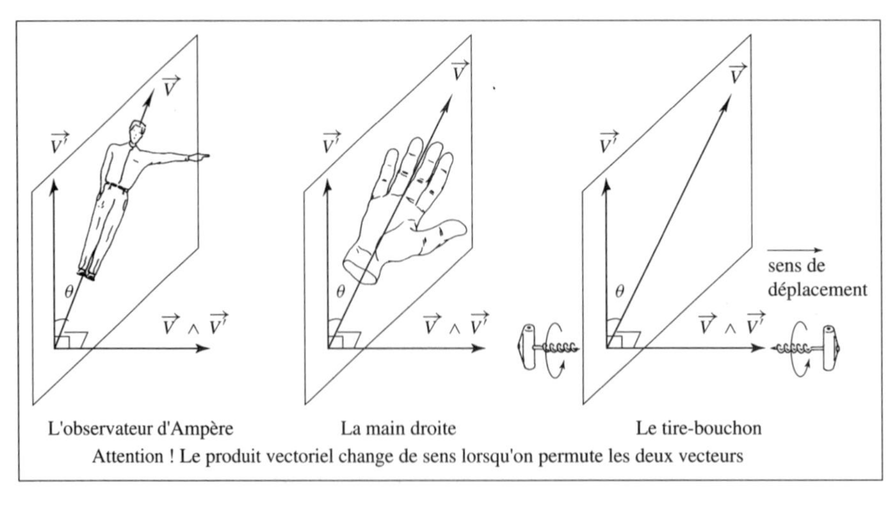

L'observateur d'Ampère — La main droite — Le tire-bouchon

Attention ! Le produit vectoriel change de sens lorsqu'on permute les deux vecteurs

On peut trouver le *sens* du produit vectoriel à l'aide d'une des règles suivantes.

Règle de la main droite

Le pouce de la main droite indique le sens lorsque les autres doigts sont pointés suivant le *premier* vecteur ($\vec{V}$), la paume étant orientée vers le *second* vecteur ($\vec{V'}$).

Régle de l'observateur d'Ampère

La gauche de l'observateur indique le sens lorsqu'il se trouve traversé *des pieds vers la tête* par le *premier* vecteur et qu'il regarde le *second*.

Règle du tire-bouchon de Maxwell

Le tire-bouchon se déplace dans le sens du produit vectoriel lorsqu'on amène le *premier* vecteur sur le *second* en faisant tourner le tire-bouchon de l'angle θ.

[b] Propriétés

Le produit vectoriel de deux vecteurs de même direction est nul

$\vec{V'}$ $\vec{V}$ $\vec{V''}$

$$\vec{V'} \wedge \vec{V''} = \vec{0} \qquad (\theta = 0)$$

$$\vec{V} \wedge \vec{V'} = \vec{V} \wedge \vec{V''} = \vec{0} \qquad (\theta = \pi)$$

$$\vec{V'} \wedge \vec{V} = -\vec{V} \wedge \vec{V'} \qquad \text{(anticommutativité)}$$

$$\vec{V} \wedge \left(\lambda \vec{V'}\right) = \left(\lambda \vec{V}\right) \wedge \vec{V'} = \lambda \left(\vec{V} \wedge \vec{V'}\right)$$

(associativité de la multiplication par un nombre λ)

$$\vec{V} \wedge \left(\vec{V_1} + \vec{V_2}\right) = \vec{V} \wedge \vec{V_1} + \vec{V} \wedge \vec{V_2}$$

(distributivité sur l'addition vectorielle)

$$\vec{V} \wedge \vec{V'} = \vec{0} \iff \vec{V} = \vec{0} \text{ ou } \vec{V'} = \vec{0} \text{ ou } \vec{V} \,//\, \vec{V'}.$$

FORCES : NOTIONS FONDAMENTALES

CHAPITRE 1

[l'essentiel]

[1] Qu'est-ce qu'une force ?

La cause d'un effet mécanique quelconque sur un objet (déformation, mise en mouvement ou encore modification du mouvement) est caractérisée par une localisation sur l'objet, une direction, un sens et une intensité : au point de vue mathématique, cette cause est parfaitement représentée par un **vecteur** $\vec{F}$ que l'on désigne sous le nom de **force**.

Une force $\vec{F}$ possède donc quatre caractéristiques, comme le montre la figure où l'on peut voir une personne exerçant une force à l'extrémité d'une corde et sa schématisation :

- le **point d'application** (l'origine du vecteur) ;
- la **droite d'action** ;
- le **sens** dans lequel s'exerce la force ;
- l'**intensité**, nombre *positif* mesurant la norme F du vecteur $\vec{F}$.

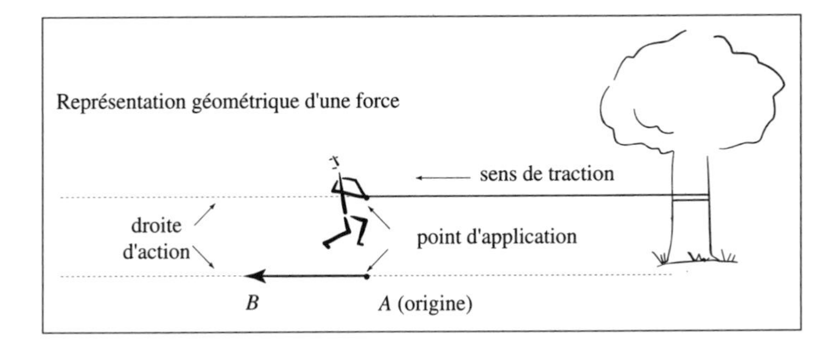

[2] Dynamomètre

Un **dynamomètre** permet de mesurer l'intensité d'une force de traction : il est constitué d'un ressort dont on mesure la déformation sous l'effet de la force considérée.

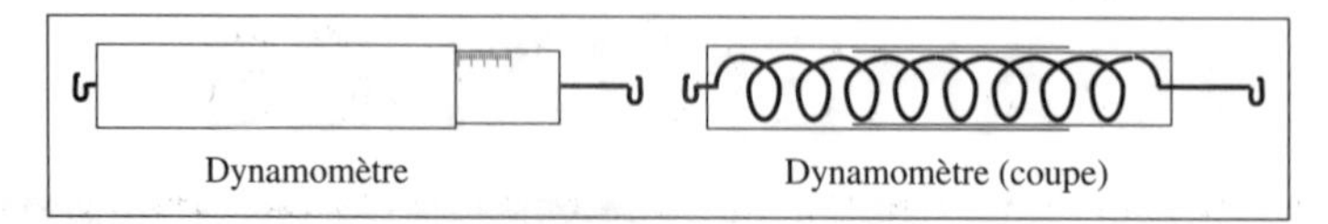

L'unité de force dans le système international est le **newton**, représenté par le symbole **N** : on écrira par exemple $F = 50\,\text{N}$ mais attention, l'écriture $\vec{F} = 50\,\text{N}$ n'a aucun sens !

Un dynamomètre est gradué directement en newton.

[3] Comparaison des forces

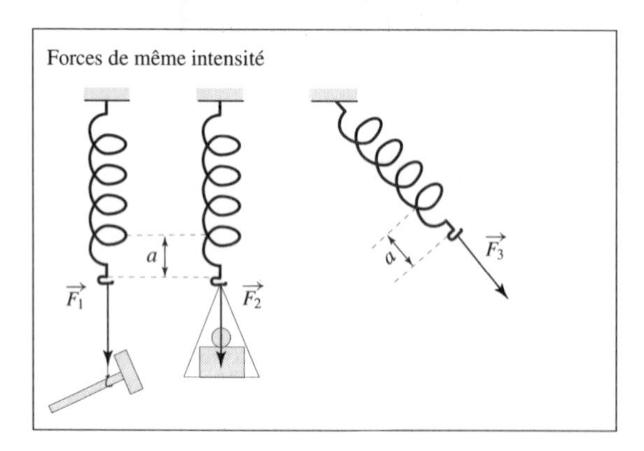

Les forces $\vec{F_1}$, $\vec{F_2}$, $\vec{F_3}$ de la figure produisent le même allongement a du ressort : elles ont même intensité $F_1 = F_2 = F_3$, mais seules $\vec{F_1}$ et $\vec{F_2}$ ont aussi même direction et même sens. On écrira $\vec{F_1} = \vec{F_2}$ mais $\vec{F_3} \neq \vec{F_1}$ et $\vec{F_3} \neq \vec{F_2}$.

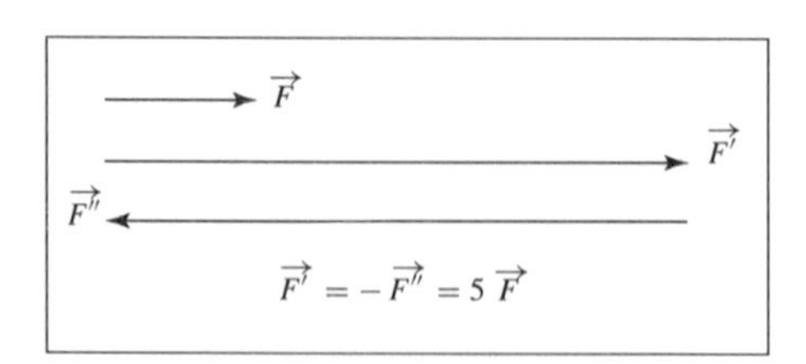

L'écriture $\vec{F}' = 5\,\vec{F}$ signifie que $\vec{F}$ et $\vec{F}'$ ont même direction, même sens et que $F' = 5F$. Par contre, $\vec{F}'' = -5\,\vec{F}$ est de sens contraire de $\vec{F}$ mais on a $F'' = 5F$.

✗ **On ne peut pas écrire $F'' = -5F$ car l'intensité (la norme) d'une force est par définition un nombre positif.**

[4] Règle de composition

Supposons que l'on exerce simultanément deux forces $\vec{F_1}$ et $\vec{F_2}$ à l'extrémité libre O d'un ressort. La force unique $\vec{F}$ qui produirait la même déformation s'appelle la **résultante** de $\vec{F_1}$ et $\vec{F_2}$. Elle est notée :

$$\vec{F} = \vec{F_1} + \vec{F_2}.$$

Le signe + est ici le symbole de l'addition vectorielle : l'expérience montre que $\vec{F}$ s'obtient «en mettant bout à bout» $\vec{F_1}$ et $\vec{F_2}$ comme l'indique la figure[1].

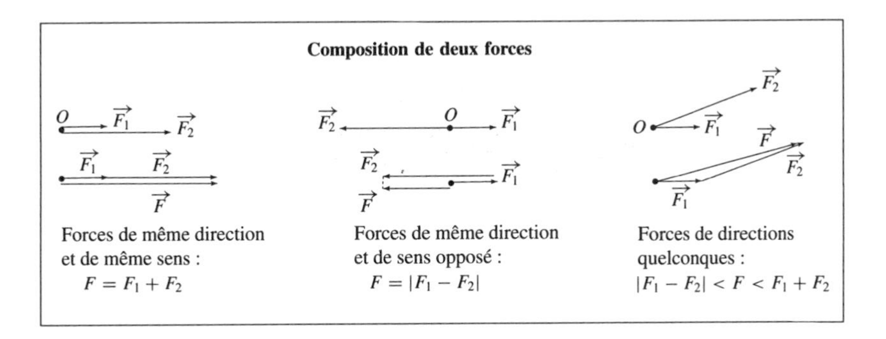

✘ **L'intensité de la résultante n'est pas égale à la somme des intensités des forces considérées, excepté si celles-ci ont même direction et même sens.**

La règle s'étend à un nombre quelconque de forces.

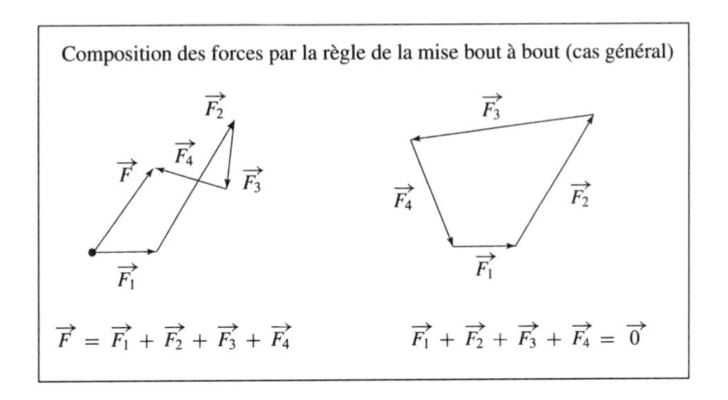

✘ **La résultante d'un système de forces sans effet est évidemment nulle.**

Lorsqu'on doit composer deux forces, on peut aussi utiliser la «règle du parallélogramme» :

1 Le résultat obtenu est bien sûr indépendant de l'ordre dans lequel on effectue la mise bout à bout.

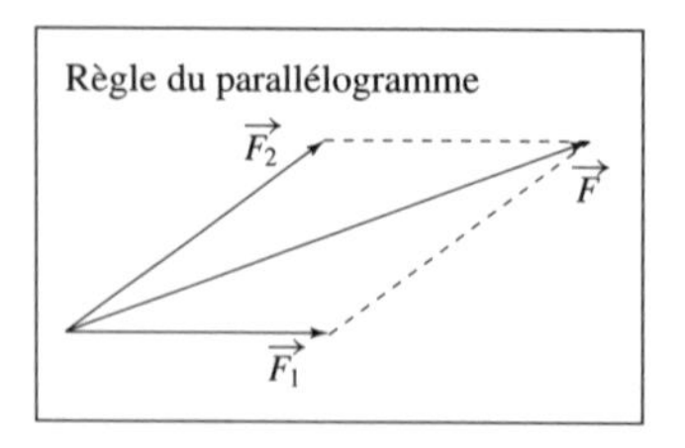

La résultante est la diagonale du parallélogramme construit avec $\vec{F_1}$ et $\vec{F_2}$.

[de l'essentiel à la pratique]

Mots-clés

- point d'application
- droite d'action
- intensité ou norme
- règle de la mise bout à bout
- résultante

[1] *Déterminer la résultante* $\vec{F}$ *des deux forces* $\vec{F_1}$ *et* $\vec{F_2}$.
On donne $F_1 = 40\,\text{N}$ *et* $F_2 = 70\,\text{N}$.

$$F = F_2 - F_1 = 30\,\text{N}.$$

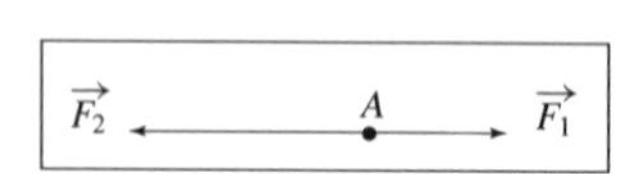

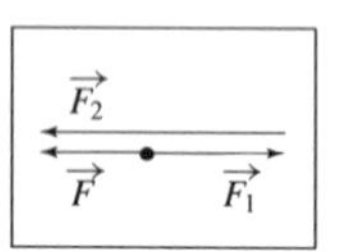

[2] *Même question si* $\vec{F_1}$ *et* $\vec{F_2}$ *sont perpendiculaires. Donner l'angle de* $\vec{F}$ *avec* $\vec{F_1}$.

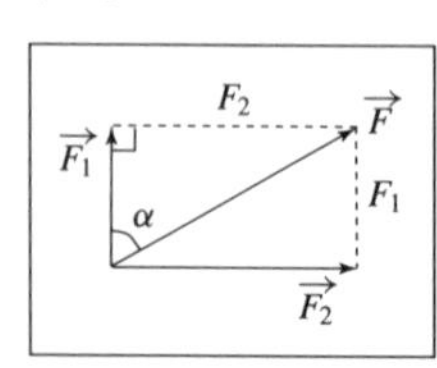

$$F = \sqrt{F_1^2 + F_2^2} = 81\,\text{N} \qquad \text{(théorème de Pythagore)}$$

$$\tan\alpha = \frac{F_2}{F_1} = \frac{7}{4} \quad \text{d'où} \quad \alpha = 60{,}3°.$$

[3] *On donne :* $F_1 = 3{,}0\,\text{N}$ *;* $F_2 = 5{,}0\,\text{N}$ *;* $\alpha = 35°$.

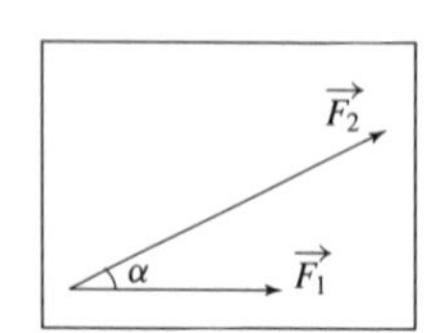

Déterminer les caractéristiques de la résultante d'abord géométriquement, puis analytiquement.

Méthode géométrique. On fait une construction avec une règle graduée et un rapporteur en représentant par exemple 1 N par 2 cm : F_1 sera représentée par 6 cm et F_2 par 10 cm. On construit le parallélogramme avec soin et on mesure la longueur de sa diagonale : 15,4 cm ce qui correspond à $F = 15{,}4 \div 2 = 7{,}7\,\text{N}$. On mesure ensuite au rapporteur l'angle β de la résultante avec $\overrightarrow{F_1}$ par exemple et on trouve $\beta \simeq 22°$, ce qui achève la détermination de $\overrightarrow{F}$.

Méthode analytique. On prend un repère orthonormé xOy, l'axe Ox étant pris selon l'une des deux forces. Alors :

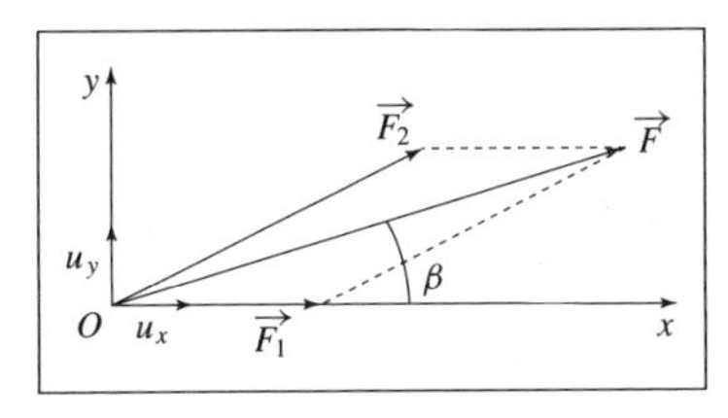

$$\begin{aligned}
\overrightarrow{F_1} &= F_1\,\vec{u}_x = 3\,\vec{u}_x\\
\overrightarrow{F_2} &= (F_2\cos\alpha)\,\vec{u}_x + (F_2\sin\alpha)\,\vec{u}_y = 4{,}1\,\vec{u}_x + 2{,}9\,\vec{u}_y\\
\overrightarrow{F} &= \overrightarrow{F_1} + \overrightarrow{F_2} = (3 + 4{,}1)\,\vec{u}_x + 2{,}9\,\vec{u}_y\\
\overrightarrow{F} &= 7{,}1\,\vec{u}_x + 2{,}9\,\vec{u}_y,
\end{aligned}$$

ce qui détermine complètement $\vec{F}$.

Notons que

$$F = \sqrt{7{,}1^2 + 2{,}9^2} = 7{,}7\,\text{N}$$
$$\tan\beta = \frac{F_y}{F_x} = \frac{2{,}9}{7{,}1} \quad \text{d'où} \quad \beta = 22{,}2°.$$

On retrouve bien les résultats précédents. On vérifie enfin que $F_1 + F_2 = 8{,}0\,\text{N} \neq F$.

[exercices]

[1] $\overrightarrow{F_1}$ et $\overrightarrow{F_2}$ font un angle de 35°. Leurs intensités respectives sont de 340 N et 280 N. Déterminer leur résultante $\overrightarrow{F}$. On précisera l'angle de $\overrightarrow{F}$ avec $\overrightarrow{F_1}$.

[2] Même question qu'en **[1]**, avec un angle de 140°.

[3] On donne $\overrightarrow{F_1} = 25\,\vec{u}_x + 12\,\vec{u}_y$; $\overrightarrow{F_2} = -14\,\vec{u}_x + 5\,\vec{u}_y$; $\overrightarrow{F_3} = -11\,\vec{u}_x - 30\,\vec{u}_y$.

Déterminer la résultante $\overrightarrow{F}$ (les composantes sont exprimées en newton).

[réponses]

[1] $F = 592\,\text{N}$; 15,8°.

[2] 219 N ; 55°.

[3] $\overrightarrow{F} = -13\,\vec{u}_y$; $F = 13\,\text{N}$.

LE POIDS ET LE CHAMP DE PESANTEUR

CHAPITRE 2

[l'essentiel]

[1] Les forces de pesanteur

Tout objet abandonné à lui-même au dessus du sol se met en mouvement : il tombe parce qu'il est attiré par la Terre (on dit que Newton en prit conscience en voyant la chute d'une pomme). La terre exerce sur l'objet des forces dont la résultante $\vec{F}$ s'appelle *le poids de l'objet.*

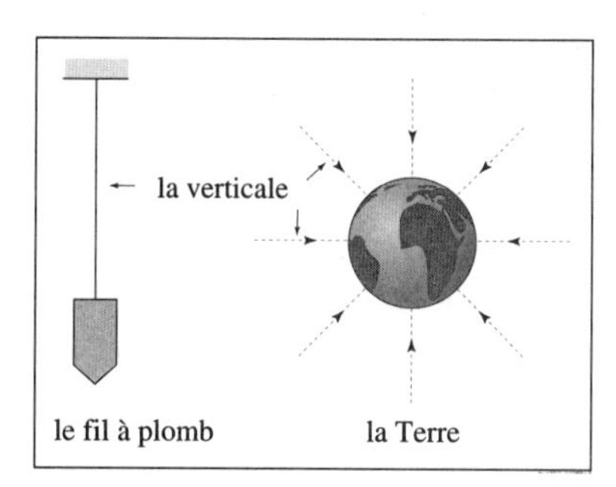

La direction du poids est donnée par le *fil à plomb* : c'est approximativement la direction du rayon terrestre ; elle varie donc d'un point à l'autre à la surface de la Terre et on l'appelle **la verticale** du lieu considéré.

Le poids est appliqué en un point caractéristique G indépendamment de l'orientation de l'objet dans l'espace : on l'appelle le **centre de masse**[1].

Le centre de masse d'un objet *homogène* (c'est-à-dire constitué d'un matériau unique) présentant un centre de symétrie se confond toujours avec le centre de symétrie.

Le centre de masse peut se situer *en dehors* de l'objet. Il peut ainsi paraître surprenant que le point d'application d'une force, le poids, n'appartienne pas à l'objet considéré : il ne faut

1 On dit aussi «**centre d'inertie**» ou «**centre de gravité**».

pas perdre de vue que le poids n'est en réalité qu'une force *équivalente* au système des forces exercées par la Terre sur chaque parcelle de matière constituant l'objet.

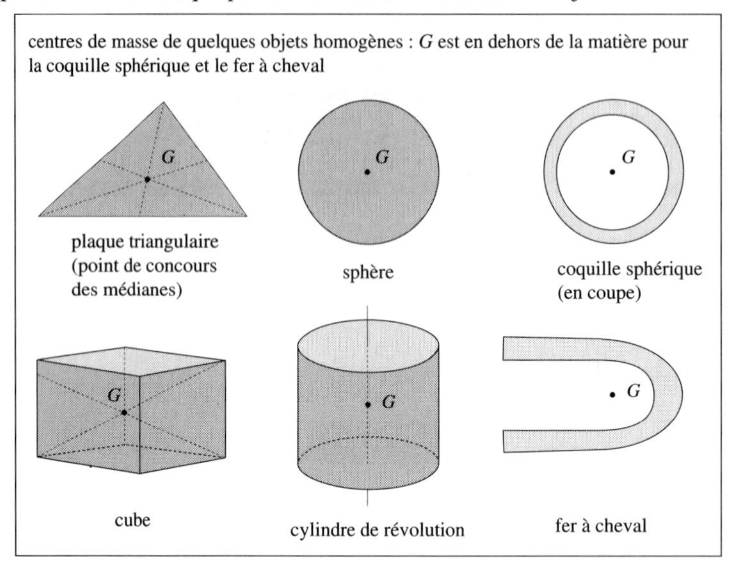

[2] Le champ de pesanteur

La norme du poids varie légèrement avec le lieu et l'altitude mais elle est proportionnelle à la quantité de matière, c'est-à-dire à la masse m de l'objet[1]. Plus précisément, le rapport du poids $\vec{P}$ à la masse m ne dépend que du lieu, il ne dépend pas de l'objet : c'est un champ vectoriel (*cf.* **C.[3]**). On l'appelle *champ de pesanteur* et on le note $\vec{g}$:

$$\boxed{\vec{P} = m\vec{g}.} \tag{2, 1}$$

Tout comme le poids, $\vec{g}$ est suivant la verticale descendante. Sa norme s'exprime en **mètre par seconde au carré**[2] **($m.s^{-2}$)** ; elle varie de $9{,}83\,m.s^{-2}$ aux pôles à $9{,}78\,m.s^{-2}$ à l'équateur et décroît faiblement avec l'altitude ($g = 9{,}77\,m.s^{-2}$ au sommet de l'Himalaya). En pratique, on peut considérer *localement* que *$\vec{g}$ est un champ uniforme*[3] avec une excellente approximation et l'on prend habituellement :

$$g = 9{,}8\,m.s^{-2}.$$

La masse m est par contre une *constante positive* caractéristique du corps[1] et s'exprime en **kilogramme (kg)** dans le système international. On définit la **masse volumique** ρ, qui est la

[1] Pour définir précisément la masse et l'unité de masse, qui est le kilogramme dans le système international, il faut définir le mode de comparaison entre les masses : on utilise pour cela la balance à plateau (voir exercice **4.[1]** p.57).

[2] Cette unité dérivée sera justifiée au **11.[3]** ; elle est quelquefois désignée sous le nom de $N.kg^{-1}$ ($1\,N.kg^{-1} = 1\,m.s^{-2}$).

[3] C'est-à-dire qui est le même en tout point (voir **C.[4]**).

[1] Dans la vie courante on confond *masse* et *poids* par abus de langage : un « poids » de 50 kg correspond à une masse de 50 kg et vaut en fait $9{,}8 \times 50 = 490\,N$.

masse de l'unité de volume, exprimée en **kg.m^{-3}** et est caractéristique de la substance dont se compose le corps considéré.

[de l'essentiel à la pratique]

Mots-clés

Centre de masse

champ de pesanteur

la verticale

masse volumique

[1] *Une bille d'acier de diamètre* 12 mm *«pèse»* 6,8 g.

[a] *Quelle est sa masse volumique ?*

Le volume de la bille est $V = \frac{4}{3}\pi r^3$, où $r = 6\,\text{mm} = 6.10^{-3}\,\text{m}$, et sa masse est $m = 6{,}8.10^{-3}$ kg. La masse volumique de l'acier est donc :

$$\boxed{\rho = \frac{m}{V} = \frac{3m}{4\pi r^3},}$$

soit $\rho = \frac{3 \times 6{,}8.10^{-3}}{4\pi(6.10^{-3})^3}$, soit $\underline{\rho = 7{,}5.10^3\,\text{kg.m}^{-3}}$.

[b] *Que vaut le poids de la bille ?*

$P = mg = 6{,}8.10^{-3} \times 9{,}8$ soit $\underline{P = 6{,}7.10^{-2}\,\text{N}}$.

Il ne faut pas oublier d'exprimer la masse en unité S.I. (le kg) pour obtenir le poids en newton !

[2] *Déterminer la masse m en tonne et le poids $\vec{P}$ d'un rouleau cylindrique homogène de rayon* $a = 0{,}60$ m, *de longueur* $\ell = 1{,}50$ m *et de masse volumique* $\rho = 2{,}3.10^3$ kg.m^{-3}.

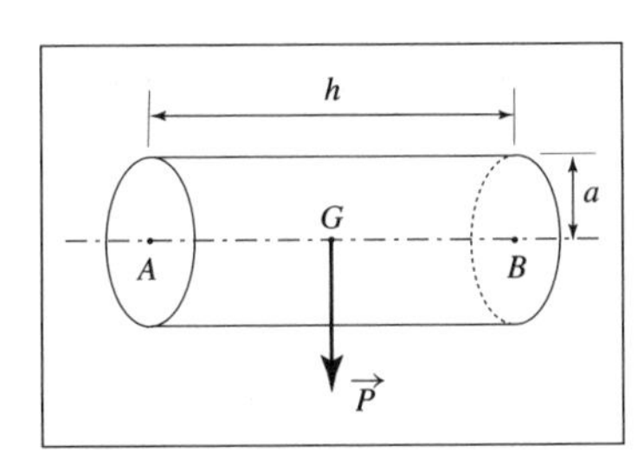

Le centre de masse G est au milieu de l'axe AB ; le poids $\vec{P}$ est vertical, vers le bas. Le volume du rouleau est $V = \pi a^2 \ell$ et sa masse :

$$\boxed{m = \rho V = \pi \rho a^2 \ell.}$$

La valeur du poids est :

$$\boxed{P = mg = \pi \rho a^2 \ell g,}$$

soit $P = \pi \times 2{,}3.10^3 \times (0{,}60)^2 \times 1{,}5 \times 9{,}8$, soit $\underline{P = 3{,}8.10^4\,\text{N}}$.

[3] *Quelle serait l'intensité du poids d'une personne de 60* kg *sur la Lune, sachant que la pesanteur y est six fois plus faible que sur Terre ?*

Le poids vaut $P = mg = 60 \times 9{,}8 = 590\,\mathrm{N}$ sur la Terre. Sur la Lune, la masse est toujours $m = 60\,\mathrm{kg}$ mais la pesanteur est $g' = g/6$. Le poids y vaut donc : $P = mg' = 60 \times (9{,}8 \div 6)$ soit $\underline{P = 98\,\mathrm{N}}$ soit six fois moins que sur la Terre.

[exercices]

[1] Calculer le poids d'un cube homogène en fer de masse volumique $7{,}6\,\mathrm{g.cm^{-3}}$ et d'arête 5 cm.

[2] Même question pour un disque d'épaisseur 1 cm, de rayon 3 cm et de masse volumique $500\,\mathrm{kg.m^{-3}}$.

[3] Même question pour une boule de cuivre ($\rho = 8{,}6.10^3\,\mathrm{kg.m^{-3}}$) de rayon 2 cm.

[4] Même question pour une coquille sphérique en cuivre de rayon extérieur $R = 150\,\mathrm{mm}$ et d'épaisseur $e = 1{,}5\,\mathrm{mm}$.

[5] Déterminer le poids d'une tige horizontale AB de masse négligeable aux extrémités de laquelle sont fixées respectivement deux masselottes identiques de masse $m = 20\,\mathrm{g}$.

[6] Comparer le poids d'une statuette de 800 g à Paris où $g = 9{,}81\,\mathrm{m.s^{-2}}$ et à l'équateur où $g = 9{,}78\,\mathrm{m.s^{-2}}$. Quelle est sa variation en valeur relative ?

[réponses]

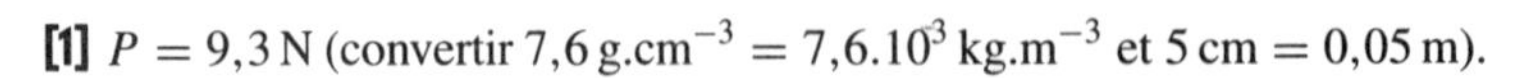

[1] $P = 9{,}3\,\mathrm{N}$ (convertir $7{,}6\,\mathrm{g.cm^{-3}} = 7{,}6.10^3\,\mathrm{kg.m^{-3}}$ et $5\,\mathrm{cm} = 0{,}05\,\mathrm{m}$).

[2] $0{,}14\,\mathrm{N}$.

[3] $2{,}8\,\mathrm{N}$.

[4] $P = \dfrac{4}{3}\pi\rho g\left[R^3 - (R-e)^3\right] = 35\,\mathrm{N}$.

[5] $\vec{P}$ est appliqué au milieu de AB et vaut $39\,\mathrm{N}$.

[6] $7{,}85\,\mathrm{N}$ et $7{,}82\,\mathrm{N}$, soit une variation relative de $0{,}26\,\%$.

LES FORCES DE CONTACT SUR UN SOLIDE

CHAPITRE 3

Les forces de contact n'existent que lorsqu'il y a contact entre deux solides ou entre un solide et un fil tendu : elles disparaissent quand le contact est rompu.

[l'essentiel]

[1] Tension d'un fil

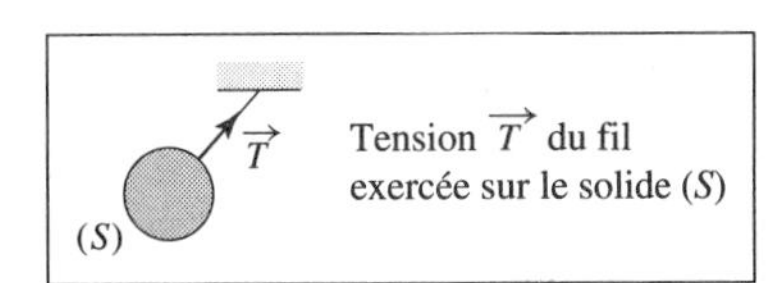

Tension $\vec{T}$ du fil exercée sur le solide (S)

Un objet (S) suspendu à un fil est soumis à une force de la part du fil, autrement il tomberait sous l'action de son poids. Cette force, appelée tension $\vec{T}$ du fil s'exerce sur (S) à l'extrémité du fil au contact avec (S). Sa droite d'action est portée par la fil et $\vec{T}$ est toujours *orientée vers l'extérieur de l'objet.*

[2] Contact entre deux solides

Un objet (S) posé sur une table tomberait de même si la table ne contrecarrait pas l'effet de son poids : il faut donc admettre que la table exerce une force de contact avec (S). Cette force $\vec{R}$ est appelée **réaction** de la table sur l'objet. Plus généralement, deux objets (S) et (S') en contact ponctuel exercent l'un sur l'autre des réactions $\vec{R}$ et $\vec{R}'$ présentant les caractéristiques suivantes :

- *le point d'application est le point de contact* ;
- elles ont *même droite d'action* ;
- elles ont un caractère répulsif : elles *sont orientées vers l'intérieur de l'objet considéré* ;
- elles ont *même intensité.*

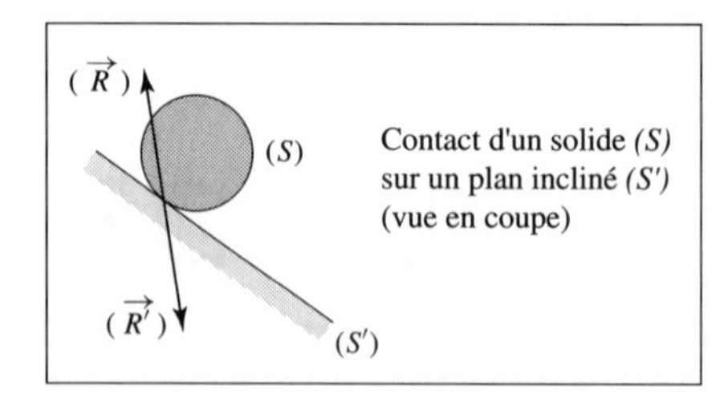

Contact d'un solide *(S)* sur un plan incliné *(S')* (vue en coupe)

Par conséquent :

$$\boxed{\vec{R'} = -\vec{R}.} \qquad (3, 1)$$

Si le contact n'est pas ponctuel, il faudra considérer un système de forces ; on pourra cependant souvent modéliser l'interaction par une force unique.

[3] Modélisation du contact avec frottement

Il est commode de considérer que la réaction est équivalente à deux forces, également appliquées au point de contact :

– la **réaction normale** $\vec{R_N}$ perpendiculaire au plan de contact ;

– la **force de frottement** $\vec{f}$ perpendiculaire à $\vec{R_N}$.

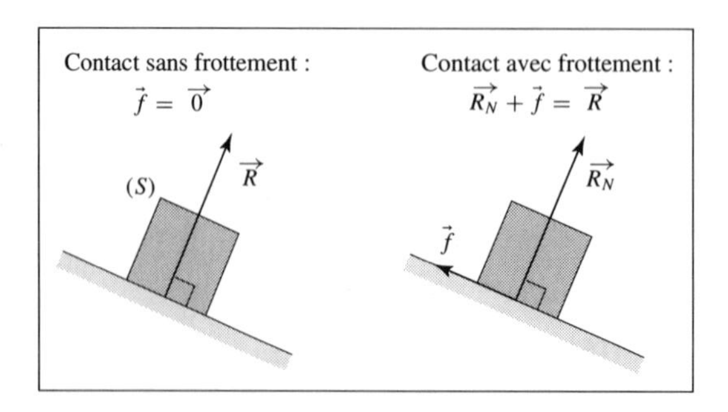

✗ **La force de frottement exercée par un support fixe est toujours opposée au mouvement[1].**

[1] Il faut noter que si le support est mobile, le frottement peut jouer un rôle moteur : c'est ainsi que l'embrayage à friction permet de transmettre le mouvement de rotation du moteur aux roues d'une automobile. En tout état de cause, le frottement s'oppose *toujours* au mouvement du moteur.

[4] Équilibre du solide soumis à deux forces

La résultante des forces exercées sur un solide immobile est nécessairement nulle, sinon le solide se mettrait en mouvement !

Si l'on considère un solide suspendu à un fil, celui-ci se trouve en équilibre sous l'action de son poids $m\vec{g}$ et de la tension $\vec{T}$ du fil :

$$m\vec{g} + \vec{T} = \vec{0}$$

soit

$$\vec{T} = -m\vec{g}.$$

Si le solide est posé sur une table, il est soumis à la réaction $\vec{R}$ de celle-ci :

$$m\vec{g} + \vec{R} = \vec{0}$$

soit

$$\vec{R} = -m\vec{g}.$$

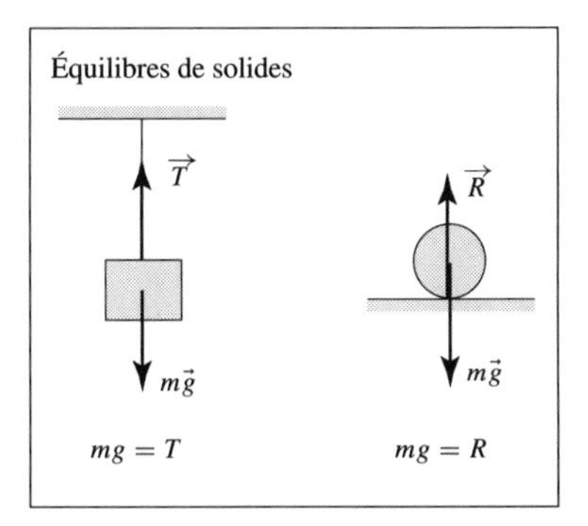

Dans les deux cas les forces ont nécessairement même droite d'action, autrement il en résulteraient un effet de rotation du solide (*cf.* chapitre **4**).

Ces résultats ont un caractère tout à fait général :

✘ **Si un solide est en équilibre sous l'action de deux forces, celles-ci ont la même droite d'action, la même intensité et des sens contraires.**

Dans le cas particulier d'un fil tendu en équilibre, considérons une portion de ce fil : elle se trouve en équilibre sous l'action des tensions $\vec{T}$ et $\vec{T}'$ exercées par le restant du fil et de son poids. Nous nous limiterons au cas où le poids du fil est négligeable ; alors :

$$\boxed{\vec{T} + \vec{T'} = \vec{0}.} \qquad (3, 2)$$

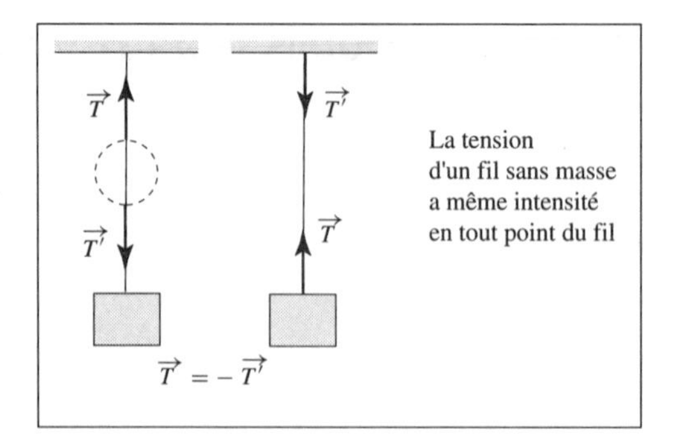

Par conséquent $T = T'$. Ainsi :

✗ **L'intensité de la tension d'un fil de masse négligeable est constante tout au long du fil.**

Nous admettons que ce résultat reste valable même en mouvement.

[5] Équilibre du solide soumis à trois forces

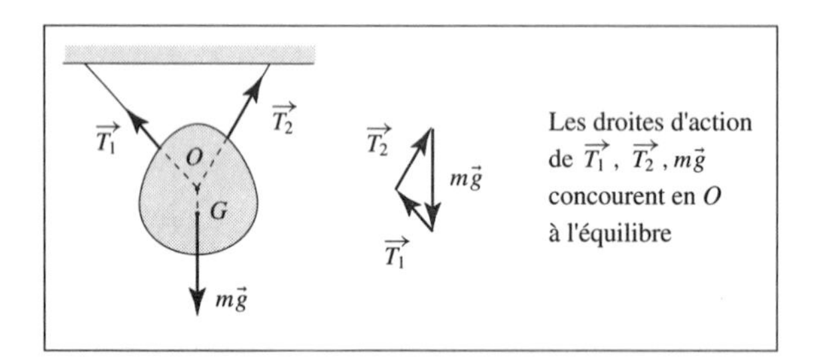

Considérons par exemple un solide suspendu par deux fils tendus : il est en équilibre sous l'action de son poids $m\vec{g}$ et des tensions $\vec{T_1}$ et $\vec{T_2}$ des deux fils. Nécessairement :

$$\vec{T_1} + \vec{T_2} + m\vec{g} = \vec{0}.$$

Nous admettrons le résultat général suivant :

✗ **Les droites d'action des trois forces sont ou bien dans un même plan et se coupent en un même point O, ou bien confondues.**

[6] Forces intérieures à un système de solides en équilibre

Considérons pour simplifier un système (S) constitué de deux solides, soit liés par un fil tendu, soit posés l'un sur l'autre sur une table. Les tensions $\vec{T}$ et $\vec{T'}$ ou les réactions $\vec{R_1}$ et $\vec{R_2}$ s'exercent entre les deux solides : ce sont des *forces intérieures au système* (S). Par contre, la réaction $\vec{R}$ de la table et les poids, exercés par la Terre, sont des *forces extérieures* au système (S).

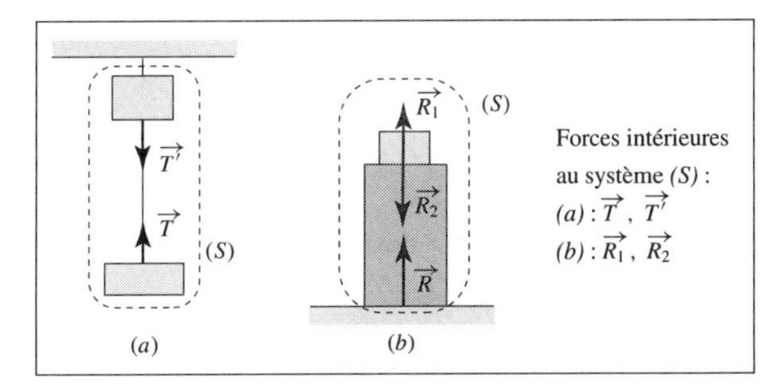

D'après (3,1) et (3,2), on pourra affirmer d'une façon générale :

(i) la résultante des forces intérieures est toujours nulle.

(ii) il est inutile de tenir compte des forces intérieures pour décrire l'équilibre d'un système.

On verra au chapitre **11** que **(i)** reste vraie même s'il y a mouvement.

[de l'essentiel à la pratique]

Mots-clés : forces intérieures, forces extérieures, tension, réaction normale, force de frottement, équilibre

[1] *Deux masses* $m_1 = 500$ g *et* $m_2 = 300$ g *sont suspendues à une ficelle de masse négligeable, l'une au dessus de l'autre,* m_2 *étant en bas. Quelle est la tension de la ficelle ?*

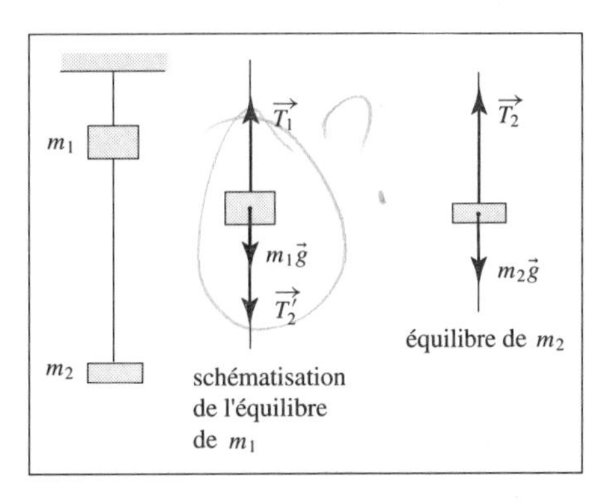

La tension de la ficelle n'est pas la même au dessus et en dessous de m_1. Appelons $\vec{T_1}$ la tension exercée par le brin supérieur sur m_1 et $\vec{T_2}$ celle exercée sur m_2.

Pour trouver $\vec{T_2}$, il suffit de décrire l'équilibre de m_2 : la masse m_2 est soumise à deux forces, $\vec{T_2}$ et $m_2\vec{g}$, par conséquent :

$$\vec{T_2} + m_2\vec{g} = \vec{0}$$

soit

$$\boxed{\overrightarrow{T_2} = -m_2\vec{g}.}$$

Donc $T_2 = m_2 g$ et $T_2 = 0{,}500 \times 9{,}8$ soit $\underline{T_2 = 4{,}9\,\text{N}}$.

D'après (3,2) le brin inférieur exerce sur m_1 la tension $\overrightarrow{T_2'} = -\overrightarrow{T_2}$. Pour calculer T_1, on peut procéder de deux façons :

– on peut écrire que m_1 est en équilibre sous l'action de trois forces colinéaires $m_1\vec{g}$, $\overrightarrow{T_1}$, $\overrightarrow{T_2'}$, soit compte tenu de $\overrightarrow{T_2'} = -\overrightarrow{T_2}$:

$$m_1\vec{g} + \overrightarrow{T_1} - \overrightarrow{T_2} = \overrightarrow{0},$$

soit en projetant sur la verticale ascendante :

$$-m_1 g + T_1 - T_2 = 0.$$

Il vient, avec $T_2 = m_2 g$:

$$\boxed{T_1 = (m_1 + m_2)g,}$$

et $T_1 = (0{,}3 + 0{,}5) \times 9{,}8$ soit $\underline{T_1 = 7{,}8\,\text{N}}$;

– on peut aussi écrire l'équilibre du système des deux masses sous l'action des forces extérieures (*cf.* **3.[6]**) $\overrightarrow{T_1}$, $m_1\vec{g}$, $m_2\vec{g}$:

$$\overrightarrow{T_1} + m_1\vec{g} + m_2\vec{g} = \overrightarrow{0}.$$

$\overrightarrow{T_2}$ et $\overrightarrow{T_2'}$ traduisent l'interaction entre m_1 et m_2 par l'intermédiaire de la ficelle : ce sont des forces intérieures *au système considéré.*

Il vient ainsi :

$$T_1 - m_1 g - m_2 g = 0,$$

puis

$$\boxed{T_1 = (m_1 + m_2)g,}$$

soit $\underline{T_1 = 7{,}8\,\text{N}}$.

Remarque importante concernant le bilan des forces exercées sur un système :

la masse m_1 n'est-elle pas soumise également au poids $m_2\vec{g}$? La réponse est *non* car, s'il est vrai que le poids de $m_2 g$ est *indirectement* responsable de la tension du fil entre les masses, le poids $m_2\vec{g}$ est appliqué au centre de la masse m_2 et non à m_1 :

✘ **Avant de faire un bilan des forces, on doit d'abord délimiter le système considéré. Seules les forces dont le point d'application appartient au système entrent dans le bilan.**

[2] *Une boule homogène de masse* $m = 200$ g *repose sur un plan incliné d'un angle* $\alpha = 38°$ *sur l'horizontale. Les frottements sont négligeables et la boule est immobilisée par un fil parallèle au plan.*

Déterminer la tension T *du fil et la réaction* R *du plan.*

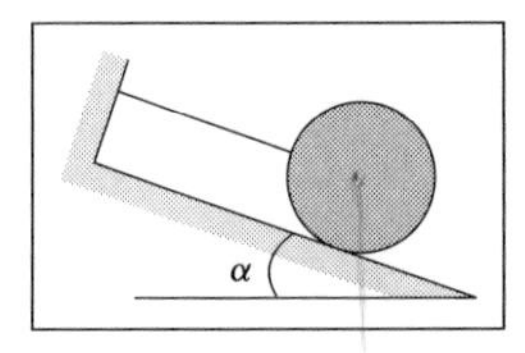

La réaction $\vec{R}$ est perpendiculaire au plan (pas de frottements). La sphère est en équilibre sous l'action de $\vec{R}$, $\vec{T}$, $m\vec{g}$:

$$\vec{R} + \vec{T} + m\vec{g} = \vec{0}.$$

Cette équation comporte deux inconnues, $\vec{R}$ et $\vec{T}$. On élimine $\vec{R}$ en projetant la relation sur la direction perpendiculaire (celle de $\vec{T}$) :

$$T - mg\sin\alpha = 0,$$

d'où

$$\boxed{T = mg\sin\alpha,}$$

et $T = 0{,}200 \times 9{,}8 \times \sin 38°$ soit $\underline{T = 12\,\text{N}}$.

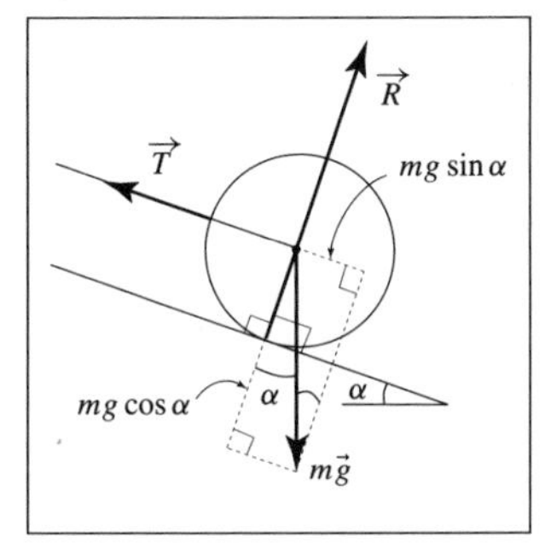

On élimine de même $\vec{T}$ en projetant sur la direction de $\vec{R}$:

$$R - mg\cos\alpha = 0,$$

d'où

$$\boxed{R = mg\cos\alpha,}$$

et $R = 0{,}2 \times 9{,}8 \times \cos 38°$ soit $\underline{R = 1{,}5\,\text{N}}$.

NB : les droites d'action des trois forces concourent au centre de la sphère.

[exercices]

Équilibre : forces parallèles

[1] Une tige cylindrique horizontale de longueur 8,80 m, de diamètre 4 cm, de masse volumique $2,3.10^3$ kg.m^{-3} est suspendue à deux fils identiques verticaux par ses extrémités. Calculer la tension des fils.

[2] Un cube homogène de masse $m = 0{,}050$ kg est immobile sur un plan horizontal. Déterminer les caractéristiques de la réaction $\vec{R}$ du plan.

[3] Le cube de l'exercice **[2]** est posé sur un plan rugueux incliné d'un angle $\alpha = 15°$ sur l'horizontale. Le cube reste immobile. Déterminer la réaction $\vec{R}$ du plan et la force de frottement.

[4] Pour assurer la rigidité d'un cadre rectangulaire, on assure la liaison entre deux extrémités opposées par un tirant AB.

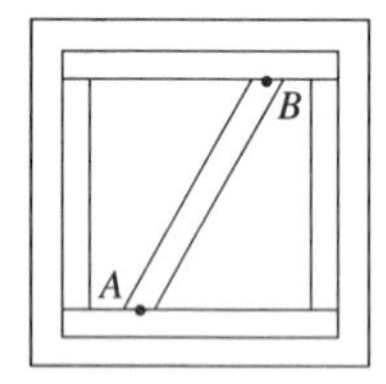

Quelle est la direction des forces de contact $\vec{F}$ et $\vec{F'}$ exercées en A et B sur le tirant si le poids de celui-ci est négligeable ?

[5] Un disque homogène de masse m est mobile autour d'un axe horizontale. Déterminer la réaction d'axe $\vec{R}$.

Équilibre : forces coplanaires

[6] Les barres AC et BC sont articulées en un point C et aux points A et B d'un mur vertical. Une charge est suspendue par un câble en C de sorte qu'il s'exerce en C une tension verticale $T = 1\,000$ N. On donne $\alpha = 30°$ et $\beta = 60°$.

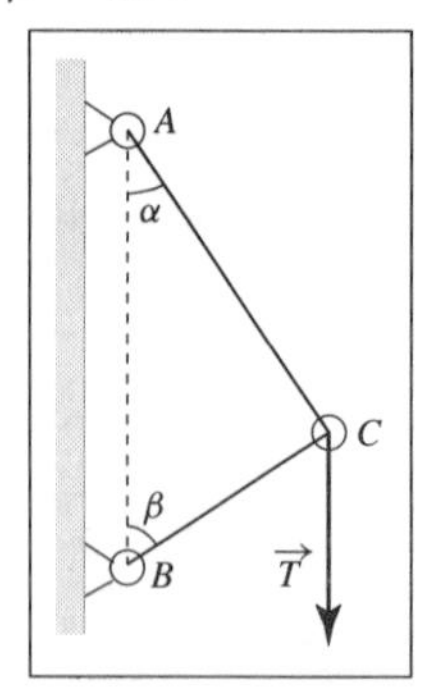

Montrer, en négligeant les poids des tiges AC et BC, que les réactions des tiges sur l'articulation C sont dirigées suivant les tiges et calculer leurs valeurs.

Les tiges subissent-elles une traction ou une compression ?

[7] Une lanterne est suspendue au milieu B d'un câble ABC de masse négligeable fixé aux deux points A et C situés sur la même horizontale. Calculer les tensions T_1 et T_2 des brins AB et BC.

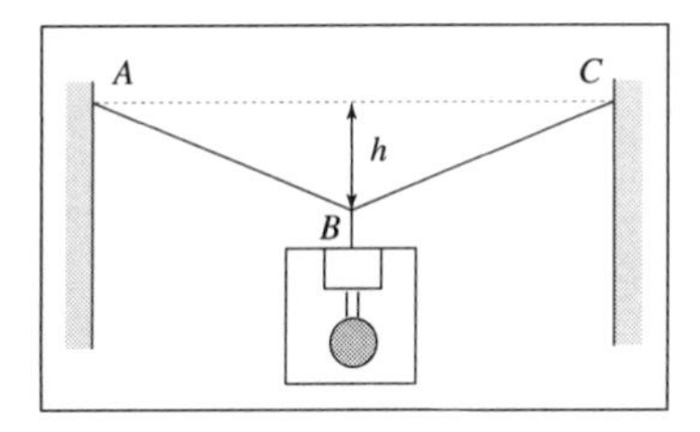

On donne la longueur du câble $\ell = 20\,\text{m}$, la flèche $h = 0{,}10\,\text{m}$, la masse de la lanterne $m = 15\,\text{kg}$.

[8] Une lanterne de masse $m = 30\,\text{kg}$ est suspendue à la potence articulée de la figure.

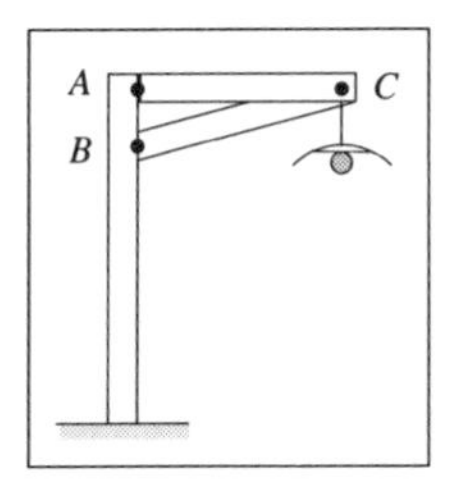

Calculer les forces subies en C par les tiges AC et BC, supposées de masses négligeables. Y a-t-il traction ou compression des tiges ?

On donne $AC = 1{,}2\,\text{m}$ et $BC = 1{,}5\,\text{m}$.

[9] Une boule homogène de masse $m = 6\,\text{kg}$ repose sans frottement sur deux plans inclinés orthogonaux AB et BC.

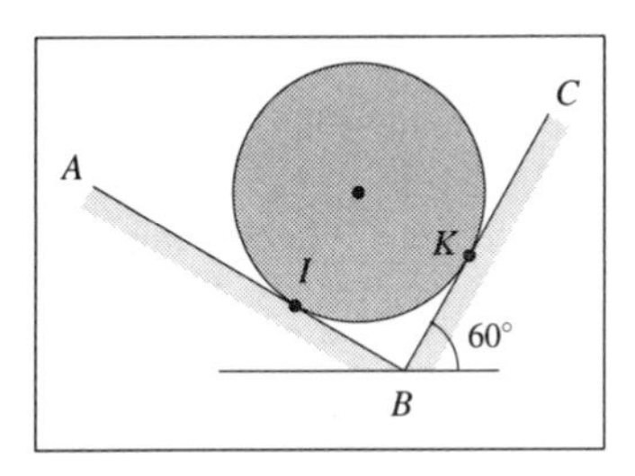

Déterminer la réaction de la boule sur chacun des deux plans sachant que le plan BC est incliné à 60° sur l'horizontale.

[10] Une boule de masse m est fixée à un mur vertical parfaitement lisse par un fil formant l'angle α avec le mur.

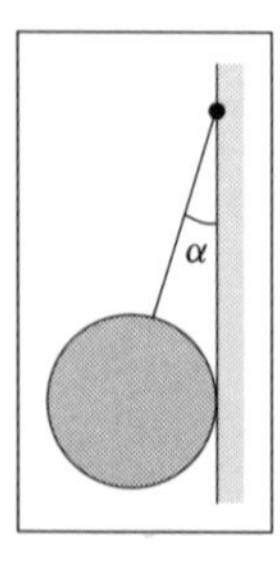

Trouver la tension T du fil et la réaction R du mur sur la boule.

[11] Un cumulus électrique de diamètre $d = 80\,\text{cm}$, de masse 400 kg repose sur deux supports en maçonnerie distants de $\ell = 0{,}64\,\text{m}$.

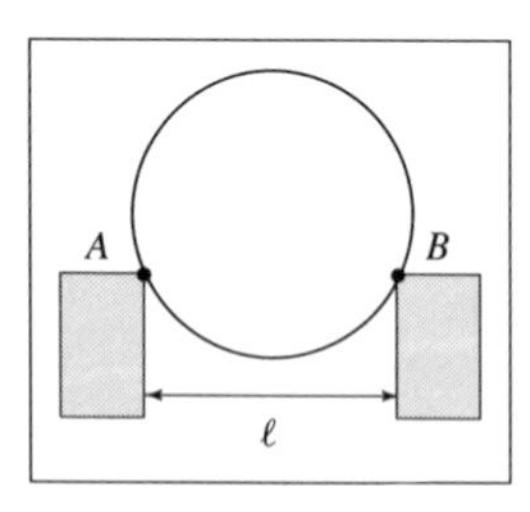

Calculer la réaction de la maçonnerie en A et B sur le cumulus en négligeant les frottements.

[réponses]

[1] 11,3 N.

[2] $\vec{R}$ verticale appliquée au centre de la face en contact. On a $R = 0{,}49\,\text{N}$.

[3] $\vec{R}$ est appliquée sur la face de contact à la verticale du centre du cube et sa valeur est 0,49 N. La force de frottement est $f = R\sin\alpha = 0{,}13\,\text{N}$.

[4] $\vec{F} + \vec{F'} = \vec{0}$ (AB est à l'équilibre) donc $\vec{F}$ et $\vec{F'}$ sont portées par (AB).

[5] $\vec{R} = -m\vec{g}$.

[6] AC est en équilibre sous l'action de deux forces (réactions $\overrightarrow{R_A}$ du mur et $\overrightarrow{R'_C} = -\overrightarrow{R_C}$ de l'articulation C). La réaction $\overrightarrow{R_C}$ de AC sur C est donc portée par AC. *Idem* pour $\overrightarrow{R_B}$, portée par BC.

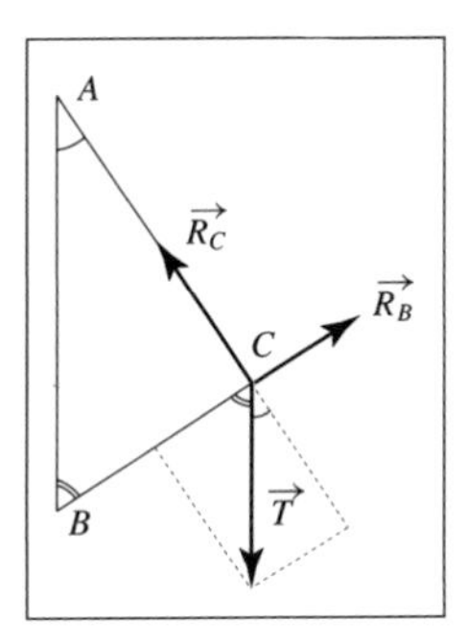

L'équilibre de l'articulation C conduit à :

$$\overrightarrow{R_B} + \overrightarrow{R_C} + \overrightarrow{T} = \overrightarrow{0},$$

AB et AC étant perpendiculaires ($\alpha + \beta = 90°$) on trouve R_B et R_C en projetant sur BC et AC respectivement : $\underline{R_B = 500\,\text{N}}$ et $\underline{R_C = 866\,\text{N}}$.

La tige AC subit une traction, BC une compression.

[7] $T_1 = T_2 = \dfrac{mg\ell}{4h} = 7\,350\,\text{N}.$

Indication. Utiliser $\sin \widehat{BAC} = \dfrac{h}{AB}$ en projetant la condition d'équilibre sur la verticale.

[8] Voir exercices **[6]** et **[7]**. $F \simeq 390\,\text{N}$; $F' \simeq 490\,\text{N}$.

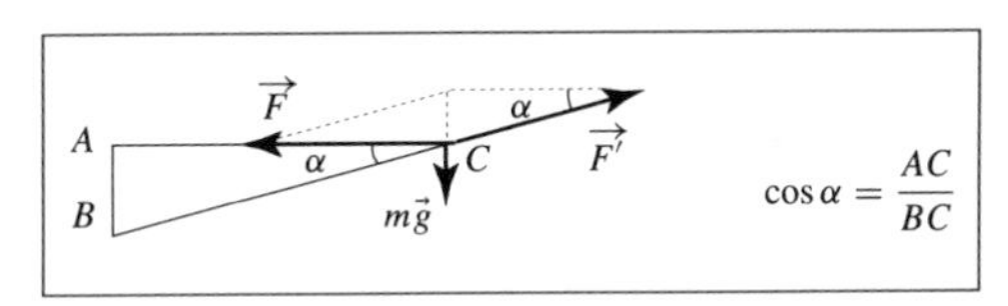

Traction sur AC, compression sur BC.

[9] Les réactions sont perpendiculaires aux plans.

$R_I = 51\,\text{N}$; $R_K = 29\,\text{N}$.

[10] $T = \dfrac{mg}{\cos\alpha}$; $R = mg\tan\alpha$.

[11] $3{,}27.10^3$ N (les réactions, normales à la sphère, sont suivant les rayons).

SOLIDE MOBILE AUTOUR D'UN AXE FIXE. MOMENT

CHAPITRE 4

[l'essentiel]

[1] Moment d'une force par rapport à un axe

Pour faire pivoter une force, il faut exercer une force d'autant moins intense que son point d'application est moins éloigné de l'axe de rotation et que sa direction s'écarte de celle de l'axe. La notion de *moment de la force par rapport à l'axe* permet de rendre compte de l'effet de rotation :

(i) une force non nulle est dite de moment nul si sa droite d'action rencontre l'axe ou bien est parallèle à l'axe ;

(ii) une force quelconque $\overrightarrow{F}$ peut être décomposée en deux forces, appliquées au même point M :

$$\begin{cases} \overrightarrow{F_z} \text{ parallèle à l'axe} \\ \overrightarrow{F_\perp} \text{ orthogonale à l'axe.} \end{cases}$$

Le moment de $\overrightarrow{F_z}$ est nul et l'on définit le moment $\mathcal{M}_z$ de $\overrightarrow{F}$ par le nombre algébrique suivant :

$$\boxed{\mathcal{M}_z = \pm F_\perp \cdot d.} \qquad (4, 1)$$

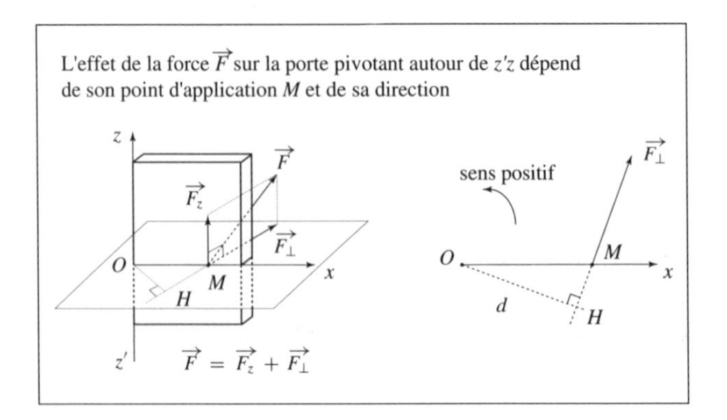

La distance $d = OH$ de l'axe à la droite d'action de la composante $\vec{F_\perp}$ s'appelle le **bras de levier** et l'on convient de mettre + ou − selon le sens de rotation obtenu. L'unité S.I. de moment est le **newton × mètre (N.m)**.

✗ **Multiplier le bras de levier et diviser l'intensité de la force simultanément par le même nombre ne change pas la valeur du moment.**

[2] Loi d'addition des moments. Équilibre

L'effet produit par plusieurs forces est le même que celui d'une seule force dont le moment serait la somme algébrique des moments des forces appliquées :

$$\mathcal{M}_z = \mathcal{M}_{1z} + \mathcal{M}_{2z} + \cdots \quad (4, 2)$$

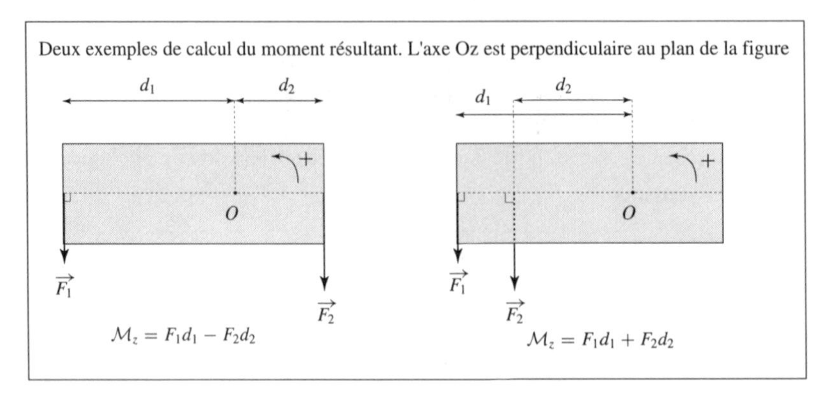

- La réaction $\vec{R}$ de l'axe sur le solide n'intervient pas dans le décompte car elle rencontre l'axe et son moment est donc nul.
- Les forces intérieures à un solide n'interviennent pas non plus car leurs moments se compensent deux à deux.

• **À l'équilibre** d'un solide mobile autour d'un axe, la somme algébrique des moments des forces appliquées au solide est nulle[1] :

$$\boxed{\mathcal{M}_{1z} + \mathcal{M}_{2z} + \cdots = 0.} \qquad (4, 3)$$

[3] Couple de forces

Un couple de forces est constitué de deux forces $\vec{F}$ et $\vec{F'}$ dont la résultante est nulle mais dont le moment résultant n'est pas nul : un solide soumis à un couple ne peut donc être à l'équilibre.

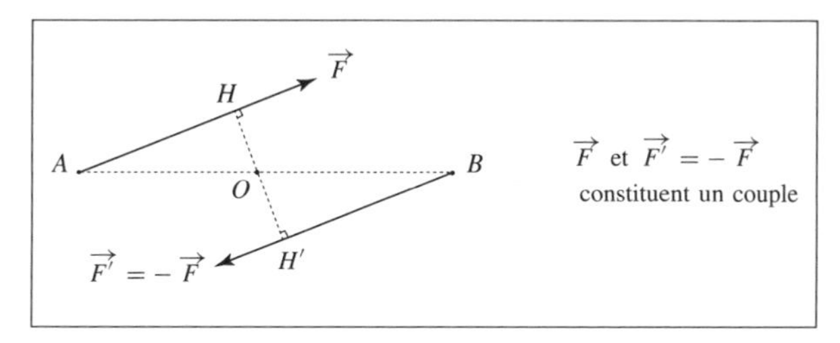

Donc $\vec{F'} = -\vec{F}$ et, en supposant pour simplifier que les forces sont orthogonales à l'axe de rotation, le moment résultant est :

$$\mathcal{M} = F \cdot OH + F' \cdot OH' = F\,(OH + OH')$$
$$\mathcal{M} = F \cdot HH'.$$

Le moment d'un couple ne dépend que de l'intensité F des forces et de la distance HH' entre leurs droites d'action ; il ne dépend pas de la position de l'axe de rotation.

En pratique, la seule donnée de la valeur du moment du couple suffit à caractériser le couple.

[1] La balance à plateaux

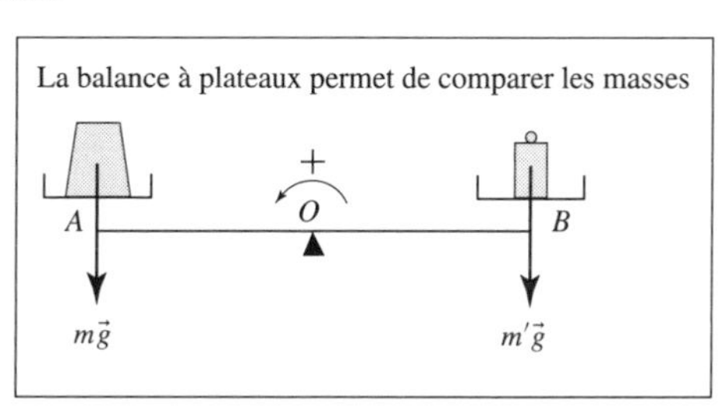

[1] De plus, la somme *vectorielle* de toutes les forces extérieures est nulle (voir **3.[6]**) : ceci fournit une relation supplémentaire qui permet de déterminer la réaction d'axe.

La balance est constituée par deux plateaux posés aux extrémités A et B d'une tige mobile autour d'un axe horizontal O matérialisé par un couteau et voisin du milieu de AB. La pesée d'un objet de masse inconnue m placé sur un des plateaux, consiste à équilibrer la balance à l'aide des masses marquées m'. Déterminer la condition d'équilibre.

Il faut considérer l'équilibre du système constitué par la balance et les masses m, m' ; il est soumis à *trois forces extérieures* : la réaction d'axe, dont le moment est nul (*cf.* **4.[1]**), et le poids $m\vec{g}$ et $m'\vec{g}$. La condition d'équilibre s'écrit, d'après (4,2) :

$$mg\,OA - m'g\,OB = 0$$
$$m\,OA - m'\,OB = 0.$$

Finalement :

$$m = m'\frac{OB}{OA}.$$

Si OA est exactement égal à OB, on aura $m = m'$.

[2] Le levier

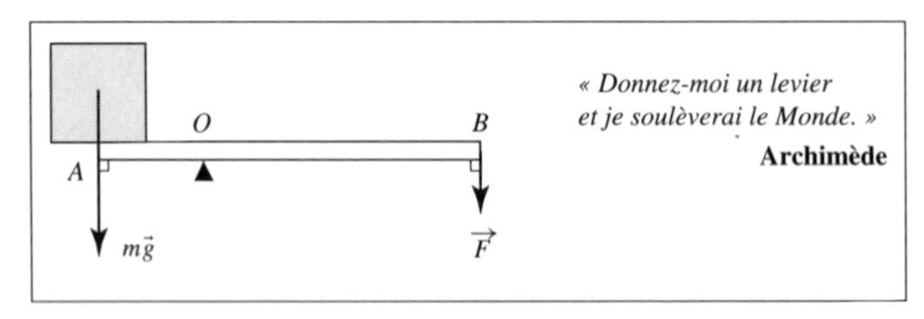

Une tige rigide AB pouvant pivoter autour d'un axe fixe O, le point d'appui voisin de A, est utilisée pour réduire l'effort à fournir pour soulever une charge de masse m en A. Un opérateur exerce en B une force $\vec{F}$ perpendiculaire à AB. Quelle masse peut-on soulever si l'on exerce une force $F = 500\,\text{N}$ et si $OB = 10\,OA$? On néglige la masse du levier.

Le système (levier + charge) est soumis, en plus de la réaction de l'axe, à deux forces extérieures : le poids $m\vec{g}$ et la force $\vec{F}$. À la limite de l'équilibre, on aura :

$$mg\,OA - F \cdot OB = 0,$$

d'où

$$\boxed{m = \frac{F}{g}\frac{OB}{OA}.}$$

On a $m = \dfrac{500}{9{,}8} \times 10$ soit $\underline{m = 510\,\text{kg}}$.

[3] *Une barre homogène est mobile autour d'un axe horizontal passant par son extrémité O. L'autre extrémité A est suspendue par un fil vertical. La masse de la barre est $m = 2\,\text{kg}$.*

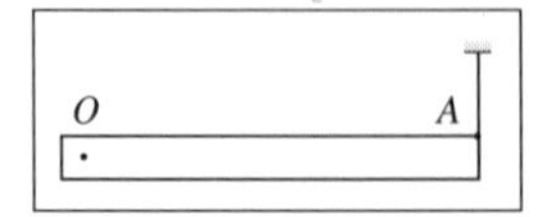

Calculer la tension du fil :

[a] *quand la barre est horizontale ;*

[b] *quand elle est inclinée d'un angle $\alpha = 30°$ sur l'horizontale.*

[a] Les forces de moment non nul exercées sur la barre sont le poids $m\vec{g}$ appliqué au milieu G de OA et la tension $\vec{T}$ appliquée en A.

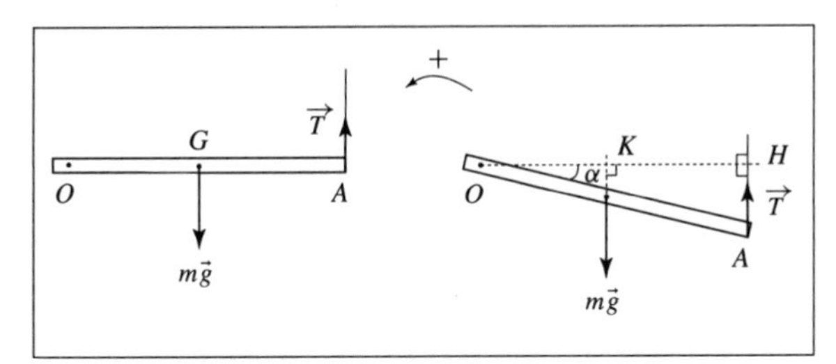

La loi d'addition des moments s'écrit ici, à l'équilibre :

$$T \cdot OA - mg\,\frac{OA}{2} = 0,$$

d'où

$$\boxed{T = \frac{mg}{2}.}$$

On a $\underline{T = 9{,}8\,\text{N}}$.

[b] On a de même :

$$T \cdot OH - mg\,OK = 0 \quad \text{avec } OK = \frac{1}{2}OH\,;$$

$$T \cdot OH - mg\frac{OH}{2} = 0,$$

$$\boxed{T = \frac{mg}{2}.}$$

[exercices]

[1] On reprend l'exercice **[3]** p.58 mais le fil reste constamment perpendiculaire à la barre.

[2] Une poutre homogène AB de longueur L et de masse M repose horizontalement sur deux supports A et O distants de ℓ $\left(\ell > \frac{L}{2}\right)$.

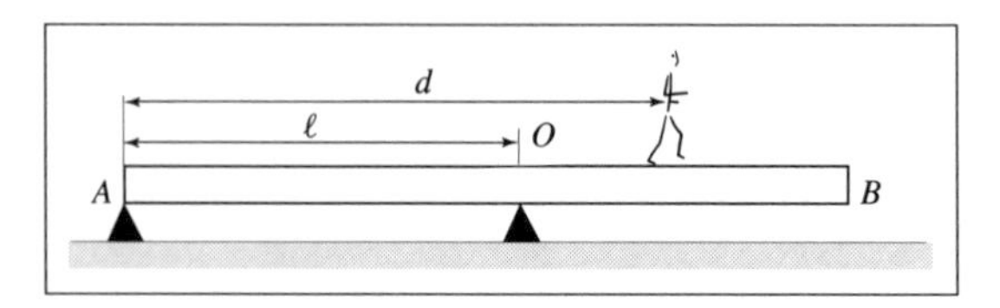

Une personne de masse m se déplace sur la poutre. À quelle distance d de A peut-elle aller sans que la poutre bascule ? (on considérera l'équilibre du système poutre-personne).

[3] On arrache un clou à l'aide du pied de biche de la figure en exerçant perpendiculairement à celui-ci, à son extrémité A, une force d'intensité égale à 150 N. On donne la distance $OB = 5\,\text{cm}$ du clou à l'axe de pivotement de l'outil et la distance $OA = 50\,\text{cm}$.

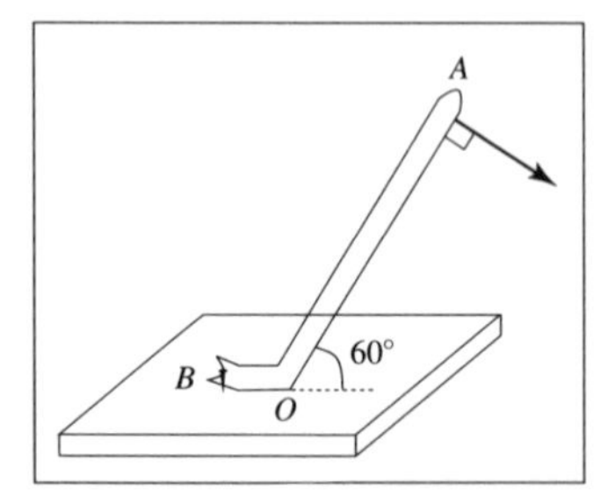

[a] Représenter les forces exercées sur le pied de biche d'une part et la force exercée par le pied de biche sur le clou d'autre part. Quelle est l'intensité de cette dernière ?

[b] Le système étant pratiquement à l'équilibre, déterminer graphiquement la réaction du support en O.

[4] On bloque un écrou hexagonal de 19 mm à l'aide d'une clé à fourche de longueur $\ell = 25\,\text{cm}$ en exerçant une force $\vec{F}$ perpendiculairement à la clé et dont le moment (par rapport à l'axe de l'écrou) est 60 N.m.

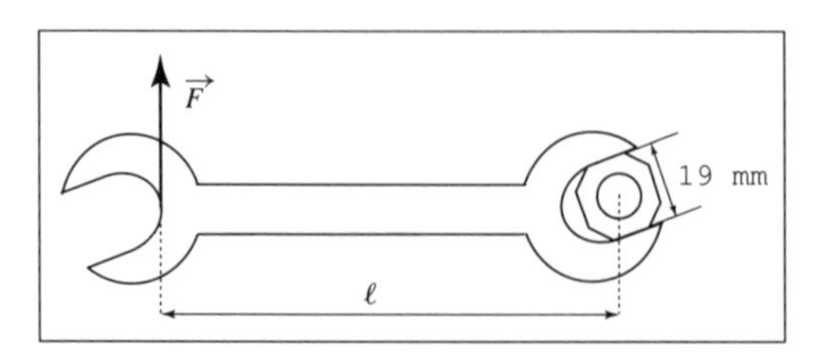

[a] Quelle est l'intensité de la force $\vec{F}$?

[b] Calculer la valeur de la réaction d'axe $\overrightarrow{R}$ exercée sur l'écrou.

[c] Quel est le moment Γ du couple exercé par la clé sur l'écrou ?

[5] Pour bloquer un écrou, on utilise un clé «en croix» en exerçant symétriquement avec les deux mains une force aux extrémités A et B dans les conditions de l'exercice **[4]**.

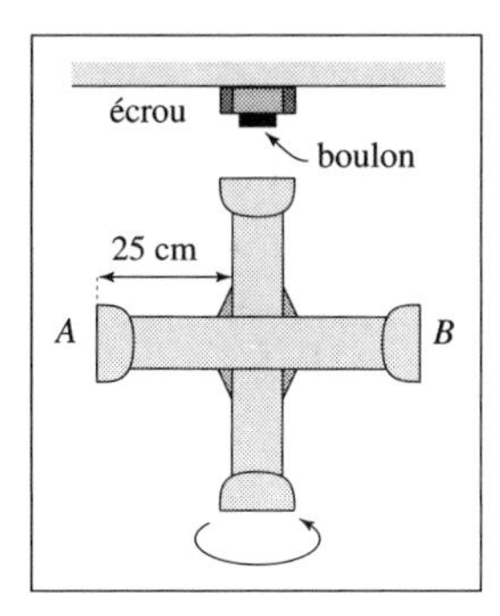

Calculer l'intensité de cette force ainsi que celle de la réaction de d'axe. Quel est l'intérêt de la clé «en croix» par rapport à la clé à fourche ?

[6] Un tournevis exerce un couple de moment 1,2 N.m sur une vis dont la tête à un diamètre de 6 mm, inférieur à la largeur de la lame du tournevis.

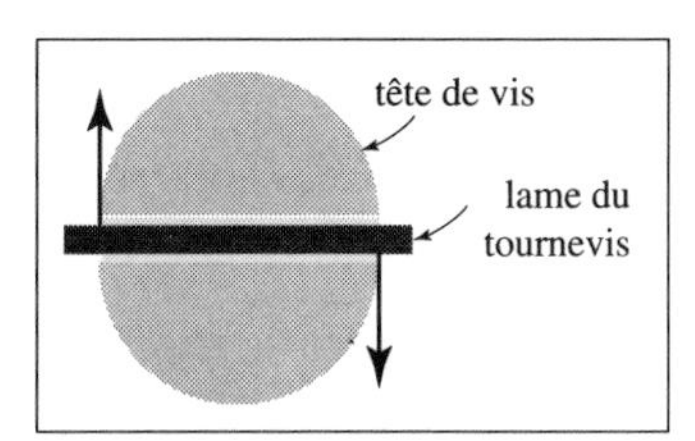

Quelle est l'intensité des deux forces exercées normalement au plan de la lame ?

[7] Une grue peut être schématisée par une carcasse rigide formée de deux tiges métalliques assemblées : OA, OB, AB, OO' solidaires de deux essieux (E) et (E') (comme indiqué sur la figure).

On suspend en B un contrepoids de poids $\overrightarrow{P}$ et en A un fardeau de poids $\overrightarrow{P'}$ tel que les efforts de pivotement autour de O se compensent. On donne $OA = 6$ m et $P' = 5\,000$ N. On négligera les poids des tiges.

[a] Calculer l'intensité du pois $\overrightarrow{P}$.

[b] En admettant que la tension $\overrightarrow{T}$ exercée en B se décompose en une force de compression $\overrightarrow{F}$ le long de la tige OB et une force de tension $\overrightarrow{F'}$ le long de la tige BA, calculer les intensités F et F'.

[c] Comparer les efforts de pivotement autour de O exercées par les forces $\vec{T}$, $\vec{F}$, $\vec{F'}$.

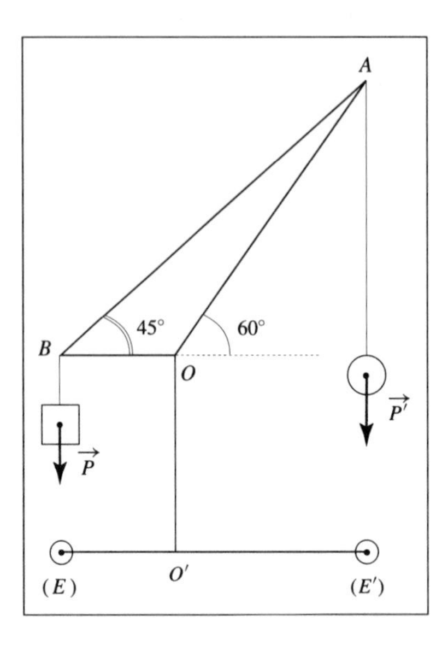

[8] Un disque homogène (D) de rayon a porte une tige rectiligne homogène AB de longueur a, située dans le prolongement du rayon OA et de masse $m = 200\,\text{g}$. Le disque peut tourner librement autour d'un axe horizontal perpendiculaire en O au plan de la figure.

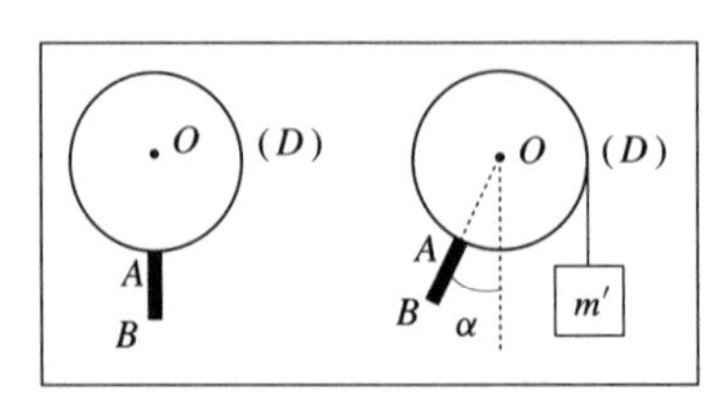

[a] Quelles positions d'équilibre peut-il prendre ?

[b] On suspend une masse m' à un fil enroulé sur la périphérie du disque de sorte que le disque prenne une position d'équilibre telle que AB fait un angle $\alpha = 30°$ avec la verticale. Quelle doit être la valeur de m' ?

[9] La manivelle du pédalier d'une bicyclette est soumise sur un demi-tour à une force $\vec{F}$ verticale et constante imprimée par le cycliste. L'angle α que fait la manivelle avec la verticale varie entre 0° et 180°.

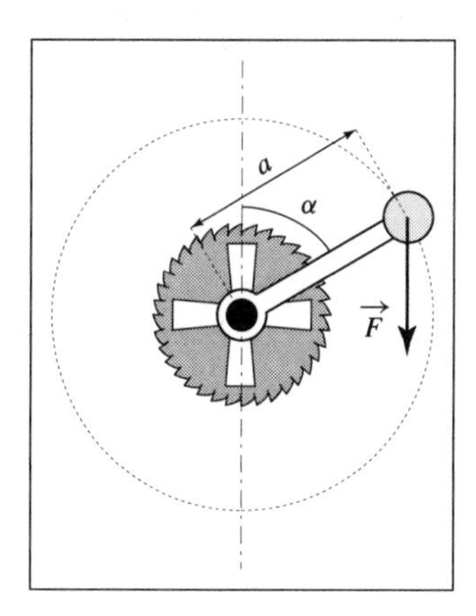

[a] Donner l'expression littérale du moment $\mathcal{M}$ de la force $\vec{F}$ par rapport à l'axe de rotation en fonction du rayon a de la manivelle, de α et de F.

[b] Calculer $\mathcal{M}$ pour les valeurs suivantes de α :

$$0° ; 30° ; 60° ; 90° ; 120° ; 150° ; 180°.$$

On donne $a = 16\,\text{cm}$; $F = 600\,\text{N}$.

[10] Une barre homogène AB de masse $m = 2{,}5\,\text{kg}$ est mobile autour d'un axe horizontal passant par A et perpendiculaire au plan de la figure. À l'autre extrémité B, un fil tendu perpendiculairement à AB maintient la barre en équilibre de telle sorte que l'angle α soit égal à 30°.

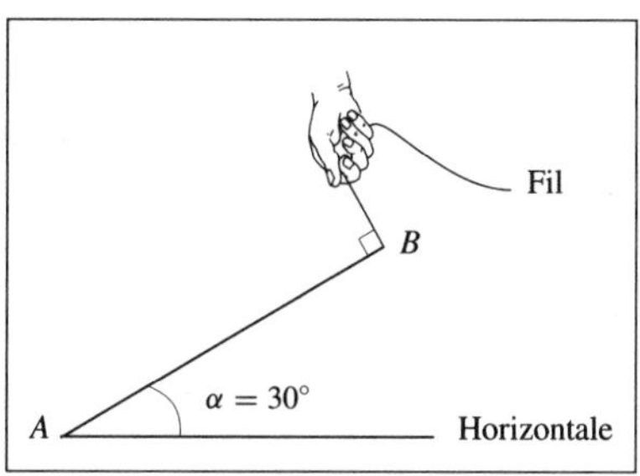

[a] Calculer l'intensité de la tension du fil.

[b] Déterminer graphiquement la direction et le sens de la réaction de l'axe.

[réponses]

[1] $T = \frac{1}{2}mg\cos\alpha$, soit $T = 8{,}5\,\text{N}$.

[2] $d = \ell + \frac{M}{m}\left(\ell - \frac{L}{2}\right)$. Ne considérez que les forces extérieures !

[3] [a] $F_1' = F_1 = F_2\frac{OA}{OB}$ soit $F_1' = 1\,500\,\text{N}$.

[b] $\overrightarrow{F_1} + \overrightarrow{F_2} + \overrightarrow{R} = \overrightarrow{0}$; les droites d'action des trois forces passent par un même point (*cf.* **3.[5]**).

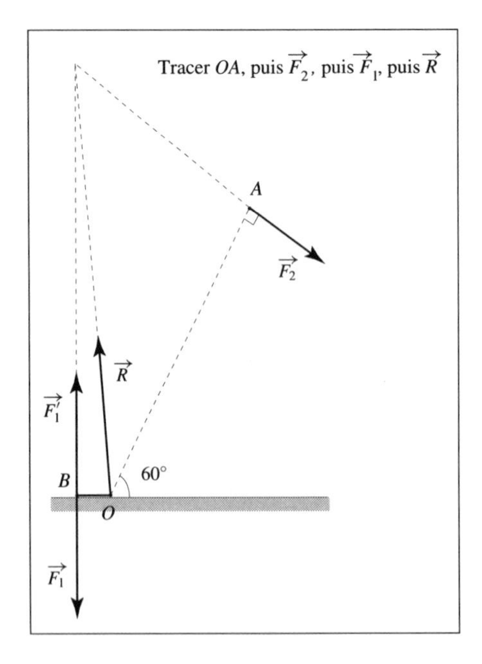

On peut alors construire le triangle des trois forces car on connaît aussi les intensités F_1 et F_2. On déduit alors graphiquement : $R \simeq 1\,580\,\text{N}$.

[4] [a] $F = 240\,\text{N}$.

[b] Le système clé-écrou est soumis à 2 forces extérieures si on néglige le poids de la clé : $\overrightarrow{R}$ et $\overrightarrow{F}$. À l'équilibre $R = F = 240\,\text{N}$: le poids de la clé est donc bien négligeable...

[c] $\Gamma = 60\,\text{N.m}$.

[5] $F = 120\,\text{N}$; $R = 0$: l'effort est moindre et le boulon ne subit aucune force extérieure, donc ne risque pas de rompre.

[6] 200 N.

[7] [a] On doit avoir :

$$T \cdot OB = T' \cdot OH\,;$$
$$\vec{T} = \vec{P} \quad \text{et} \quad \vec{T'} = \vec{P'}.$$

On trouve successivement : $OH = 3\,\text{m}$; $HB = HA = 5{,}20\,\text{m}$; $OB = 2{,}20\,\text{m}$; $P \simeq 6\,820\,\text{N}$.

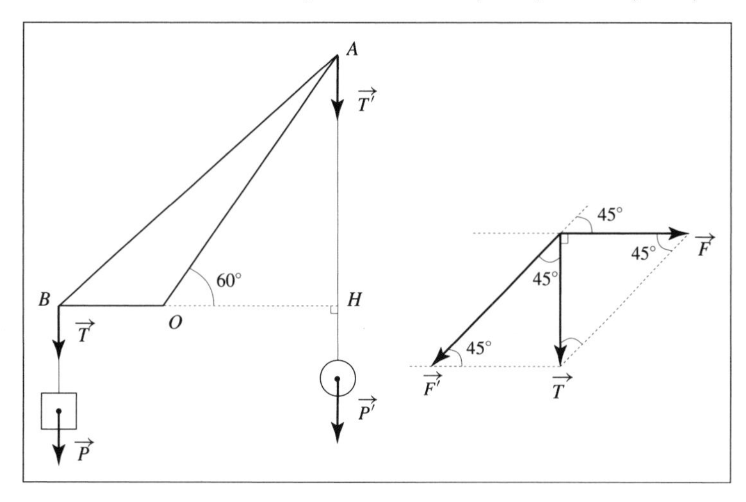

[b] $F = T = P = 6\,820\,\text{N}$ et $F' = T\sqrt{2} \simeq 9\,640\,\text{N}$.

[c] Les efforts de pivotement sont caractérisés par les moments :

$\vec{F}$ est de moment nul ;

$\vec{F'}$ et $\vec{T}$ ont même moment : 15 000 N.m.

[8] [a] Le poids du disque et la réaction de l'axe ont des moments nuls ; reste *seulement* le poids de la tige AB, qui doit donc être de moment nul, c'est-à-dire suivant la verticale de l'axe, pour qu'il y ait équilibre : il y a donc deux positions d'équilibre possibles.

[b] La somme des moments de $m\vec{g}$ et $m'\vec{g}$ doit être nulle ; $m' = \dfrac{3m \sin\alpha}{2}$ soit $m' = 150\,\text{g}$.

[9] [a] $\mathcal{M} = F$ et $HM = Fa \sin\alpha$.

[b]

α	0	30	60	90	120	150	180
$\mathcal{M}$	0	48	83	96	83	48	0

[10] [a] $m\vec{g}$ est appliqué au milieu G de AB. Condition d'équilibre :

$$-mgAH + T \cdot AB = O.$$

On trouve :

$$T = \frac{mgAG \cos 30°}{AB} = \frac{mg \cos 30°}{2},$$

soit $T = 10{,}8\,\text{N}$.

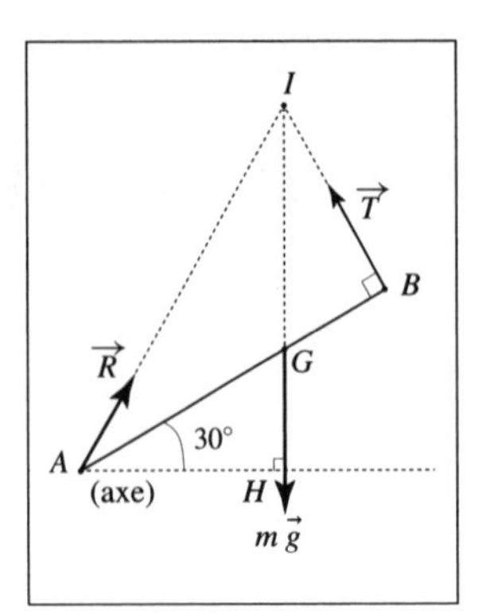

[b] $\vec{R} + \vec{T} + m\vec{g} = \vec{0}$.

La droite d'action de $\vec{R}$ passe par l'intersection I des droites d'action de $m\vec{g}$ et $\vec{T}$ (*cf.* **3.[5]**).

Remarque. On peut aussi déterminer R graphiquement : $R = 16{,}5\,\text{N}$.

ÉLÉMENTS DE CINÉMATIQUE

CHAPITRE 5

La cinématique est l'étude descriptive des mouvements, indépendamment des causes.

[l'essentiel]

[1] Quelques définitions relatives au mouvement d'un point

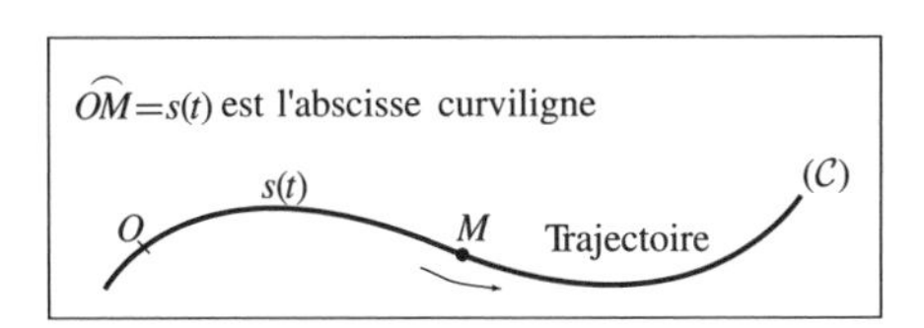

Trajectoire : ligne décrite par le mobile.

Abscisse curviligne : mesure algébrique s d'un arc de trajectoire repérant la position du mobile à partir d'une origine O.

Équation horaire du mouvement : expression de s en fonction du temps : $s = f(t)$.

Vitesse linéaire v **:** distance parcourue par le mobile par unité de temps ; si $\mathrm{d}s$ est l'accroissement de s pendant un petit intervalle de temps $\mathrm{d}t$:

$$\boxed{v = \frac{\mathrm{d}s}{\mathrm{d}t},} \qquad (5,1)$$

v est en **mètre par seconde ($\mathbf{m.s^{-1}}$)**, $\mathrm{d}s$ en **m**, $\mathrm{d}t$ en **s**.

v peut être considéré comme la *dérivée de l'abscisse curviligne par rapport au temps*[1] ; c'est en général une fonction du temps.

---

[1] L'usage est de noter par des points les dérivées *par rapport au temps*. Ainsi, $v = \dot{s}$ pour la dérivée première et $a = \ddot{s}$ pour la dérivée seconde.

Mouvement uniforme : mouvement pour lequel $v = v_0$ est *constante*. Alors $s(t)$ est une fonction affine :

$$s = v_0 t + s_0. \qquad (5, 2)$$

La constante s_0 représente l'abscisse curviligne à l'instant $t = 0$.

Mouvement uniformément varié : mouvement pour lequel l'équation horaire est du second degré et la vitesse linéaire (obtenue en dérivant l'équation horaire) du premier degré en fonction du temps :

$$\begin{cases} s = \alpha t^2 + \beta t + \gamma \\ v = 2\alpha t + \beta. \end{cases} \qquad (5, 3)$$

[2] Mouvements rectilignes

La trajectoire est une droite ou une portion de droite.

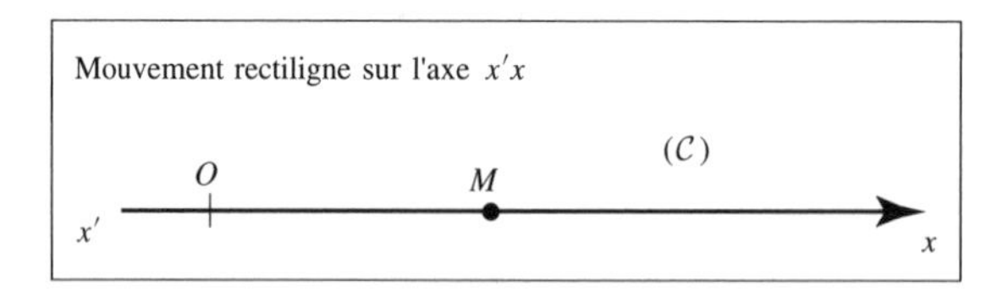

M est repéré par son abscisse $x = f(t)$ et $v = \dfrac{\mathrm{d}x}{\mathrm{d}t}$. L'accélération a du mobile est par définition la variation de la vitesse v sur l'axe $x'x$ par unité de temps (c'est-à-dire la dérivée de v) :

$$\boxed{a = \frac{\mathrm{d}v}{\mathrm{d}t},} \qquad (5, 4)$$

a est en **mètre par seconde au carré** ($\mathbf{m.s^{-2}}$), $\mathrm{d}v$ en $\mathbf{m.s^{-1}}$, $\mathrm{d}t$ en **s**.

[a] Mouvement rectiligne et uniforme

$$\begin{cases} x = v_0 t + x_0 \\ v = v_0 \qquad \text{(vitesse constante)} \\ a = 0 \qquad \text{(accélération nulle).} \end{cases}$$

[b] Mouvement rectiligne uniformément varié

(5,3) montre que, à l'instant $t = 0$, l'abscisse est $s_0 = \gamma$ et la vitesse $v_0 = \beta$. De plus, (5,4) montre que l'accélération $a = 2x$ est *constante*. En résumé :

$$\boxed{\begin{aligned} x &= \frac{1}{2} a t^2 + v_0 t + x_0 \\ v &= a t + v_0. \end{aligned}} \qquad (5, 5)$$

Si $|v|$ croît avec le temps le mouvement est dit *accéléré* (alors $va > 0$) ; si au contraire $|v|$ décroît avec le temps, il est dit *décéléré* (alors $va < 0$).

Par exemple, un mobile dont l'abscisse dans le système international est $x = t^2$ est soumis à une accélération $a = 2\,\text{m.s}^{-2}$ et sa vitesse varie au cours du temps selon $v = 2t$.

[c] Mouvement rectiligne sinusoïdal

L'équation horaire est sinusoïdale[1] et la trajectoire est un segment de droite :

$$\begin{cases} x = A\sin(\omega t + \varphi) \\ v = \omega A\cos(\omega t + \varphi) \\ x = -\omega^2 A\sin(\omega t + \varphi). \end{cases}$$

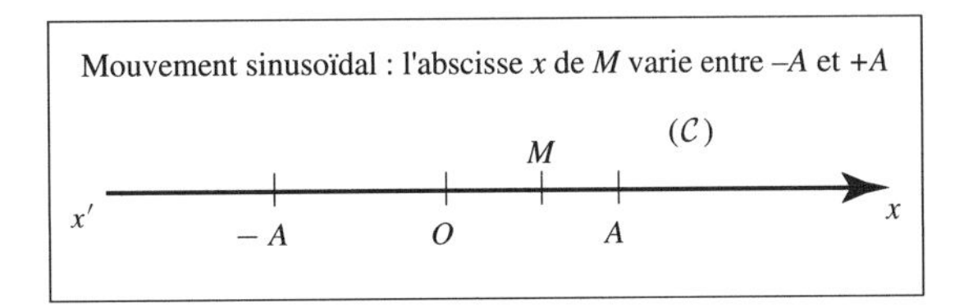

Donc dans un mouvement rectiligne sinusoïdal :

$$\boxed{a = -\omega^2 x.} \qquad (5,6)$$

$\omega t + \varphi$ est la *phase* ; elle s'exprime normalement en **radian** ;

φ est la *phase à l'origine* des temps (à $t = 0$) ;

ω est la *pulsation* ; elle s'exprime en **rad.s^{-1}**.

x oscille entre $-A$ et A et A s'appelle l'*amplitude* du mouvement.

La période est :

$$\boxed{T = \frac{2\pi}{\omega}.} \qquad (5,7)$$

Sa fréquence est :

$$\boxed{N = \frac{1}{T},} \qquad (5,8)$$

avec N en **hertz (Hz)**.

Exemple. On donne (dans le système international) : $x = 0{,}02\sin(5t - 0{,}7)$. Quels sont l'amplitude, la pulsation, la fréquence, la période, la position et la vitesse à l'instant $t = 0$, la vitesse maximale ?

Réponse. $A = 2\,\text{cm}$; $\omega = 5\,\text{rad.s}^{-1}$; $N = \dfrac{\omega}{2\pi} = 0{,}80\,\text{Hz}$; $T = \dfrac{1}{N} = 1{,}3\,\text{s}$; $x(0) = 0{,}02\sin(-0{,}7) = -0{,}013\,\text{m}$; $v = 5 \times 0{,}02\cos(5t - 0{,}7)$, par conséquent $v(0) = 0{,}10\cos(-0{,}7)$ soit $v(0) = 0{,}076\,\text{m.s}^{-1}$.

---

[1] La formulation $x = A\cos(\omega t + \psi)$ est équivalente : il suffit de prendre $\psi = \varphi - \dfrac{\pi}{2}$ (voir aussi le chapitre **D**).

[3] Mouvements curvilignes

[a] Le vecteur vitesse

Dans un mouvement curviligne, on préfère caractériser la vitesse à un instant t par le *vecteur vitesse* :

$$\boxed{\vec{v} = \frac{\overrightarrow{d\ell}}{dt},} \qquad (5,9)$$

où dt est un intervalle de temps suffisamment petit pour que le déplacement $\overrightarrow{d\ell}$ de M soit lui même assez petit pour être assimilable à un déplacement rectiligne.

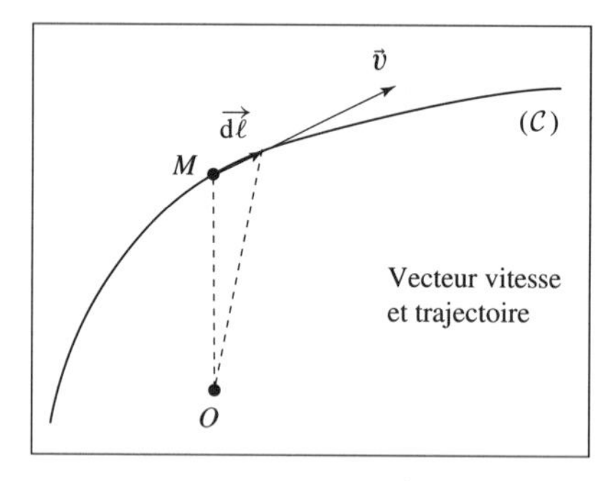

Vecteur vitesse et trajectoire

$\vec{v}$ apparaît ainsi comme *la dérivée du vecteur* $\overrightarrow{OM}$ caractérisant la position du mobile, O étant une origine fixe.

$\vec{v}$ est toujours tangent à la trajectoire. Sa norme est la valeur absolue de la vitesse linéaire.

[b] Le vecteur accélération

On caractérise la variation du vecteur vitesse par le *vecteur accélération* :

$$\boxed{\vec{a} = \frac{d\vec{v}}{dt}.} \qquad (5,10)$$

Son sens indique comment varie la direction de $\vec{v}$:

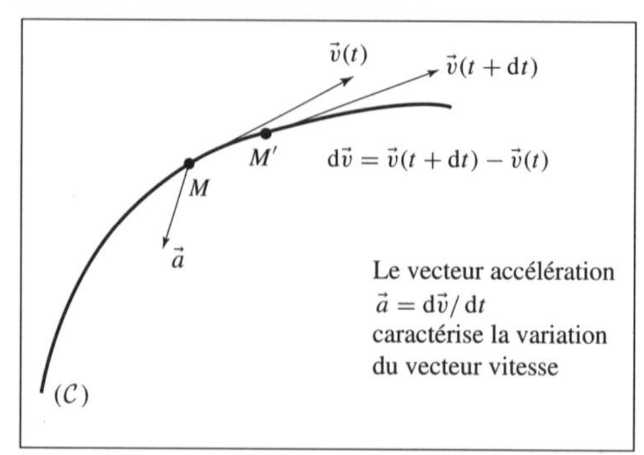

Le vecteur accélération $\vec{a} = d\vec{v}/dt$ caractérise la variation du vecteur vitesse

✗ **Le vecteur accélération est toujours orienté vers la concavité de la trajectoire.**

[c] Accélération tangentielle et accélération normale

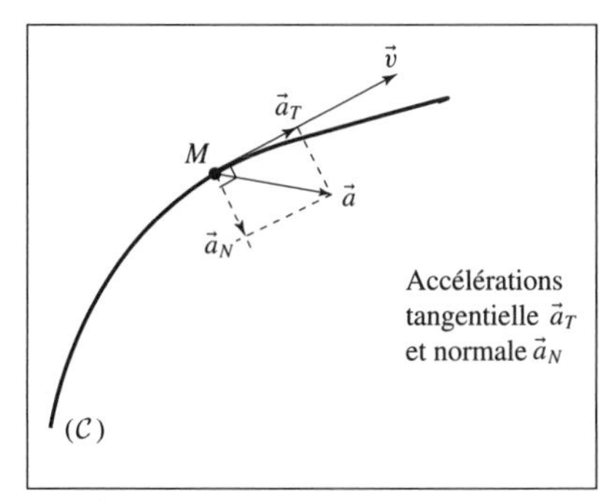

Accélérations tangentielle $\vec{a}_T$ et normale $\vec{a}_N$

Dans un mouvement plan $\vec{a}$ peut être décomposé en $\vec{a}_T$ en $\vec{a}_N$ suivant la tangente et la normale[1] respectivement et l'on démontre que :

$$\boxed{a_T = \frac{\mathrm{d}v}{\mathrm{d}t},} \tag{5, 11}$$

(a_T est la dérivée de la vitesse *linéaire*).

✘ **L'accélération *tangentielle* est nulle dans tout mouvement *uniforme*.**

$$\boxed{a_N = \frac{v^2}{r},} \tag{5, 12}$$

où r s'appelle le *rayon de courbure* de la trajectoire en M : il représente le rayon du cercle centré sur la normale qui, au voisinage de M, s'approche le plus de la trajectoire ; si la trajectoire est un cercle, r n'est autre que le rayon de la trajectoire et est donc indépendant de M.

[d] Mouvement circulaire et uniforme

La vitesse *linéaire* est constante : $v = v_0$. Mais le vecteur $\vec{v}$ varie (en direction) et l'abscisse curviligne est :

$$s = v_0 t + s_0.$$

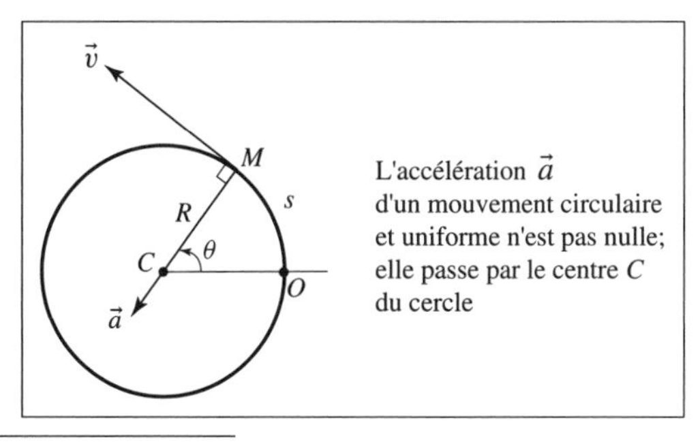

L'accélération $\vec{a}$ d'un mouvement circulaire et uniforme n'est pas nulle; elle passe par le centre C du cercle

1 La *normale* en M est par définition la perpendiculaire en M à la tangente.

L'*abscisse angulaire* $\theta = \frac{s}{R}$, exprimée en **radian**, est :

$$\theta = \omega t + \theta_0, \tag{5, 13}$$

$$\boxed{\omega = \frac{v_0}{R}.} \tag{5, 14}$$

avec v_0 en $\mathbf{m.s^{-1}}$ et R en **m** ; ω est la *vitesse angulaire*. Elle s'exprime en **radian par seconde** ($\mathbf{rad.s^{-1}}$) et est constante dans ce type de mouvement.

La durée d'un tour ($2\pi R$ parcouru à la vitesse v_0) s'appelle la *période de rotation* ou *de révolution*, et le nombre de tours N effectués par seconde s'appelle la *fréquence de rotation*[1] :

$$\boxed{T = \frac{2\pi}{\omega} \quad \text{et} \quad N = \frac{1}{T},} \tag{5, 15}$$

T est exprimé en **seconde (s)**, ω en $\mathbf{rad.s^{-1}}$, N en $\mathbf{tr.s^{-1}}$.

L'accélération tangentielle a_T est nulle car $\frac{\mathrm{d}v}{\mathrm{d}t} = 0$ (*cf.* (5,11)).

L'accélération normale $a_N = \frac{v_0^2}{R}$ est constante, soit compte tenu de (5,14) :

$$\boxed{a_N = \omega^2 R.} \tag{5, 16}$$

✘ **L'accélération n'est pas nulle dans un mouvement circulaire et uniforme[2].**

[4] Référentiels et repères

La notion de mouvement n'a de sens que relativement à un **référentiel** : ainsi le mouvement d'un véhicule sur la Terre, d'un passager dans un train, d'un poisson relativement à un bateau, etc. La Terre, le train, la bateau définissent les référentiels correspondants. Dans un référentiel donné on repère le mobile relativement à un systèmes d'axes fixes de coordonnées ou repère : il y en a une infinité dans un référentiel donné ; par contre, deux référentiels *distincts* sont nécessairement en mouvement l'un par rapport à l'autre.

---

[1] Noter l'analogie avec les relations (5,7) et (5,8) dans le mouvement rectiligne sinusoïdal.

[2] L'accélération est dite *centripète* dans un mouvement circulaire et uniforme, car elle passe par le centre C du cercle.

[5] Éléments de cinématique du solide

[a] Mouvement de translation

On dit qu'un solide est en translation de vitesse $\vec{v}$ si tous les points du solide ont **à chaque instant le même vecteur vitesse** $\vec{v}$: les axes d'un repère lié au solide se déplacent alors parallèlement les uns par rapport aux autres.

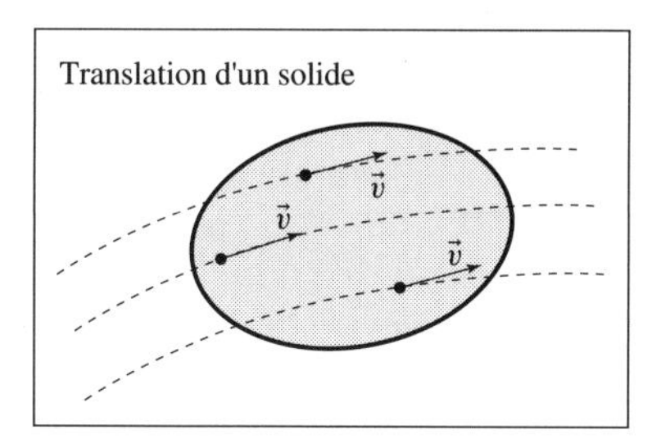

Si les trajectoires des points du solide sont des droites on aura une trajectoire rectiligne.

Si la norme v de la vitesse est constante, la translation est dite uniforme.

[b] Mouvement de rotation d'un solide autour d'un axe fixe

Les différents points du solide n'ont pas la même vitesse $\vec{v}$, mais ils dérivent des cercles d'axe (D) avec **la même vitesse angulaire** ω**.**

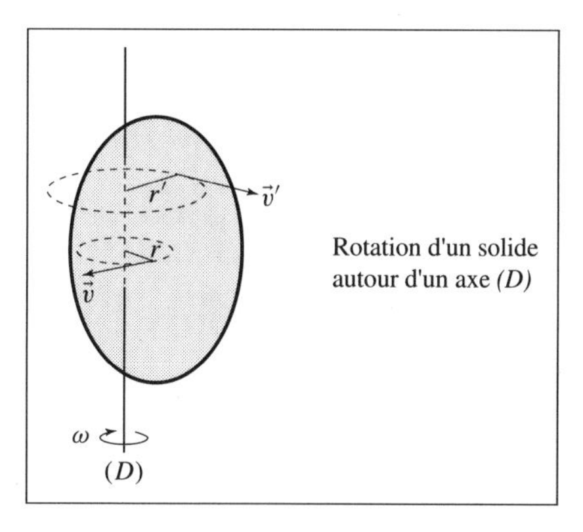

Rotation d'un solide autour d'un axe (D)

La vitesse d'un point du solide dépend donc de sa distance r à l'axe de rotation :

$$\boxed{v = r\omega.} \tag{5, 17}$$

[de l'essentiel à la pratique]

Mots-clés

trajectoire

abscisse curviligne

vitesse linéaire

mouvement uniforme

— uniformément varié

— sinusoïdal

vecteur vitesse

vecteur accélération

accélération tangentielle

— normale

période de rotation

fréquence de rotation

translation

vitesse angulaire

[1] *La distance parcourue par une auto sur une ligne droite est, dans le système international,* $x = \frac{t^2}{2} + 10t$ *à partir du début de la ligne droite et de l'instant* $t = 0$.

[a] *De quel type de mouvement s'agit-il ?*

Le mouvement est rectiligne uniformément accéléré : voir **5.[2].[b]**.

[b] *Quelle est l'accélération ?*

D'après (5,5), $\frac{a}{2} = \frac{1}{2}$ soit $\underline{a = 1\,\text{m.s}^{-2}}$.

[c] *Quelle est la vitesse à l'entrée de la ligne droite, puis 10 secondes plus tard ?*

$\boxed{v = \dot{x} = t + 10}$ donc $\underline{v_0 = 10\,\text{m.s}^{-1}}$ et $\underline{v_{10} = 20\,\text{m.s}^{-1}}$.

[2] *Un train lancé à* 120 km.h^{-1} *en ligne droite réduit sa vitesse à partir d'un point O à raison de* 1,5 m.s^{-2} *jusqu'à l'arrêt.*

[a] *Quelle est la distance x parcourue à partir de O, en fonction du temps écoulé à partir du début du freinage ?*

La mouvement est uniformément décéléré : en effet, son accélération a est constante et égale à $-1{,}5$ m.s^{-2}. En O, à l'instant $t = 0$, la vitesse est $v_0 = \frac{120 \times 1\,000}{3\,600} = 33$ m.s^{-1}. Par conséquent, d'après (5,5) :

$$\boxed{x = -0{,}75t^2 + 33t.}$$

[b] *Au bout de combien de temps, et après avoir parcouru quelle distance, le train s'arrête-t-il ?*

$$v = \dot{x} = -1{,}5t + 33.$$

Quand le train s'arrête, $v = 0$ soit $-1{,}5t + 33 = 0$, d'où $t = \frac{33}{1{,}5}$, soit $\underline{t \simeq 22\,\text{s}}$ et $x = -1{,}5 \times 22^2 + 33$ soit $\underline{x \simeq 760\,\text{m}}$.

[3] *La position d'un mobile sur un axe est donnée en* cm *par* $x = 2\sin(5t - 0{,}7)$.

[a] *Quelles sont l'amplitude, la pulsation, la fréquence, la période, la vitesse maximale ?*

Le mouvement est rectiligne sinusoïdal (voir **5.[2].[c]**) :

$\underline{A = 2\,\text{cm}}$; $\underline{\omega = 5\,\text{rad.s}^{-1}}$; $\underline{N = \frac{\omega}{2\pi} = 0{,}80\,\text{Hz}}$; $\underline{T = \frac{1}{N} = 1{,}3\,\text{s}}$.

Pour calculer la vitesse maximale il nous faut l'expression de la vitesse :

$$\boxed{v = \dot{x} = 5 \times 2\cos(5t - 0{,}7) = 10\cos(5t - 0{,}7).}$$

La vitesse maximale est donc $\underline{v_{\max} = 10\,\text{cm.s}^{-1}}$.

[b] *Quelle est l'accélération du mobile lorsqu'il passe en $x = 0$ et lorsqu'il se trouve à 2 cm de l'origine ?*

D'après (5,6) :

$$\boxed{a = -\omega^2 x.}$$

En $x = 0$, on a donc $\underline{a = 0}$; en $x = 2$, on a $a = -5^2 \times 2$ soit $\underline{a = -50\,\text{cm.s}^{-2}}$.

[4] *Un mobile effectue dix tours sur un cercle de rayon* 0,5 m *en* 2 s, *d'un mouvement uniforme. Quels sont la fréquence de rotation, la vitesse angulaire, la vitesse linéaire et l'accélération ?*

$\underline{N = \frac{10}{2} = 5\,\text{tours.s}^{-1}}$; $\underline{\omega = 2\pi N \simeq 31\,\text{rad.s}^{-1}}$; $\underline{v_0 = R\omega = 16\,\text{m.s}^{-1}}$;
$\underline{a = a_N = \omega^2 R = 31^2 \times 0{,}5 \simeq 490\,\text{m.s}^{-2}}$.

[5] *L'aiguille des secondes d'une pendule tourne d'un mouvement uniforme. On prend comme origine des temps l'instant où il est exactement midi et on repère sa position angulaire θ par rapport au chiffre 3 du cadran.*

[a] *Exprimer numériquement θ en fonction du temps.*

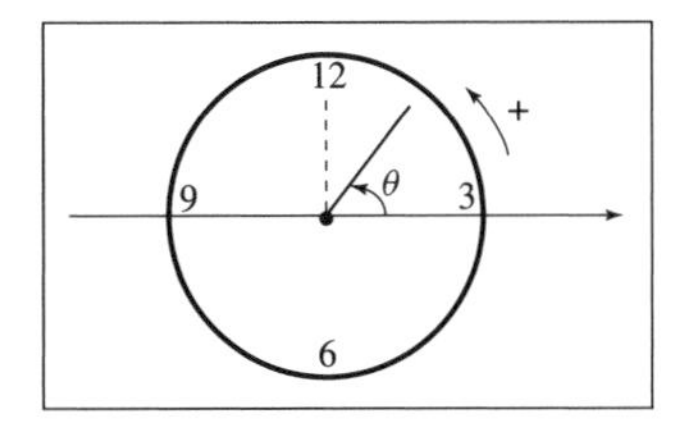

Selon (5,13) :

$$\boxed{\theta = \omega t + \theta_0.}$$

À $t = 0$, l'aiguille est devant le chiffre 12 et $\theta = \theta_0 = -\frac{\pi}{2}$. La période de révolution de l'aiguille est de 60 s ; aussi $\omega = -\frac{2\pi}{T} = -\frac{2\pi}{60} = -0{,}105\,\text{rad.s}^{-1}$. Finalement :

$$\underline{\theta = -0{,}105t - \frac{\pi}{2}} \qquad \text{(en rad)}.$$

Notez le signe « – » : l'aiguille tourne dans le sens négatif !

[b] *Représenter les vecteurs vitesse et accélération du point M situé à l'extrémité de l'aiguille à l'instant $t = 10$ s si la longueur de l'aiguille est $\ell = 20$ cm et calculer leurs normes.*

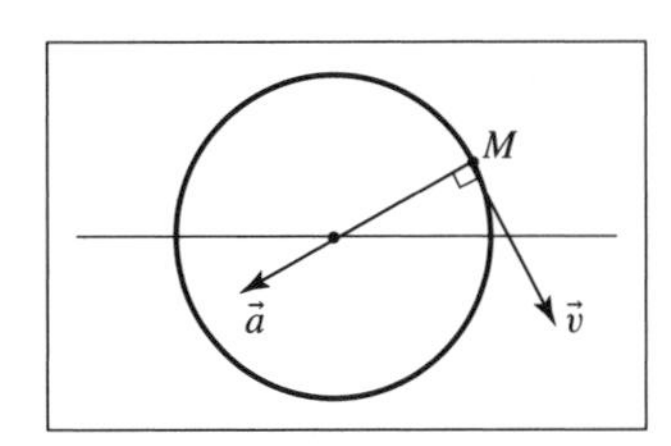

M est face au chiffre 2 et $\theta = -\dfrac{\pi}{6}$ rad. (5,14) s'écrit ici :

$v = \ell|\omega| = 0{,}20 \times 0{,}105$ soit $\underline{v = 2{,}09.10^{-2}\,\text{m.s}^{-1}}$.

L'accélération est centripète puisque le mouvement est uniforme et (5,16) s'écrit :

$a = \omega^2\ell = 0{,}105^2 \times 0{,}20$ soit $\underline{a = 2{,}19.10^{-3}\,\text{m.s}^{-2}}$.

[6] *Un corps placé à la surface de la Terre à l'équateur tourne en même temps que celle-ci autour de l'axe des pôles à la vitesse v_0.*

[a] *Quelle serait sa vitesse v si le corps était placé à la latitude θ, en fonction de v_0 et de θ ?*

À l'équateur, où $\theta = 0$, le corps décrit un cercle de rayon R d'un mouvement uniforme à la vitesse angulaire ω et $v_0 = R\omega$.

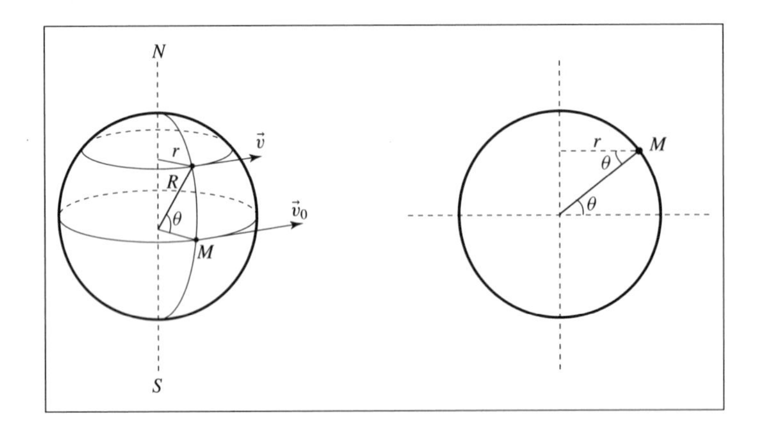

Tous les points de la Terre ont même vitesse angulaire ω (voir **5.[5].[b]**) et, à la latitude θ, le corps décrit un cercle $r = R\cos\theta$ à la vitesse $v = r\omega = R\omega\cos\theta$, soit :

$$\boxed{v = v_0 \cos\theta.}$$

[b] *Calculer la vitesse à l'équateur et à Paris (latitude 48°) sachant que le rayon de la Terre vaut 6 370 km et que sa période de révolution vaut un jour sidéral, soit 86 164 s.*

$\omega = \dfrac{2\pi}{T} = \dfrac{2\pi}{86\,164} = 7{,}29.10^{-5}\,\text{rad.s}^{-1}$; $R = 6{,}37.10^6\,\text{m}$; $v_0 = R\omega = 6{,}37.10^6 \times 7{,}29.10^{-5}$ soit $\underline{v_0 = 465\,\text{m.s}^{-1}}$; $v = 465 \times \cos 48°$ soit $\underline{v = 311\,\text{m.s}^{-1}}$.

[7] *Un mobile se déplace sur un cercle de rayon $r = 80\,\text{cm}$. Il est repéré par sa position angulaire $\theta = 0{,}12\cos 3{,}5\,t$ en radian.*

[a] *Représenter sa vitesse aux instants $t_0 = 0$ et $t_1 = 0{,}45\,\text{s}$ et calculer sa valeur.*

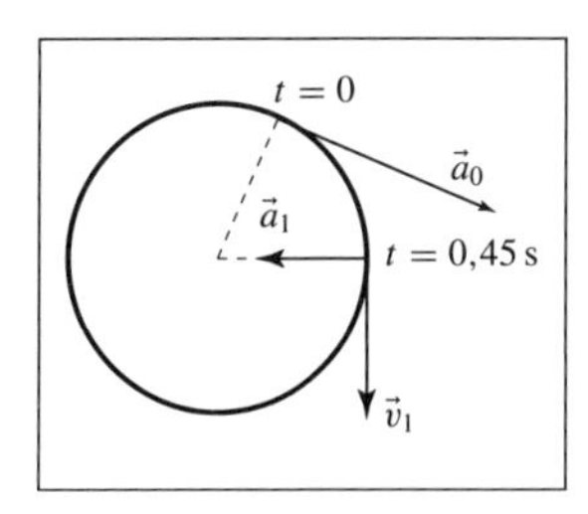

L'abscisse curviligne est $s = r\theta$ soit :

$$\boxed{s = 9{,}6 \cos 3{,}5t} \qquad \text{(en cm)}.$$

La vitesse linéaire $v = -9{,}6 \times 3{,}5 \sin 3{,}5t = -33{,}6 \sin 3{,}5t$. On a donc :
$\underline{v_0 = 0}$ et $\underline{\theta_0 = 0{,}12\,\text{rad}}$ à $t_0 = 0$; $v_1 = -33{,}6 \sin(3{,}5 \times 0{,}45)$ soit $\underline{v_1 = -33{,}6\,\text{cm.s}^{-1}}$ et $\underline{\theta_1 = 0}$ à $t_1 = 0{,}45$ s.

[b] *Déterminer et représenter l'accélération aux mêmes instants.*

Il est naturel ici de déterminer l'accélération par ses composantes normale et tangentielle (5,11) et (5,12). Pour cela, calculons $\dfrac{\mathrm{d}v}{\mathrm{d}t}$:

$$\boxed{\frac{\mathrm{d}v}{\mathrm{d}t} = -3{,}5 \times 33{,}6 \cos 3{,}5t = -118 \cos 3{,}5t.}$$

À $t = 0$, $a_T = -118\,\text{cm.s}^{-2}$ et $a_N = \dfrac{v_0^2}{r} = 0$: l'accélération est tangentielle.

À $t = 0{,}45$ s, $a_T = -118 \cos(3{,}5 \times 0{,}45) = 0$ et $a_N = \dfrac{v_1^2}{r} = \dfrac{33{,}6^2}{80} = 14\,\text{cm.s}^{-2}$: l'accélération est normale.

[exercices]

Mouvements rectilignes

[1] Une caméra plongée dans l'eau filme le passage d'un requin à la cadence de 24 images par seconde ; l'une des images montre le museau de l'animal entrant sur le côté. Huit images plus loin, on peut voir sa queue dans les mêmes conditions.

La longueur du requin est de 1,9 m. Quelle est la vitesse de l'animal ?

[2] Un bobsleigh démarre en ligne droite avec une accélération constante de $2{,}0\,\text{m.s}^{-2}$. Quelle est sa vitesse au bout de 0,5 s ? Quelle distance a-t-il parcourue ? Donner l'équation horaire de son mouvement en prenant l'origine du temps et de l'espace au moment du départ.

[3] Une voiture accélère à raison de $1{,}0\,\text{m.s}^{-2}$ pendant 12 s et parcourt 180 m pendant ce temps. Quelles sont les vitesses initiale v_0 et finale v_1 de la voiture ?

[4] Un train lancé à la vitesse de 120 km.h^{-1} freine avec une décélération constante. Combien de temps met-il pour s'arrêter si la distance qu'il parcourt est de 3 km ? Quelle est la valeur de la décélération subie ?

[5] Un mobile est animé d'un mouvement d'équation $x = 3t^2 - 6t + 6$ (en cm). Quels sont la position et l'instant où le sens du mouvement change ?

[6] Un point décrit un segment de droite long de 8 cm avec un mouvement sinusoïdal de fréquence 10 Hz sur un axe $x'x$. Écrire l'équation horaire en prenant $t = 0$ lorsque x est maximal et déterminer l'accélération à $t = 0$.

[7] L'accélération d'un mouvement rectiligne est $a = -9x$. Quelle est la nature du mouvement ?

[8] La vitesse d'un mobile animé d'un mouvement sinusoïdal est maximale à l'instant $t = 0$ et vaut 0,25 m.s^{-1}. Sa fréquence est de 12 Hz. Quelle est l'amplitude du mouvement ?

[9] Quelle est l'équation horaire d'un mouvement sinusoïdal de période 10 s pour lequel, à $t = 0$, x s'annule et $v = 0{,}50$ m.s^{-1} ?

Mouvements circulaires

[10] Une voiture équipée de pneus de 13 pouces de rayon extérieur (1 pouce vaut 2,54 cm) se déplace à 72 km.h^{-1}. Quelle est la vitesse linéaire du point de la circonférence d'un pneu au contact avec le sol, par rapport à la voiture ? par rapport au sol ? Calculer la vitesse angulaire d'une roue.

[11] Dans un modèle imaginé par Bohr, l'électron de l'atome d'hydrogène décrit un mouvement circulaire uniforme de rayon $5{,}3.10^{-11}$ m autour du noyau à la vitesse de $2{,}2.10^{6}$ m.s^{-1}. Quelles sont la fréquence de rotation et son accélération ?

[12] La Terre décrit autour du Soleil une orbite pratiquement circulaire à une distance de $1{,}5.10^{11}$ m, tandis que la Lune décrit autour de la Terre un cercle de rayon 4.10^{8} m. Les périodes de rotation sont $3{,}16.10^{7}$ s pour la Terre et $2{,}36.10^{6}$ s pour la Lune.

Quelles sont les vitesses linéaires de ces deux astres ?

Avec quelle fréquence la Lune se trouve-t-elle entre la Terre et le Soleil ?

[13] Une masselotte suspendue à un fil inextensible effectue des oscillations de période 1,42 s. L'amplitude des oscillations est $\pi/12$ rad autour de la verticale. La longueur du fil est 0,50 m.

[a] Donner l'expression $\theta(t)$ de l'angle du fil avec la verticale en prenant $t = 0$ à l'instant où θ est maximal et en déduire l'expression correspondante de l'abscisse curviligne $s(t)$ de la massselotte.

[b] Calculer la vitesse linéaire $v(t)$.

[c] Calculer l'accélération tangentielle $a_T(t)$ et l'accélération normale $a_N(t)$.

[réponses]

[1] Il s'est écoulé $8/24$ secondes pendant lesquelles le museau s'est déplacé de 1,9 m. La vitesse est $\dfrac{1{,}9}{8/24} = 5{,}7\,\text{m.s}^{-1}$.

[2] Mouvement rectiligne uniformément accéléré. $x = \dfrac{1}{2}at^2$; $v = 2at$. Au bout de 0,5 s : $x = 0{,}25$ m et $v = 1\,\text{m.s}^{-1}$.

[3] v_0 et v_1 sont solutions du système d'équation :

$$\begin{cases} v_1 = at_1 + v_0 \\ s_1 = \dfrac{1}{2}at_1^2 + v_0 t_1. \end{cases}$$

On trouve :

$$v_1 = \frac{s_1}{t_1} + \frac{at_1}{2} = 21\,\text{m.s}^{-1}$$
$$v_0 = v_1 - at_1 = 9\,\text{m.s}^{-1}.$$

[4] $x = \dfrac{1}{2}at^2 + v_0 t$ et $v = at + v_0 = 0$ pour $at = -v_0$. D'où $x = -\dfrac{1}{2}v_0 t + v_0 t = \dfrac{1}{2}v_0 t$ et $t = \dfrac{2x}{v_0} = \dfrac{2 \times 3}{120} = \dfrac{1}{20}h = 3\,\text{min} = 180\,\text{s}$; $a = -\dfrac{v_0}{t} = -\dfrac{1}{180} \times \dfrac{120 \times 1\,000}{3\,600}$ soit $a = -0{,}19\,\text{m.s}^{-2}$.

[5] $x = 3$ cm ; $t = 1$ s.

[6] $x = 4\cos 63t$ (en cm) ; $a = -160\,\text{m.s}^{-2}$.

[7] Sinusoïdal, de période 2,1 s.

[8] $x = A\cos(2\pi Nt + \varphi)$; $v = -2\pi NA\sin(2\pi Nt + \varphi)$ est maximale pour $t = 0$; donc :

$$v(0) = +2\pi NA$$
$$A = \frac{v(0)}{2\pi N} = 3{,}3.10^{-3}\,\text{m} = 3{,}3\,\text{mm}.$$

[9] $x = 0{,}80\sin 0{,}63t$ (en m).

[10] Par rapport à la voiture : $20\,\text{m.s}^{-1}$. Le point en contact avec le sol a la même vitesse que le sol si le pneu ne dérape pas, soit $v = 0$; $\omega = 60{,}6\,\text{rad.s}^{-1}$.

[11] $6{,}6.10^{15}\,\text{tr.s}^{-1}$; $9{,}1.10^{22}\,\text{m.s}^{-2}$.

[12] $v_T \simeq 30\,\text{km.s}^{-1}$; $v_L \simeq 1{,}1\,\text{km.s}^{-1}$; c'est la fréquence de rotation de la Lune : $4{,}2.10^{-7}$ Hz soit 13,4 fois par an.

[13] [a] $\theta(\text{rad}) = \dfrac{\pi}{12}\cos 4{,}42t$; $s = 0{,}13\cos 4{,}42t$ (en m).

[b] $v = -0{,}58\sin 4{,}42t$ (en m.s^{-1}).

[c] $a_T = -2{,}6\cos 4{,}42t$; $a_N = 0{,}67\sin^2 4{,}42t$ (en m.s^{-2}).

TRAVAIL ET PUISSANCE. L'ÉNERGIE ET SA CONSERVATION

CHAPITRE 6

[l'essentiel]

[1] Notion de travail d'une force

Considérons une particule M se déplaçant de A en B en ligne droite, sur la distance $AB = \ell$, sous l'action de diverses forces et supposons que l'une d'entre elles $\vec{F}$ reste *constante*, c'est-à-dire garde non seulement une intensité constante mais aussi une direction fixe, faisant un angle α avec le déplacement $\vec{AB}$, et un sens déterminé.

On appelle travail de la force $\vec{F}$ du point A au point B la quantité[1] :

$$\boxed{W_{AB} = F\ell\cos\alpha.} \qquad (6, 1)$$

L'unité de travail est le **joule (J)** dans le système international, F est exprimée en **N** et ℓ en **m**.

On dit aussi que **la particule a reçu le travail** W_{AB}.

• Si on change le sens de parcours, le travail change de signe car α est changé en $\pi - \alpha$:

$$W_{BA} = -W_{AB}.$$

• Si α est *aigu*, la force aide au déplacement et l'on dit que **le travail est moteur** : un travail moteur est *positif*. En particulier, si $\alpha = 0$ alors $W_{AB} = F\ell$ est maximal.

• Si α est *obtus*, la force s'oppose au déplacement et l'on dit que **le travail est résistant** : un travail résistant est *négatif*. Si $\alpha = 180°$ alors $W_{AB} = -F\ell$.

• **Le travail d'une force perpendiculaire au déplacement est nul** ($\cos 90° = 0$).

---

[1] Le travail n'est autre que le *produit scalaire* des vecteurs $\vec{F}$ et $\vec{AB}$, soit $W_{AB} = \vec{F} \cdot \vec{AB}$ (*cf.* **F.[1]**).

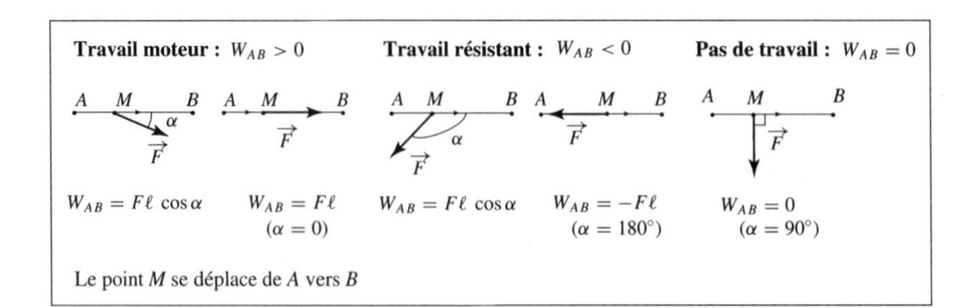

[2] Travail dans le cas général

Si le parcours $\widehat{AB}$ n'est pas rectiligne et si la force varie, on décompose $\widehat{AB}$ en éléments MM' suffisamment petits pour que l'on puisse les considérer comme rectilignes et la force constante sur chacun d'eux.

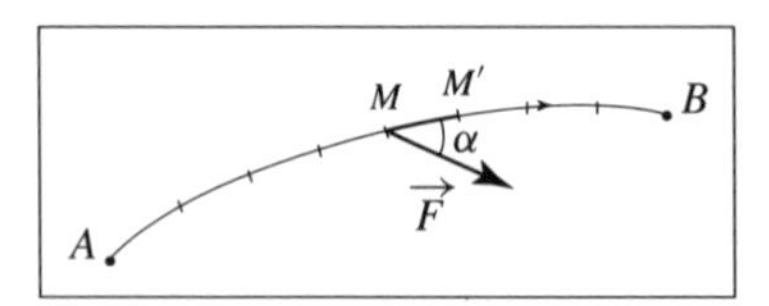

En posant alors $\overrightarrow{MM'} = \overrightarrow{\mathrm{d}\ell}$, la relation (6,1) définit le *travail élémentaire* :

$$\mathrm{d}W = F\,\mathrm{d}\ell \cos\alpha = \vec{F} \cdot \overrightarrow{\mathrm{d}\ell}. \qquad (6,2)$$

On définit le travail total sur le parcours $\widehat{AB}$ comme la *somme algébrique* des travaux élémentaires ainsi calculés entre A et B. Cette somme est dite *continue* en raison du très grand nombre de subdivisions de $\widehat{AB}$ nécessaires et notée[1] :

$$W_{AB} = \int_{\widehat{AB}} \vec{F} \cdot \overrightarrow{\mathrm{d}\ell}. \qquad (6,3)$$

Son évaluation dans le cas général est difficile : le travail élémentaire se met en pratique sous la forme $\mathrm{d}W = f(t)\,\mathrm{d}t$ où t est un paramètre qui peut être le temps, une coordonnée, l'angle α, etc., et $\mathrm{d}t$ son accroissement quand M se déplace de $\overrightarrow{\mathrm{d}\ell}$.

Nous admettrons que W_{AB} est l'accroissement d'une *primitive* $\Phi(t)$ de $f(t)$ entre A et B, soit $W_{AB} = \Phi(t_B) - \Phi(t_A)$: l'évaluation du travail dans le cas général se ramène donc à un calcul de primitive.

---

[1] On lit : W_{AB} est égal à la somme le long de $\widehat{AB}$ de $\vec{F}$ scalaire $\overrightarrow{\mathrm{d}\ell}$.

[3] Travail d'un couple

L'arbre d'un moteur est soumis à un couple de moment $\mathcal{M}$ que l'on peut représenter par deux forces $\vec{F}$ et $\vec{F'} = -\vec{F}$ appliquées en permanence de façon tangentielle de sorte que, si r est le rayon de l'arbre, $\mathcal{M} = 2F \cdot r$.

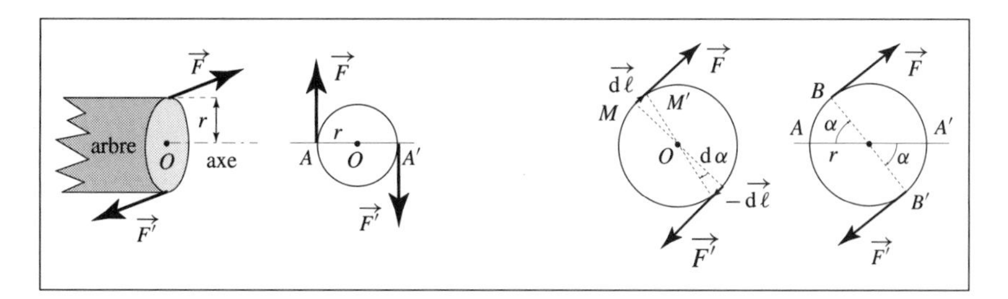

Lorsque l'arbre tourne d'un petit angle $d\alpha$, les déplacement de $\vec{F}$ et $\vec{F'}$, qui sont symétriques, peuvent être considérés comme rectilignes et le travail élémentaire total de $\vec{F}$ et $\vec{F'}$ est, en vertu de (6,2) :

$$dW = F\,d\ell + F'\,d\ell = 2F\,d\ell.$$

Or l'arc élémentaire $d\ell = r\,d\alpha$ et $dW = 2Fr\,d\alpha$, soit :

$$\boxed{dW = \mathcal{M}\,d\alpha.} \qquad (6,4)$$

Attention ! Ici α est exprimé en **radians** !

Si $\mathcal{M}$ est *constant*, alors $\mathcal{M}$ vient en facteur dans la somme continue $W = \int \mathcal{M}\,d\alpha$, soit :

$$W = \mathcal{M} \int d\alpha.$$

Or $\int d\alpha$ est tout simplement l'angle total α dont a tourné l'arbre entre les positions initiale A et finale B.

Si $\mathcal{M}$ est constant :

$$\boxed{W_{AB} = \mathcal{M}\alpha.} \qquad (6,5)$$

W_{AB} est exprimé en **joule (J)**, $\mathcal{M}$ en **N.m** et α en **rad**.

[4] Notion de puissance

On appelle *puissance P reçue par un système* le travail reçu par unité de temps. Si le système reçoit le travail élémentaire dW pendant un petit intervalle de temps dt, alors :

$$\boxed{P = \frac{dW}{dt}.} \qquad (6,6)$$

P est exprimé en **watt (W)**, dW en **J** et dt en **s**.

Remarque. L'unité S.I. de puissance est le **joule par seconde**. Elle a reçu un nom particulier, le **watt** et son symbole est **W**.

[a] Puissance développée par une force

D'après (6,2) et (6,6) :

$$P = \frac{F\,\mathrm{d}\ell\cos\alpha}{\mathrm{d}t} = F\frac{\mathrm{d}\ell}{\mathrm{d}t}\cos\alpha.$$

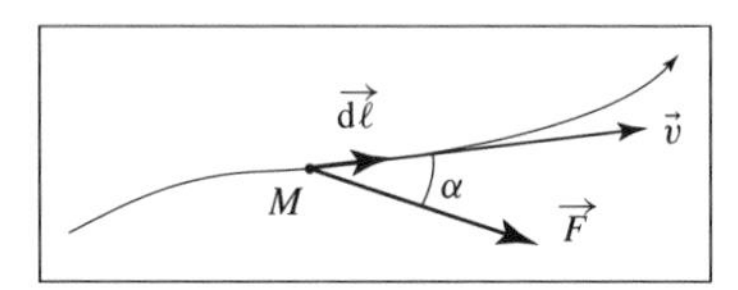

Or $\frac{\mathrm{d}\ell}{\mathrm{d}t}$, distance parcourue par unité de temps, est la vitesse v du mobile M sur lequel s'exerce la force $\vec{F}$ (*cf.* **5.[1]**), donc[1] :

$$\boxed{P = Fv\cos\alpha.} \qquad (6,7)$$

P est exprimé en **W**, F en **N** et v en **m.s^{-1}**.

[b] Puissance exercée par un couple sur un solide en rotation

D'après (6,4) et (6,6) :

$$P = \frac{\mathrm{d}W}{\mathrm{d}t} = \mathcal{M}\frac{\mathrm{d}\alpha}{\mathrm{d}t}.$$

Or $\frac{\mathrm{d}\alpha}{\mathrm{d}t}$, angle de rotation du solide par unité de temps exprimé en rad.s^{-1} est la *vitesse angulaire* ω du solide et :

$$\boxed{P = \mathcal{M}\omega.} \qquad (6,8)$$

P est exprimé en **W**, $\mathcal{M}$ en **N.m** et ω en **rad.s^{-1}**.

[5] Travail des forces intérieures

On a vu (*cf.* **3.[6]**) que les forces de contact entre deux solides se compensent. Supposons que l'on déplace un solide (A) posé sur une table (B) en exerçant au contact de (A) une force $\vec{F}$.

[1] Avec la définition vectorielle $\vec{v}$ de la vitesse donnée au **5.[3].[a]**, on peut écrire (6,7) sous la forme $P = \vec{F}\cdot\vec{v}$.

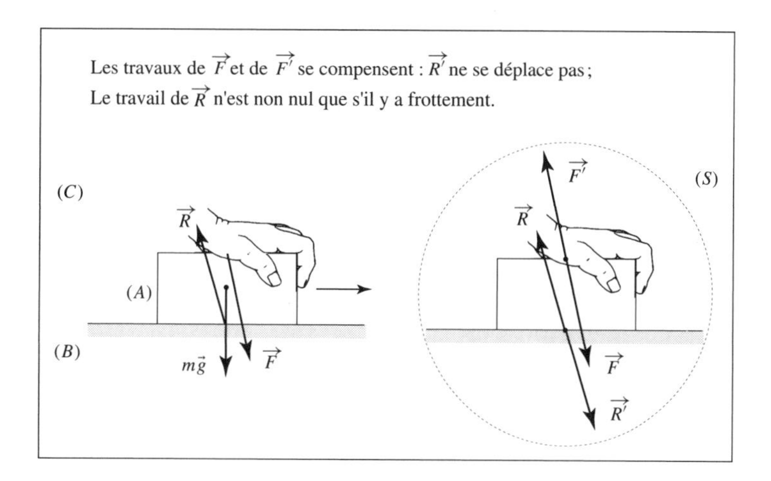

(A) est soumis à trois *forces extérieures* : son poids, $\vec{F}$ et la réaction $\vec{R}$ de la table. Considérons maintenant le système (S) composé de (A), de la table (B) et de l'opérateur (C) : $\vec{F}$ et $\vec{R}$ sont des forces intérieures pour (S), auxquelles il faut associer les réactions $\vec{F'}$ de (A) sur (C) et $\vec{R'}$ de (A) sur (B).

D'après (3,1), $\vec{F'} = -\vec{F}$ et $\vec{R'} = -\vec{R}$. Il est clair que les travaux de $\vec{F}$ et $\vec{F'}$ se compensent car ces forces se déplacent «ensemble» ; par contre, le travail de $\vec{R}$ n'est pas compensé par celui de $\vec{R'}$ car $\vec{R'}$ ne se déplace pas ((B) est fixe), son travail est nul.

Nous verrons (*cf.* 7.[4]) que le travail de $\vec{R}$ est nul en l'absence de frottement et qu'il est résistant lorsqu'il y a frottement.

En conclusion :

(i) le travail des forces intérieures à un solide est nul ;

(ii) le travail des forces intérieures à un système de solides se réduit au travail des frottements ;

(iii) le travail des forces intérieures à un système de solides est nul en l'absence de frottements.

[6] Le concept d'énergie et la conservation de l'énergie

[a] L'énergie sous toutes ses formes

Le travail est une forme particulière d'énergie. Son unité dans le système international est homogène à celle du moment d'une force mais sa nature est différente, aussi a-t-elle reçu un nom particulier : le **joule**, noté **J**. L'énergie est une notion à la fois familière et difficile à définir de façon précise : on appelle *énergie* tout ce qui peut donner lieu à la production d'un travail, c'est-à-dire à l'apparition de forces qui se déplacent. L'usage veut que l'on distingue pour l'énergie les formes[1] suivantes :

– **chimique** : dans un moteur d'automobile, par exemple, la combustion du carburant libère de l'énergie chimique permettant la production d'un travail ;

– **cinétique** : le travail produit par le moteur communique au véhicule une certaine vitesse et l'on dit qu'il a acquis une certaine énergie cinétique ; inversement, l'action des freins fait apparaître des forces de frottements sur les disques, produisant ainsi un certain travail au détriment de l'énergie cinétique du véhicule ;

– **thermique** : le travail des frottements se traduit par un échauffement des disques, qui emmagasinent de l'énergie thermique ; inversement, si l'on considère l'énergie thermique produite dans la chambre de combustion, elle est transformée en partie en travail car les gaz d'échappement se retrouvent moins chauds à la sortie ;

– **électrique** : l'énergie électrique libérée par le passage d'un courant peut permettre la production d'un travail dans un moteur électrique, d'énergie thermique dans un radiateur électrique, acoustique dans un haut-parleur, etc. ;

– **électromagnétique** : les ondes radio transportent de l'énergie qui est libérée sous forme électrique dans un récepteur ;

– **potentielle** : deux corps en interaction peuvent libérer de l'énergie sous forme cinétique par exemple ;

– **nucléaire** : libérée sous forme thermique ou électromagnétique dans une réaction nucléaire.

Ainsi, les différentes formes de l'énergie, qu'elles soient mécaniques (travail, énergies cinétique ou potentielle) ou non, se transforment les unes dans les autres. En particulier, *l'énergie se mesure toujours avec la même unité* : le joule, dans le système international. Nous apprendrons par la suite à exprimer l'énergie sous ses différentes formes mais nous admettrons dès maintenant le principe suivant, régissant ses transformations.

[b] La loi de conservation de l'énergie

✘ **1er énoncé. L'énergie ne peut être crée ni perdue : elle peut seulement être transformée.**

Ainsi le travail des forces de frottement est intégralement transformé en chaleur : un travail de 1 joule se retrouve sous forme de 1 joule d'énergie thermique.

Nous qualifions d'*isolé* un système qui n'échange pas d'énergie avec l'extérieur.

✘ **2e énoncé. L'énergie d'un système isolé reste constante.**

Cet énoncé découle évidemment du premier. L'énergie du système, c'est-à-dire l'énergie totale *disponible* dans le système, n'est pas toujours aisée à définir quantitativement. Par contre, on pourra toujours évaluer les quantités d'énergie reçues par le systèmes ou les différentes parties du système ; celles-ci seront comptées algébriquement : *une énergie reçue sera comptée positivement ou négativement selon qu'elle correspond à un accroissement positif ou négatif de l'énergie du système.* Si le système est isolé, la somme algébrique des énergies reçues par le système est nulle. Reprenons l'exemple du **6.[5]**. Lorsqu'on

1 En fait on ne reconnaît que deux formes élémentaires de l'énergie se transformant l'une dans l'autre : cinétique ou potentielle, mais on peut dire qu'il y a différentes sortes d'énergies potentielles.

déplace lentement l'objet (A) sur une table rugueuse, on observe en fin d'opération un échauffement de l'objet et de la table, attestant de la production d'une énergie thermique Q, absorbée à première vue par l'objet et la table seuls. Les forces de pesanteur sont les seules forces extérieures au système (S) mais leur travail est nul et l'on peut donc considérer que (S) est isolé. Il ne reste donc à considérer que le travail des forces extérieures à (S), c'est-à-dire le travail des frottements (*cf.* **6.[5]**). Selon le premier énoncé, on peut affirmer que $|W| = Q$. Selon le second énoncé, l'énergie de (S) est constante et son accroissement $W + Q = 0$: on aboutit évidemment à la même conclusion.

[c] Machines simples

Le principe de la conservation de l'énergie peut s'appliquer à des systèmes ne faisant intervenir que des échanges de travail à l'exclusion de toute autre forme d'énergie. Ainsi, les *machines simples*, dispositifs mécaniques *sans frottements*, permettent de soulever de lourdes charges en exerçant une force bien plus faible que le poids de la charge. Le système (machine + extérieur) est isolé. L'utilisateur y produit le travail moteur W_M et le poids de la charge le travail résistant W_R. On suppose les déplacements suffisamment lents pour pouvoir négliger toute énergie cinétique et, dans ces conditions, les seules énergies reçues par le système sont les travaux[1] W_M et W_R, de sorte que :

$$W_M + W_R = 0, \qquad (6, 9)$$

ou :

$$W_M = |W_R|. \qquad (6, 10)$$

Il est donc clair que la démultiplication de la force motrice exercée par l'utilisateur se fait au prix de la multiplication correspondante de son déplacement.

[1] Rappelons qu'en l'absence de frottements, le travail des forces intérieures à un tel système est nul (*cf.* **6.[5]**).

[de l'essentiel à la pratique]

Mots-clés

travail

— moteur

— résistant

— élémentaire

puissance

conservation de l'énergie

[1] *On hisse une charge de poids $m\vec{g}$ sur un plan incliné d'un angle α sur l'horizontale, à l'aide d'un câble parallèle au plan. Les frottements sont négligeables.*

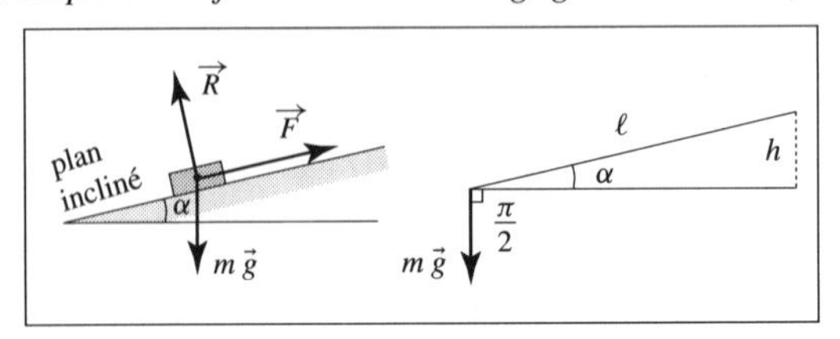

[a] *Quel est le travail du poids lorsqu'on tire la charge sur une distance ℓ ?*

D'après (6,1) :

$$W(m\vec{g}) = mg\ell\cos\left(\frac{\pi}{2}+\alpha\right) = -mg\ell\sin\alpha.$$

Il est négatif comme on pouvait s'y attendre, car il est résistant.

[b] *Quelle force de traction $\vec{F}$ constante faut-il exercer si $m = 1\,000\,\text{kg}$, $\alpha = 5°$?*

Si l'on exerce une *force constante*, on doit considérer que *le déplacement est infiniment lent*[1], sinon l'objet ne peut s'arrêter immédiatement lorsque la force cesse d'être appliquée : cette hypothèse est fondamentale dans ce type de problème.

Le travail de $\vec{F}$, donné par (6,1), est moteur :

$$W\left(\vec{F}\right) = F\ell.$$

Le travail de la réaction $\vec{R}$ est nul puisque, les frottements étant négligeables, $\vec{R}$ est perpendiculaire au déplacement (*cf.* **6.[1]**).

L'énergie E du système (Terre – plan incliné – charge – utilisateur) ne varie pas car ce système est isolé :

$$\Delta E = W(m\vec{g}) + W\left(\vec{R}\right) + W\left(\vec{F}\right) = 0,$$

soit

$$F\ell - mg\ell\sin\alpha = 0.$$

Finalement :

$$\boxed{F = mg\sin\alpha,}$$

soit $F = 1\,000 \times 9{,}8 \times \sin 5°$ ou $\underline{F \simeq 850\,\text{N}}$.

[c] *Sur quelle distance faut-il tirer la charge pour la hisser sur une hauteur $h = 1\,\text{m}$?*

$$\boxed{\ell = \frac{h}{\sin\alpha},}$$

soit $\underline{\ell = 11{,}5\,\text{m}}$.

1 On dit aussi *quasi-statique*.

[2] *Le moteur d'une automobile tourne à 3 000 tr.min^{-1}, exerçant un couple de moment constant* $\mathcal{M} = 88$ N.m.

[a] *Quelle est l'énergie reçu par l'arbre du moteur en une heure ?*

En 1 heure= 60 min, le moteur a effectué $60 \times 3\,000 = 180\,000$ tr. Il a donc tourné d'un angle $\alpha = 180\,000 \times 2\pi$ rad et reçu le travail (6,5) :

$$\boxed{W = \mathcal{M}\alpha,}$$

soit $W = 88 \times 180\,000 \times 2\pi$ ou $\underline{W = 10^8 \text{ J}}$.

[b] *Quelle est l'énergie W' produite par la combustion de l'essence si seulement le tiers de celle-ci a été transformé en énergie mécanique, c'est-à-dire en travail ?*

$$\boxed{W = \frac{W'}{3},}$$

soit $\underline{W' = 3W = 3 \times 10^8 \text{ J}}$.

[c] *Quelle est la puissance fournie par le moteur ?*

La vitesse angulaire du moteur est $\omega = \dfrac{3\,000 \times 2\pi}{60} = 314 \text{ rad.s}^{-1}$;

(6,8) s'écrit donc $P = 88 \times 314 = 2{,}8.10^4$ W soit $\underline{P = 28 \text{ kW}}$.

[3] La poulie fixe sans frottement

Les différentes parties de la poulie sont décrites sur la figure. Elle est dite fixe si l'étrier est suspendu à un support fixe. Montrer que si l'on exerce une force de traction $\vec{F}$ à une extrémité A du câble tendu, la tension $\vec{F'}$ exercée à l'autre extrémité B a même intensité.

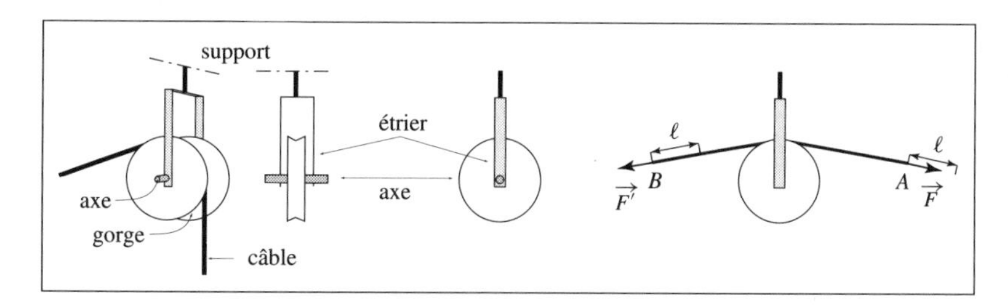

Le système (poulie – câble – extérieur) est isolé. En l'absence de frottement, les réactions d'axe ne travaillent pas.

L'ensemble reçoit un travail total nul (*cf.* (6,9)).

Quand $\vec{F}$ se déplace de ℓ, $\vec{F'}$ se déplace aussi de ℓ :

$$W = F\ell - F'\ell = 0,$$

ce qui entraîne $F' = F$.

✘ **La poulie fixe change de direction de la force exercée sans en modifier l'intensité.**

[4] La poulie mobile sans frottement

À l'étrier d'une poulie est suspendue une charge de poids $\vec{P}$. L'une des extrémités du câble est fixée et l'on exerce une force de traction constante $\vec{F}$ à l'autre extrémité. On néglige le poids du câble et de la poulie.

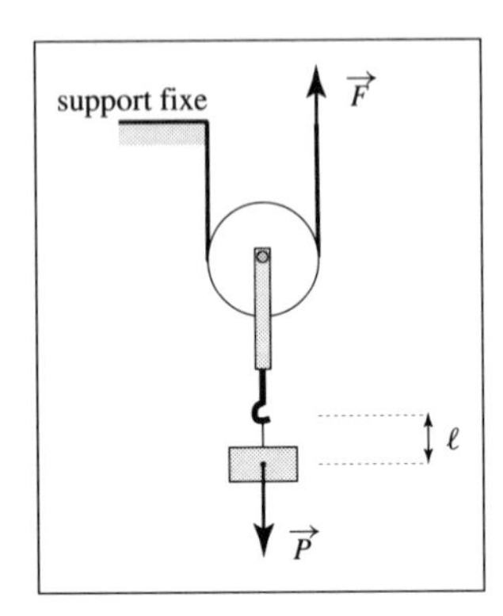

Quelle longueur du câble faut-il tirer pour soulever le poids de ℓ et quelle valeur minimale faut-il donner à F ?

Le brin fixe se raccourcit de ℓ, de sorte que l'autre s'allonge de ℓ (puisque la longueur totale du câble est constante) et $\vec{F}$ se déplace de 2ℓ.

Le travail de F est $F(2\ell)$, celui du poids est $-P\ell$ et la conservation de l'énergie du système (poulie + extérieure) implique que la somme des travaux est nulle :

$$F(2\ell) - P\ell = 0,$$

à la limite où le mouvement est suffisamment lent (*cf.* **6.[6].[c]**) :

$$\boxed{F = \frac{P}{2}.}$$

La poulie mobile divise l'effort par deux.

[5] Le treuil

Le treuil est constitué d'une manivelle de rayon r solidaire d'un cylindre horizontal de rayon $r' < r$, mobile autour d'un axe reposant sur des paliers fixes. Un câble dont une extrémité est fixée sur le cylindre s'enroule sur ce dernier ; l'autre extrémité sert à tracter une charge, ou en particulier à soulever un objet de poids $\vec{P}$. On suppose les frottements négligeables.

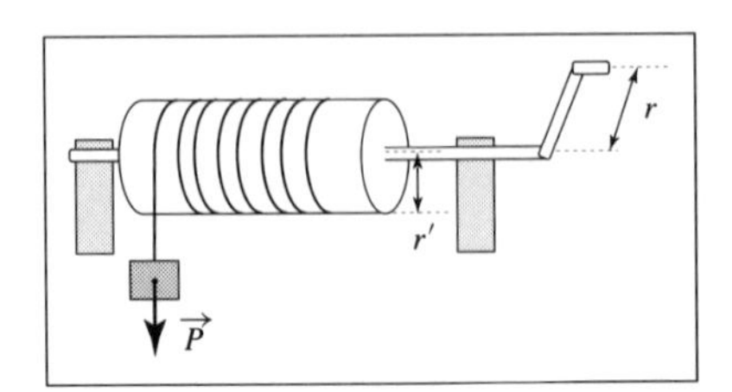

[a] *On exerce sur la manivelle, perpendiculairement à l'axe, une force $\vec{F}$ d'intensité constante. Exprimer le travail de $\vec{F}$ pour un tour de manivelle.*

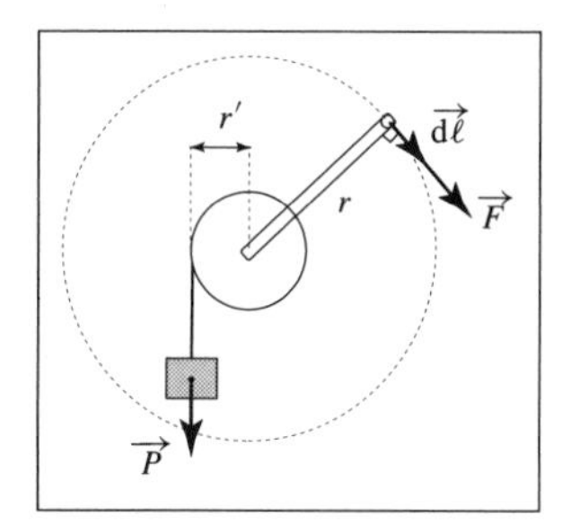

La force $\vec{F}$ reste parallèle aux déplacements élémentaires $\vec{d\ell}$ de la manivelle et son travail élémentaire est donc (*cf.* **6.[1]**) :

$$\mathrm{d}W = F\,\mathrm{d}\ell.$$

F étant une constante, la somme des travaux élémentaires est donc :

$$W = F\ell,$$

où $\ell = 2\pi r$ est la circonférence décrite par la manivelle :

$$W = 2\pi r F.$$

[b] *Quelle est la valeur de F si le treuil sert à soulever lentement une masse de* 200 kg *et si* $r = 50\,\text{cm}$, $r' = 10\,\text{cm}$ *?*

La conservation de l'énergie du système (treuil + extérieur) implique que la somme des travaux de $\vec{F}$ et du poids est nulle. Le poids s'élève verticalement de $\ell' = 2\pi r'$ pour un tour de manivelle, pour lequel le brin correspondant s'enroule d'un tour sur le cylindre. Le travail (résistant) du poids est donc :

$$W_R = -P\ell' = -2\pi r' P = 0.$$

$W + W_R = 0$ s'écrit :

$$2\pi r F - 2\pi r' P = 0,$$

d'où l'on tire :

$$\boxed{F = \frac{r'}{r} P,}$$

d'où : $F = 9{,}8 \times \dfrac{10}{50} \times 200 \times 9{,}8$ soit $\underline{F = 390\,\text{N}}$. L'effort à fournir a été réduit par le treuil dans le rapport des rayons ($r/r' = 5$). Notez que l'on n'a pas tenu compte des réactions d'axe : leur travail est d'évidence nul car on néglige les frottements.

[c] *Il faut* 8 *secondes à l'utilisateur pour effectuer un tour de manivelle. Quelle puissance développe-t-il ?*

On peut obtenir le résultat à l'aide de (6,6) et des résultats de **[a]** et **[b]** :

$$\boxed{P = \frac{W}{\Delta t} = \frac{2\pi r F}{\Delta t},}$$

soit $P = \dfrac{2\pi \times 0{,}50 \times 390}{8}$ ou $\underline{P = 150\,\text{W}}$.

Attention ! Ici r est exprimé en **mètre**.

Mais on peut aussi utiliser (6,7) ou (6,8) : on vérifiera que $v = 2\pi r/\Delta t$ ou $\mathcal{M} = Fr$ et $\omega = 2\pi/\Delta t$ donnent le même résultat.

[exercices]

[1] Un câble tire une cabine vers le sommet d'une montagne avec une force de 4 000 N à la vitesse de 5 m.s^{-1}. La trajet dure 10 minutes. Calculer le travail effectué et la puissance fournie.

[2] Une personne tracte une barque parallèlement à la rive d'un canal à l'aide d'un câble faisant intervenir avec celle-ci un angle de 20°. Quel est le travail de la tension du câble sur une distance de 20 m ? La barque se déplace à la vitesse de 0,80 m.s^{-1}. Quelle est la puissance développée ? La tension exercée sur le câble est de 400 N.

[3] Quelle énergie faut-il fournir pour élever 10^4 tonnes d'eau à 3 m de hauteur ?

On utilise une pompe actionnée par un moteur absorbant une puissance électrique de 1 470 W. Le système a un rendement de 80 %, c'est-à-dire que 20 % de l'énergie électrique consommée est dissipée en raison des frottements. Combien de temps faut-il pour effectuer ce travail ?

[4] Quelle est la puissance en kilowatts d'une machine levant 84 fois par minute un marteau de 200 kg à une hauteur de 0,75 m si le rendement de la machine est de 0,7 ?

[5] Calculer la puissance totale en mégawatts que fournissent trois cascades successives débitant 75,4 tonnes d'eau par seconde. La hauteur de chute est de 12 m pour la première, de 12,8 m pour la deuxième et de 15 m pour la troisième.

[6] Calculer la puissance électrique fournie par le réseau sur une ligne de métro sachant qu'il y a 45 wagons sur la ligne, de masse 10 tonnes chacun, se déplaçant horizontalement en moyenne à 36 km.h^{-1}. Chaque wagon est soumis à une force de résistance opposée au déplacement et dont l'intensité est 0,02 fois son poids et les pertes d'énergie sur la ligne sont de 5 %.

[7] Le moteur d'un bateau se déplaçant à la vitesse de 15 nœuds développe une puissance de 3 790 kW. Calculer la valeur de la force de résistance à l'avancement du bateau sachant que le rendement du moteur et de l'hélice est de 0,40 et que 1 nœud = 1 mille à l'heure (1 mille marin = 1 856 m).

[8] Pour visser une vis comportant 9 filets sur toute sa longueur on exerce un couple de moment constant égal à $0,15\,\text{N.m}$ à l'aide d'un tournevis. Quel est le travail à effectuer pour visser complètement la vis ?

[9] Pour fermer une vanne, il faut tourner le levier de commande d'un quart de tour et fournir un travail de $0,79\,\text{J}$. Quel est le couple moyen exercé ?

[10] Une poulie fixe est utilisée pour hisser verticalement une charge de masse $m = 100\,\text{kg}$; le second brin de la corde est horizontal.

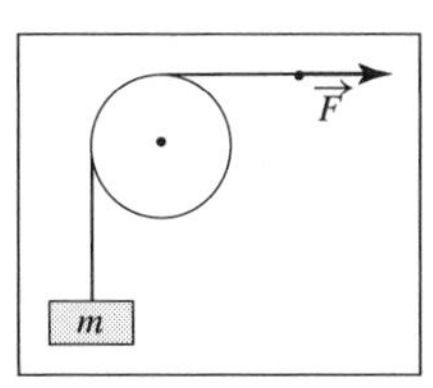

Déterminer la force minimale $\overrightarrow{R}$ exercée par l'axe sur la poulie lorsqu'on remonte la charge. On négligera le poids de la poulie.

[11] Quelle est la force exercée sur l'axe d'une poulie fixe de masse négligeable, que l'on utilise pour hisser lentement une charge de 173 kg en tirant le câble à 60° de la verticale ?

[12] Un appareil de rééducation comporte :

- une poulie (P_1) suspendue par son axe à une tige verticale (T) ;
- une poulie (P_2) mobile, à laquelle on suspend une masse $m = 4\,\text{kg}$.

Le membre à rééduquer est fixé en A par une sangle qui fait un angle α avec la verticale. Le système est en équilibre.

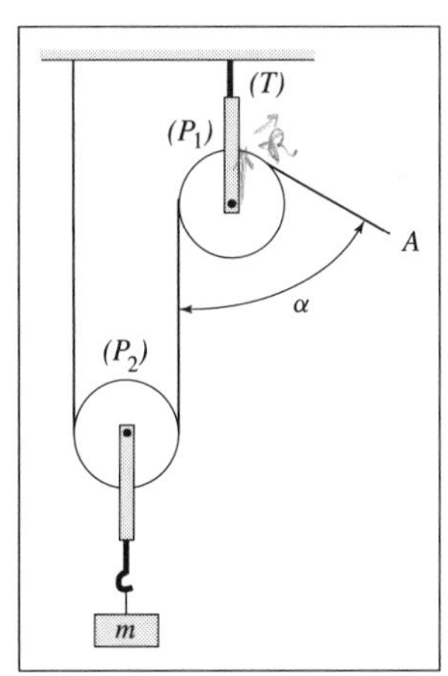

[a] La force exercée varie-t-elle avec α ?

[b] Quelle est l'action de la tige T sur la poulie dans les deux cas suivants : $\alpha = 0$; $\alpha = 45°$?

[13] Le système de la figure, comportant une poulie fixe et une poulie mobile, est utilisé pour hisser un fardeau de 200 kg sur une hauteur de $h = 1{,}5$ m.

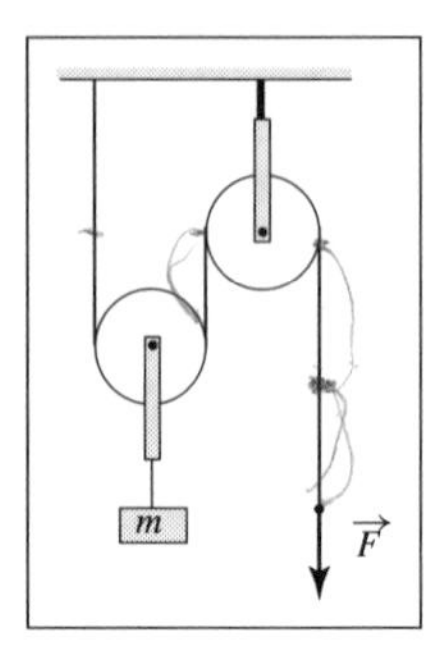

Quels sont l'intensité et le travail de la force motrice $\vec{F}$?

[14] Un palan est un assemblage de n poulies fixes et de n poulies mobiles utilisé pour soulever une lourde charge de masse m.

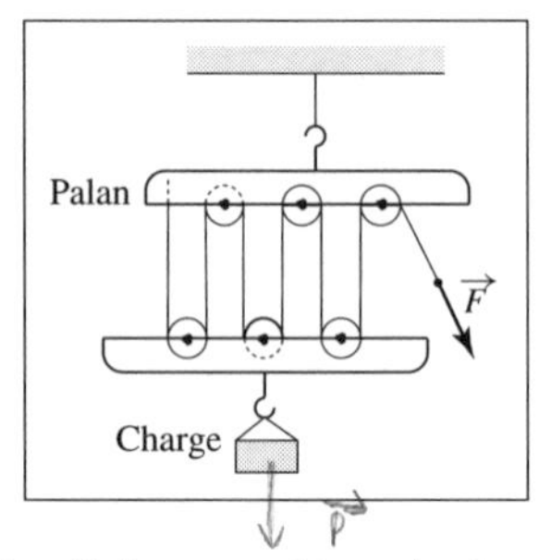

[a] Quelle longueur ℓ de câble faut-il tirer pour hisser la charge d'une hauteur h ?

[b] Quelle énergie faut-il alors fournir si les frottements sont négligeables ?

[c] Quelle force minimale exerce-t-on alors sur le fil pendant l'opération ?

[e] Combien le palan doit-il comporter de poulies si on veut soulever une masse $m = 600$ kg en exerçant une force minimale de 120 N ?

[15] Un treuil possède les caractéristiques suivantes : rayon du cylindre 8 cm ; longueur de la manivelle 32 cm ; masse du fardeau suspendu à la corde 54 kg. La masse de la corde est négligeable.

[a] Quelle force verticale doit-on appliquer à l'extrémité de la manivelle horizontale pour réaliser l'équilibre du cylindre ?

[b] Quelle intensité prend la force précédente quand la manivelle fait un angle de 60° avec la verticale ?

[c] Quel est le travail fourni par cette force, dans les deux cas, quand on soulève le fardeau de 7 m ?

[16] Un corps de masse $m = 3$ kg, placé sur un plan incliné faisant un angle de 30° avec le plan horizontal, est attaché à un fil parallèle au plan passant par une poulie. On néglige les frottements.

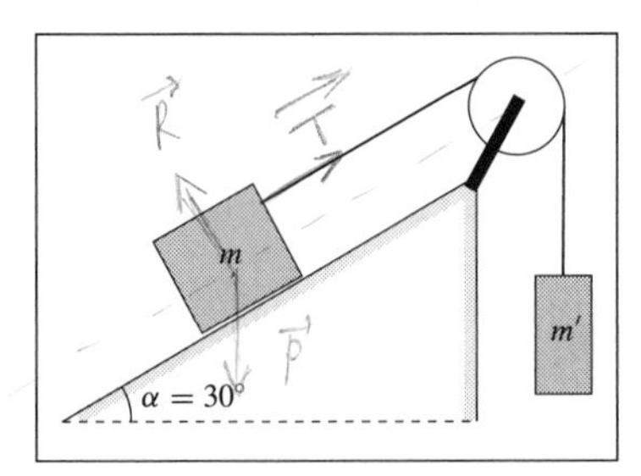

Déterminer la valeur de la masse m' qu'il convient de fixer à l'autre extrémité du fil pour obtenir l'équilibre.

[17] Un corps de masse $m = 50\,\text{kg}$ peut se déplacer sans frottements sur un plan incliné d'un angle $\alpha = 30°$ sur l'horizontale. Il est tiré par l'intermédiaire d'une corde passant par la gorge de la poulie, d'un mouvement très lent.

[a] Quelle force $\overrightarrow{F}$ le manœuvre doit-il exercer sur la corde ?

[b] Calculer le travail du poids de A pour un déplacement $d = 10\,\text{m}$.

[c] Calculer le travail de $\overrightarrow{F}$. Quelle conclusion pouvez-vous tirer de ce calcul ?

[d] Le déplacement est effectué en 20 s. Quelle est la puissance de $\overrightarrow{F}$?

[réponses]

[1] $1{,}2.10^7$ J ; 20 kW.

[2] $W = 7{,}5$ kJ ; $P = 300$ W.

[3] 294 kJ pour compenser le travail du poids ; 69 h 26 min 40 s (la machine doit fournir l'énergie $294 \times (100 \div 80)$ kJ).

[4] 2,94 kW.

[5] 29,4 MW.

[6] 928 kW.

[7] 196 kN.

[8] Il faut effecteur 9 tours complets, soit 18π rad ; (6,5) donne 8,5 J.

[9] 0,5 N.m.

[10] $\vec{R} + \vec{F} + m\vec{g} = \vec{0}$; $F = mg$ et $R = mg\sqrt{2} = 1\,390$ N.

[11] $R = 2mg \cos 30°$ soit $R \simeq 3\,000$ N ; $\vec{R}$ est orienté vers le bas, à 30° de la verticale.

[12] **[a]** Elle varie en direction, non pas en intensité.

[b] Pour $\alpha = 0°$: $\vec{R}$ verticale ascendante ; $R = 39$ N.
Pour $\alpha = 45°$: $\vec{R}$ ascendante à 22,5° de la verticale ; $R \simeq 36$ N.

[13] 980 N ; 2,94 kJ.

[14] Voir exercice **[4]** p.92. **[a]** $\ell = 2nh$. **[b]** mgh. **[c]** $F = mg/2n$. **[e]** $2N \geqslant 49$.

[15] Voir exercice **[5]** p.92. **[a]** $F = 135$ N. **[b]** $F_1 = F/\sin 60° = 156\,N$.
[c] $mgh = 3{,}78$ kJ.

[16] m est en équilibre sous l'action de son poids $m\vec{g}$, la réaction $\vec{R}$ du plan, la tension $\vec{T}$ du fil ; m' est en équilibre sous l'action de son poids $m'\vec{g}$ et de la tension $\vec{T'}$ du fil.
$T' = T$ et on trouve $m' = m \sin\alpha$ soit $m = 1{,}5$ kg.

[17] **[a]** $F = 245$ N. **[b]** &**[c]** 2 450 J (conservation de l'énergie). **[d]** 123 W.

ÉNERGIE POTENTIELLE

CHAPITRE 7

Lorsqu'un système se déforme d'une configuration (A) à une autre (B), les forces intérieures fournissent un travail W_{AB}. Supposons-le résistant, c'est-à-dire négatif : cela signifie que l'extérieur aura fourni une énergie $\mathcal{E} = -W_{AB}$ pour lutter contre les forces intérieures. Il peut se faire (mais pas nécessairement) que lorsque le système revient de (B) en (A) le travail des forces intérieures soit $W_{BA} = -W_{AB}$, c'est-à-dire que le système restitue à l'extérieur l'énergie $\mathcal{E}$: on dit alors que cette énergie a été emmagasinée sous forme potentielle.

[l'essentiel]

[1] La tension d'un ressort et l'énergie potentielle élastique

Un ressort déformé (étiré ou comprimé) exerce à chacune de ses extrémités une force appelée *tension du ressort*, dont le sens est opposée à la déformation (on dit que c'est une *force de rappel*) et dont l'intensité est proportionnelle à la déformation : ainsi, si l'extrémité M est soumise à la force $\overrightarrow{F}$, l'autre extrémité est soumise à une force égale à $-\overrightarrow{F}$.

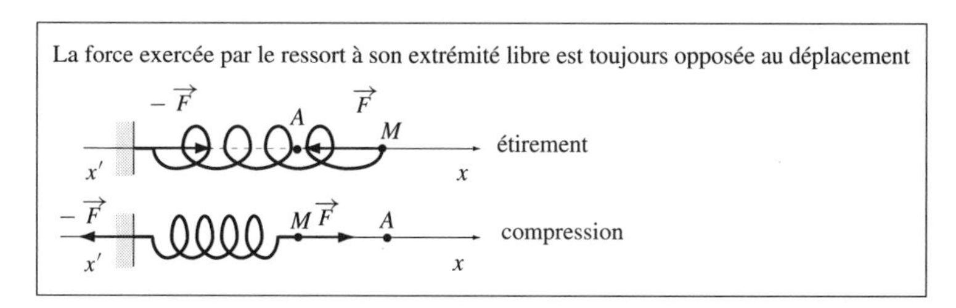

Dans le cas où cette extrémité est fixe et A est la position de M lorsque le ressort n'est pas déformé, les affirmations précédentes sont résumées dans la relation :

$$\boxed{\overrightarrow{F} = -k\overrightarrow{AM},} \qquad (7,1)$$

où la constante *positive k* est appelée la *raideur du ressort*.

Sur un axe $x'x$ dirigé selon le ressort, la valeur algébrique de $\overrightarrow{F}$ sera donc, avec A pris pour origine[1] :

$$\boxed{F_x = -kx,} \tag{7, 2}$$

avec F_x en **N**, k en $\mathbf{N.m^{-1}}$ et x en **m**.

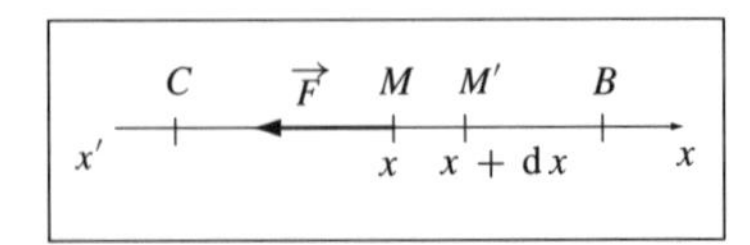

Cette force n'étant pas constante, on ne sait exprimer directement que son travail élémentaire lorsque M se déplace d'une petite quantité $\mathrm{d}x$:

$$\mathrm{d}W = F_x\,\mathrm{d}x = -kx\,\mathrm{d}x.$$

Aussi le travail de la tension du ressort lorsque M se déplace sur Ox de B en C est, selon (6,3) :

$$W_{BC} = \int_{\widehat{BC}} -kx\,\mathrm{d}x = \int_{x_B}^{x_C} -kx\,\mathrm{d}x.$$

C'est donc l'accroissement correspondant d'une primitive $\Phi(x)$ de $-kx$:

$$\Phi(x) = \frac{1}{2}kx^2 + a,$$

où a est une constante arbitraire ; donc :

$$W_{BC} = -\frac{1}{2}kx_C^2 + \frac{1}{2}kx_B^2.$$

Dans tous les cas : $W_{BC} = \frac{1}{2}kx^2_{initial} - \frac{1}{2}kx^2_{final} = -\Delta\left(\frac{1}{2}kx^2\right)$

B C B C B C

Il est remarquable que W_{BC} *ne dépende pas de la façon dont M passe de B à C*. En particulier, lorsque le ressort passe de l'état non déformé ($x = 0$), où il n'exerce aucune interaction, à l'état d'allongement x, sa tension fournit le travail résistant $W = -\frac{1}{2}kx^2$. Pour allonger le ressort de x, il faut exercer une force qui s'oppose à la tension et qui fournit donc au ressort un travail moteur égal à $+\frac{1}{2}kx^2$. Inversement, lorsque le ressort revient à sa longueur naturelle, sa tension restitue le travail $\frac{1}{2}kx^2$: tout se passe donc comme si le ressort emmagasinait l'énergie

[1] Si l'origine est quelconque, on écrira $F_x = -k(x - x_A)$.

$\frac{1}{2}kx^2$ lorsqu'on le comprime ou l'étire de x et restituait cette énergie en reprenant sa longueur naturelle.

$$\boxed{E_p = \frac{1}{2}kx^2,} \qquad (7,3)$$

s'appelle *énergie potentielle élastique* du ressort[1] ; on dit aussi que la tension du ressort *dérive* de l'énergie potentielle (7,3). Elle est nulle en l'absence d'interaction.

✗ **On retiendra que le travail de la tension du ressort est égal à la *diminution* $-\Delta E_p$ de l'énergie potentielle, soit :**

$$\boxed{W = E_{p_{\text{initiale}}} - E_{p_{\text{finale}}}.} \qquad (7,4)$$

[2] Couple de torsion et énergie potentielle de torsion

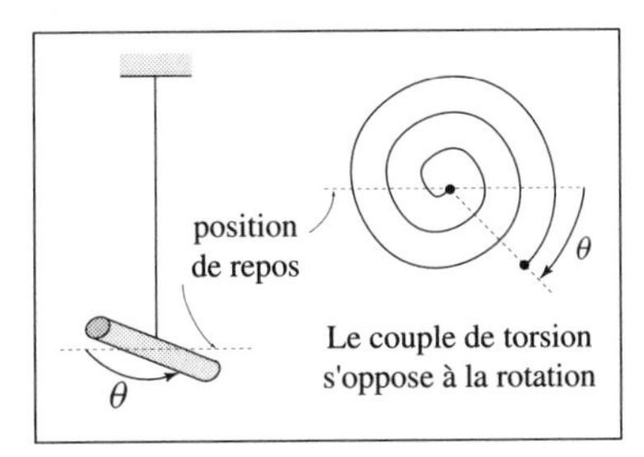

Un fil métallique, un ressort spiral dont on fait tourner l'extrémité libre d'un angle θ par rapport à leur configuration de repos exercent un *couple de rappel* (s'opposant à la rotation subie) dont le moment $\mathcal{M}$ est proportionnel à l'angle θ, soit, si l'on prend le même sens positif pour θ et pour les moments :

$$\boxed{\mathcal{M} = -C\theta,} \qquad (7,5)$$

avec $\mathcal{M}$ en **N.m**, C en **N.m.rad^{-1}** et θ en **rad**.

C est une constante positive appelée *constante de torsion*. Pour un fil métallique, C est proportionnelle à la puissance quatrième du diamètre d du fil et à l'inverse de sa longueur ℓ :

$$C = \gamma \frac{d^4}{\ell}. \qquad (7,6)$$

[1] On peut définir l'énergie potentielle de manière plus abstraite en posant $E_p = \frac{1}{2}kx^2 + c$ en laissant indéterminée la constante c, ce qui n'altère pas la validité de (7, 4). Le choix arbitraire de c définit alors l'*origine* de l'énergie potentielle, c'est-à-dire la valeur de x pour laquelle on *décide* qu'elle est nulle. Cette démarche masque quelque peu la signification physique de l'énergie potentielle mais peut s'avérer pratique dans certains cas pour faire les calculs.

γ est une constante caractéristique du matériau.

En utilisant l'expression (6,4) du travail élémentaire d'un couple, on démontre, de même qu'en **7.[1]**, que le travail du couple de torsion ne dépend que de l'état initial (angle α_1) et de l'état final (angle α_2) et plus précisément que le système (fil ou ressort spiral) a emmagasiné l'*énergie potentielle de torsion* :

$$\boxed{E_p = \frac{1}{2}C\theta^2,} \qquad (7,7)$$

dont la diminution $-\Delta E_p$ est là aussi le travail du couple de torsion, ce qui donne une portée générale à la relation (7,4) ainsi que nous aurons l'occasion de la constater à nouveau.

[3] L'énergie potentielle de pesanteur

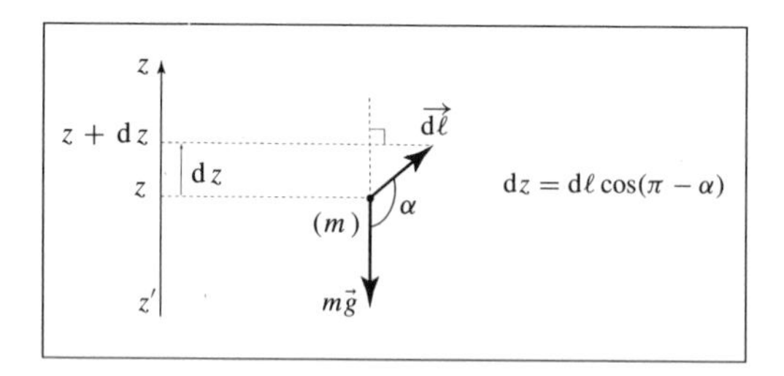

La Terre exerce sur un objet de masse m la force de pesanteur (2,1) dont le travail élémentaire est donné par (6,2) :

$$\mathrm{d}W = mg\,\mathrm{d}\ell\cos\alpha.$$

Dans le cas de la figure α est obtus ($\cos\alpha < 0$) et $\mathrm{d}z > 0$ de sorte que :

$$\mathrm{d}\ell\cos\alpha = -\,\mathrm{d}\ell\cos(\pi - \alpha) = -\,\mathrm{d}z,$$

et[1] :

$$\mathrm{d}W = -mg\,\mathrm{d}z.$$

Le travail entre deux points A et B est donc (*cf.* **6.[2]**) :

$$W_{AB} = \int_{z_A}^{z_B} -mg\,\mathrm{d}z = [-mgz]_{z_A}^{z_B}$$

$$W_{AB} = -\,mg(z_B - z_A).$$

Ce travail ne dépend donc pas du chemin suivi entre A et B ; il change de signe quand on retourne de B vers A, en gardant la même valeur absolue : on peut donc affirmer que le système (Terre – objet), ayant emmagasiné l'énergie mgh dépensée contre le poids pour hisser l'objet d'une hauteur h, la restitue sous forme de travail moteur du poids lorsque l'objet redescend de h.

---

[1] Ce résultat s'obtient directement avec l'expression analytique (F,2) du produit scalaire.

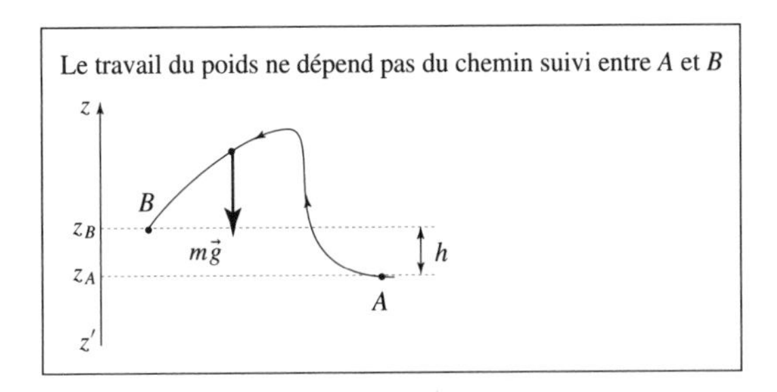

On dira que ce système possède, lorsqu'il se trouve à l'altitude z au dessus du *niveau de référence* arbitraire, l'*énergie potentielle de pesanteur*[1] :

$$\boxed{E_p = mgz.} \tag{7,8}$$

✘ **La formule (7,4) exprimant que le travail (du poids ici) est égal à la diminution $-\Delta E_p$ de l'énergie potentielle (7,8) est donc valable ici. On écrira le plus souvent :**

$$\boxed{W_{AB} = \pm mgh.} \tag{7,9}$$

Le signe $+$ si l'objet descend de h, le signe $-$ s'il s'élève de h.

[4] Les forces de contact et les tensions des fils dérivent-elles d'une énergie potentielle ?

[a] Tension d'un fil dont une extrémité est fixe

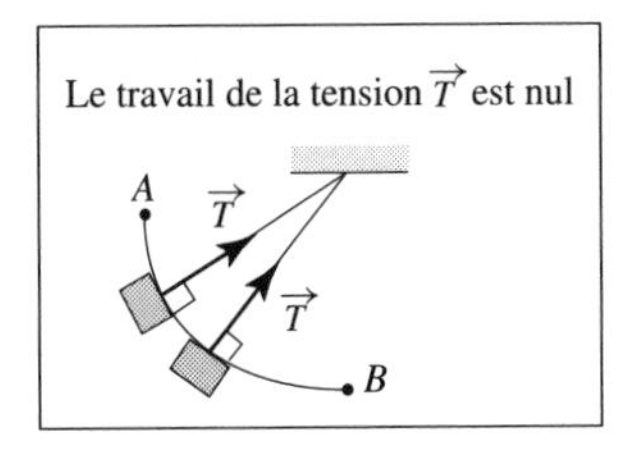

Considérons un pendule (solide suspendu à un fil inextensible) : le solide décrit un arc de cercle $\widehat{AB}$ et la tension $\vec{T}$ du fil exercée sur le solide reste alors perpendiculaire au

1 Notez d'une part que la verticale $z'z$ est orientée *vers le haut*, d'autre part que l'origine de l'énergie potentielle est forcément indéterminée ici : cela tient au fait qu'il n'existe pas de position pour laquelle le poids est nul ; mais il n'y a pas de contradiction avec le raisonnement de **7.[1]** et **7.[2]** car l'expression (2,1) n'est qu'une approximation valable à la surface de la Terre seulement.

déplacement. Son travail est donc nul :

$$\boxed{W\left(\vec{T}\right) = 0.} \tag{7, 10}$$

[b] Forces au contact d'un support fixe

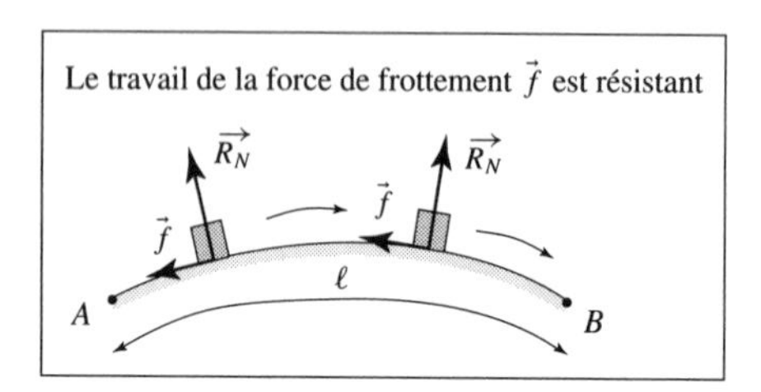

Considérons un solide de déplaçant le long d'un parcours $\widehat{AB}$ de longueur ℓ, au contact avec un support rigide fixe. On peut représenter (*cf.* **3.[3]**) les forces de contact par une réaction normale $\overrightarrow{R_N}$ constamment perpendiculaire au déplacement et par une force de frottement $\vec{f}$ constante et opposée au déplacement. Ainsi, selon **6.[1]** :

– le travail de la réaction normale, perpendiculaire au déplacement, est nul :

$$W\left(\overrightarrow{R_N}\right) = O. \tag{7, 11}$$

– le travail des frottements est résistant et vaut :

$$W\left(\vec{f}\right) = -f\ell. \tag{7, 12}$$

✘ **Si le solide revient de B en A, les frottements s'opposent toujours au déplacement de sorte que $W_{BA}\left(\vec{f}\right) = -f\ell = W_{AB}\left(\vec{f}\right)$: il n'y a pas de restitution de l'énergie dépensée pour aller de A en B, bien au contraire. L'énergie n'a pas été emmagasinée sous forme potentielle : on dit que *l'énergie mise en jeu par les frottements a été dissipée* et l'on ne saurait parler dans ce cas d'énergie potentielle.**

En pratique, l'énergie dissipée en frottements est *transformée* en énergie thermique car l'on observe toujours un échauffement. En conclusion :

✘ **On ne peut parler d'énergie potentielle, c'est-à-dire d'énergie emmagasinée, en ce qui concerne les forces de contact et les tensions des fils.**

[de l'essentiel à la pratique]

Mots-clés

énergie potentielle élastique

— de torsion

— de pesanteur

énergie dissipée

raideur d'un ressort

[1] *L'eau alimentant une turbine d'une centrale hydroélectrique a subi une chute de* 65 m. *La turbine reçoit 120 tonnes d'eau par seconde.*

[a] *Quelle est l'énergie potentielle disponible par tonne d'eau du barrage, pour la turbine ?*

Avec les notations du **7.[2]**, $E_p = mgz$ diminue de $-\Delta E_p = -mg\Delta z$ où $-\Delta z = h = 65$ m ; l'énergie potentielle disponible (c'est-à-dire la diminution de E_p entre le niveau du barrage et celui de la turbine) est, pour une tonne d'eau :

$$\boxed{-\Delta E_p = mgh,}$$

soit $\underline{-\Delta E_p = 10^3 \times 9{,}8 \times 65 \simeq 6{,}4.10^5\ \text{J}}$.

[b] *Quelle est la puissance fournie par l'eau de la turbine ?*

$$\underline{P = 6{,}4.10^5 \times 120.10^3 = 76.10^9\ \text{W} = 76\ \text{GW}}.$$

[2] *Un ressort est raccourci de* 12 cm *par une force de* 20 N. *Quelles sont la raideur k du ressort et son énergie potentielle élastique ?*

$\underline{k = 20 \div 12 = 1{,}7\ \text{N.cm}^{-1}}$; $E_p = \frac{1}{2}kx^2$ soit $\underline{E_p = \frac{1}{2} \times 1{,}7.10^2 \times (0{,}12)^2 = 1{,}2\ \text{J}}$.

Attention ! Pour exprimer l'énergie en joule, k et x doivent être dans le système international.

[3] *La carrosserie d'une automobile s'affaisse de* 12 cm *lorsqu'on la charge avec une masse de* 600 kg. *Quelle est la raideur k de chacun des quatre ressorts de la suspension, supposés identiques, si le poids est uniformément réparti entre les ressorts ?*

Soit m_0 la masse de la carrosserie, $m = 600$ kg ; $\Delta x = 0{,}12$ m.

À l'équilibre avant la charge, pour chaque ressort :

$$\frac{1}{4}m_o g = kx_0.$$

Après la charge :

$$\frac{1}{4}(m_0 + m)g = k(x_0 + \Delta x).$$

En retranchant membre à membre :

$$\frac{1}{4}mg = k\Delta x,$$

d'où

$$\boxed{k = \frac{mg}{4\Delta x}.}$$

On a $k = \dfrac{600 \times 9{,}8}{4 \times 0{,}12}$ soit $\underline{k = 1{,}28.10^4\ \text{N.m}^{-1}}$.

[exercices]

[1] [a] Quelle énergie faut-il fournir pour ramasser une règle de $0{,}20\,\text{kg}$ sur le sol et la poser sur une table haute de $0{,}75\,\text{m}$?

[b] On fait glisser la règle sur la table : elle tombe et s'immobilise sur le sol après quelques rebonds : quel est le travail total fourni par le poids de la règle ?

[2] On soulève une extrémité d'une poutrelle homogène en fer, de masse 25 kg, posée à plat sur le sol horizontal, pour la faire reposer sur un support à 40 cm au dessus du sol. Quelle énergie a-t-il fallu fournir ?

[3] Une tige homogène de longueur $0{,}40\,\text{m}$, de masse $1{,}5\,\text{kg}$, est mobile autour d'un axe passant par l'une de ses extrémités. Quelle est l'énergie potentielle de pesanteur disponible si l'axe est horizontal ? vertical ? (l'axe est perpendiculaire à la tige).

[4] Un petit anneau de masse m coulisse, sur un cerceau vertical de rayon a. Il est repéré par l'angle θ de la figure.

Exprimez l'énergie potentielle de pesanteur en fonction de θ, la référence étant prise au point le plus bas.

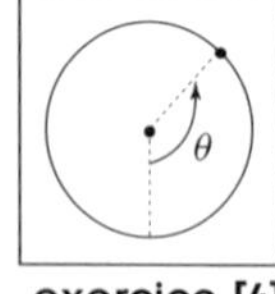

exercice [4]

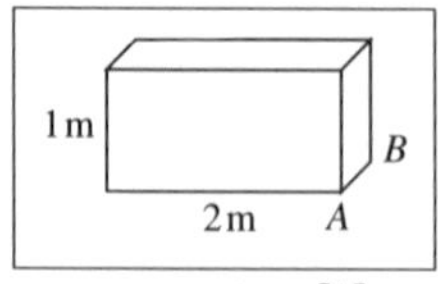

exercice [6]

[5] La constante de torsion du ressort spiral d'une pendule vaut $0{,}038\,\text{N.m.rad}^{-1}$. Quelle est l'énergie potentielle emmagasinée s'il faut dix tours pour remonter le ressort ?

[6] Un bloc de béton posé sur un sol horizontal a une masse de 2 500 kg. Quel travail fait-il fournir pour le faire basculer de 90° autour de son arête AB ?

[réponses]

[1] [a] $1{,}5\,\text{J}$; **[b]** $1{,}5\,\text{J}$.

[2] Le centre de masse de la poutrelle ne s'élève que de $0{,}20\,\text{m}$. On trouve 49 J.

[3] Axe horizontal : $\Delta E_p = 5{,}9\,\text{J}$ (l'altitude du centre de masse peut varier au plus de $0{,}40\,\text{m}$) ; $\Delta E_p = 0$ si l'axe est vertical.

[4] $E_p = mga(1 - \cos\theta)$; transformer $1 - \cos\theta$ (*cf.* chapitre **E**).

[5] $E_p = 75\,\text{J}$.

[6] Il faut élever le centre d'inertie de $0{,}5\,\text{m}$; on trouve $12{,}3\,\text{kJ}$.

ÉNERGIE MÉCANIQUE

CHAPITRE 8

[l'essentiel]

[1] L'énergie cinétique de translation

Considérons une particule de masse m animée d'une vitesse $\vec{v}$, ou encore un solide en mouvement de translation[1] à la vitesse $\vec{v}$, par exemple un wagonnet lancé sur des rails. Lorsqu'on arrête le wagonnet, on convertit son énergie cinétique en travail des forces de freinage : l'énergie cinétique croît à l'évidence avec la masse et la vitesse et l'on établira (*cf.* chapitre **10**) que son expression est :

$$\boxed{E_c = \frac{1}{2}mv^2,} \tag{8, 1}$$

avec E_c exprimée en **J**, m en **kg** et v en $\mathbf{m.s^{-1}}$.

[2] Le théorème de l'énergie cinétique

Le principe de conservation de l'énergie (*cf.* **6.[6].[b]**) nous dit que :

– pour communiquer au mobile la vitesse v il faut exercer des forces fournissant un travail $W = \frac{1}{2}mv^2$;

– plus généralement, si l'on applique des forces à un solide initialement animé d'une vitesse v_1 jusqu'à ce que sa vitesse soit v_2, alors le travail W de ces forces est égal à l'accroissement ΔE_c de son énergie cinétique :

$$\boxed{W = \frac{1}{2}mv_2^2 - \frac{1}{2}mv_1^2.} \tag{8, 2}$$

Ce résultat est connu sous le nom de *Théorème de l'énergie cinétique*.

1 C'est-à-dire que tous les points du solide ont le même vecteur vitesse $\vec{v}$ (*cf.* **5.[3].[a]**).

[3] Énergie cinétique de rotation d'un solide

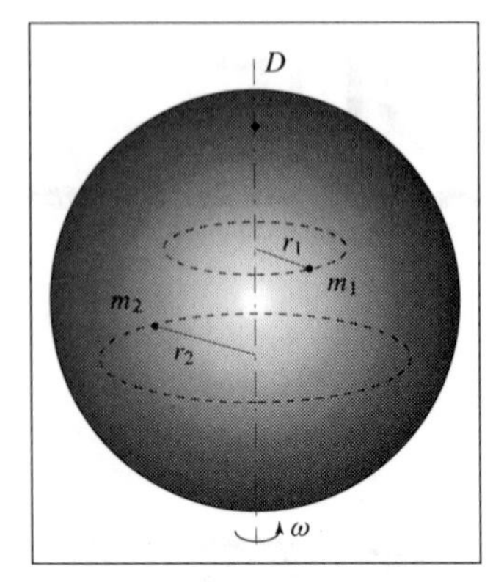

Le solide peut être considéré comme constitué de petites masses $m_1, m_2, \ldots$ Celles-ci décrivent des cercles de même axe (D) de rayons $r_1, r_2, \ldots$, avec une même vitesse angulaire ω. Pour mettre le solide en rotation il faut fournir les énergies $\frac{1}{2}m_1v_1^2 = \frac{1}{2}m_1r_1^2\omega^2$, $\frac{1}{2}m_2v_2^2 = \frac{1}{2}m_2r_2^2\omega^2$, etc., soit au total l'énergie :

$$E_c = \frac{1}{2}\left(m_1r_1^2 + m_2r_2^2 + \ldots\right)\omega^2,$$

qui représente l'énergie cinétique totale du solide en rotation à la vitesse angulaire ω.

La quantité :

$$J = \sum_i m_ir_i^2, \quad (8, 3)$$

s'appelle le *moment d'inertie* du solide par rapport à l'axe (D) ; elle ne dépend que du solide. Son calcul dans le cas général est compliqué. Voici les moments d'inertie de quelques solides homogènes de masse M, dont les caractéristiques et l'axe de rotation considéré sont indiqués sur la figure.

En définitive :

$$\boxed{E_c = \frac{1}{2}J\omega^2,} \quad (8, 4)$$

avec E_c exprimée en **J**, J en **kg.m^{-2}** et ω en **rad.s^{-1}**.

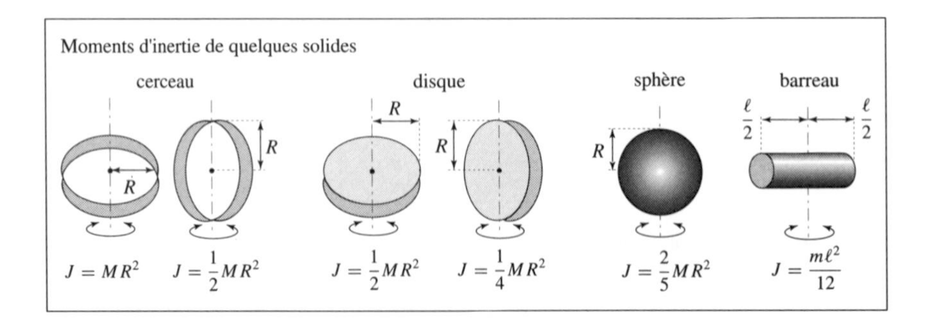

✘ **Le Théorème de l'énergie cinétique pour un solide dont la vitesse angulaire autour d'un axe fixe passe de la valeur ω_1 à ω_2 sous l'action de forces *extérieures* fournissant un travail W s'exprime donc selon :**

$$\boxed{W = \frac{1}{2}J\omega_2^2 - \frac{1}{2}J\omega_1^2.} \qquad (8,5)$$

En particulier, un solide en rotation uniforme ($\omega_1 = \omega_2$) reçoit un travail nul lorsqu'il tourne d'un angle quelconque ; aucune force n'est donc nécessaire pour maintenir une vitesse angulaire constante :

✘ **Un solide en rotation uniforme autour d'un axe fixe n'est soumis à aucune force ($\mathcal{M} = \mathbf{0}$).**

[4] Énergie mécanique totale

On appelle *énergie mécanique totale* E d'un système la somme de son énergie cinétique E_c et de son énergie potentielle[1] E_p :

$$\boxed{E = E_c + E_p.} \qquad (8,6)$$

Cette quantité est particulièrement intéressante quand il n'y a pas d'autre forme d'énergie mise en jeu[2]. Le principe de conservation de l'énergie implique alors :

✘ **S'il n'y a pas de frottement, il n'y a pas d'énergie thermique produite et alors l'énergie mécanique se conserve au cours du mouvement[3].**

✘ **S'il y a frottement, l'énergie mécanique diminue et sa variation ΔE est égale au travail des frottements[4].**

---

1 S'il y a plusieurs forces dérivant d'énergies potentielles, E_p est évidemment la somme algébrique de toutes ces énergies potentielles.

2 On dira alors plus brièvement *énergie mécanique* ou *énergie totale* lorsqu'il n'y a pas ambiguïté.

3 On dit dans ce cas que *le système est conservatif.*

4 Il faut toutefois noter qu'en présence de *supports mobiles* le travail des réactions normales ou des tensions n'est pas nul et ne peut être emmagasiné sous forme potentielle ; il en est de même avec des forces magnétiques : les deux énoncés ne sont pas alors applicables sous cette forme simple.

[de l'essentiel à la pratique]

Mots-clés

énergie cinétique

— de translation

— de rotation

moment d'inertie

énergie mécanique totale

[1] *Une balle de masse* 0,2 kg *est lancée avec une vitesse initiale de* 14 m.s^{-1} *à partir d'un point A sur un objectif B situé à une distance non précisée, mais à un niveau situé à* 8 m *au-dessus de A.*

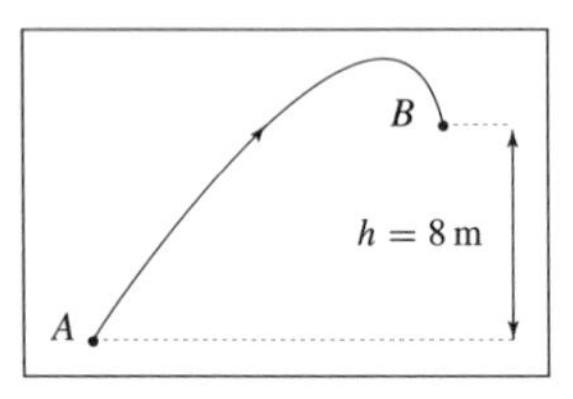

Quelle est la vitesse de la balle en B si l'on néglige la résistance de l'air ?

Le poids $m\vec{g}$ est la seule force exercée sur la balle et son travail W_{AB} est donné par la relation (7,9) :

$$W_{AB} = -mgh.$$

Le théorème de l'énergie cinétique (8,2) s'écrit donc :

$$-mgh = \frac{1}{2}mv_B^2 - \frac{1}{2}mv_A^2.$$

v_B est la seule inconnue. Il vient successivement, en multipliant les deux membres par $2/m$ puis en leur ajoutant v_A^2 :

$$\begin{aligned} -2gh &= v_B^2 - v_A^2 \\ v_A^2 - 2gh &= v_B^2 \\ v_b &= \sqrt{v_A^2 - 2gh}. \end{aligned}$$

On a $v_B = \sqrt{14^2 - 2 \times 9{,}8 \times 8}$ soit $\underline{v_B = 6{,}3\ \text{m.s}^{-1}}$.

L'énergie cinétique a diminué : la perte a servi à compenser le travail résistant du poids et (*cf.* **7.[3]**) a été emmagasinée par l'ensemble (Terre – balle) sous forme d'énergie potentielle de pesanteur.

[2] *Un skieur aborde une descente en A à la vitesse de* 18 km.h^{-1}. *Il arrive en bas en B à* 15 m *au-dessous avec la vitesse de* 50 km.h^{-1}. *La distance parcourue entre A et B est* $\ell = 80$ m *et la masse totale du skieur est de* 90 kg.

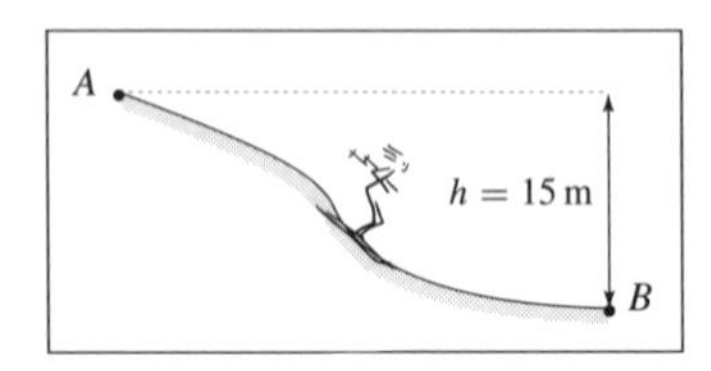

[a] *Comparer la variation de l'énergie cinétique du skieur au travail du poids entre A et B.*

$$\Delta E_c = \frac{1}{2}mv_B^2 - \frac{1}{2}mv_A^2,$$

soit $\Delta E_c = \frac{1}{2} \times 90 \left[\left(\frac{50\,000}{3\,600}\right)^2 - \left(\frac{18\,000}{3\,600}\right)^2 \right]$ soit $\underline{\Delta E_c = 7{,}56.10^3 \text{ J}}$.

Le travail du poids est $W\left(\vec{P}\right) = +mgh$ soit $W\left(\vec{P}\right) = 90 \times 9{,}8 \times 15$ d'où $\underline{W\left(\vec{P}\right) = 13{,}23.10^3 \text{ J}}$.

ΔE_c est inférieure au travail du poids : la réaction *normale* $\vec{R_N}$ de la piste ne travaillant pas, (8,2) ne peut être vérifiée que si le skieur est soumis en plus à d'autres forces.

[b] *On admet que le skieur subit des forces de résistance dues à l'air et aux frottements de la piste, qui équivalent à une force unique constante $\vec{f}$ opposée au mouvement. Calculer son intensité.*

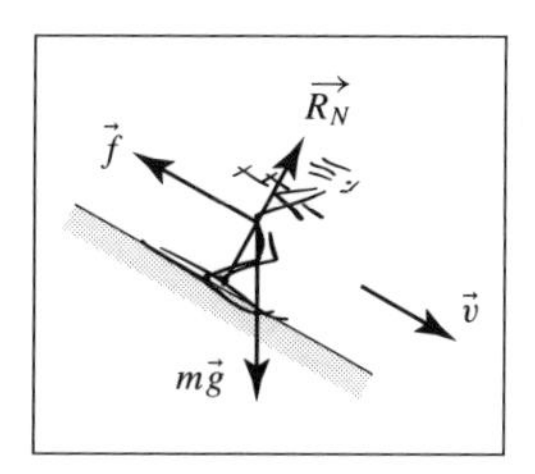

Le travail de $\vec{f}$, qui est constamment opposé au déplacement, est $-f\ell$ et le travail total est :

$$W = mgh - f\ell.$$

(8,2) s'écrit :

$$mgh - f\ell = \Delta E_c.$$

D'où :

$$f = \frac{mgh - \Delta E_c}{\ell}.$$

On trouve $\underline{f = 71 \text{ N}}$.

[3] *Quelle est l'énergie cinétique E_c de rotation de la Terre, supposée homogène, autour de l'axe des pôles ?*
Sa masse $M = 6{,}0.10^{24}$ kg, son rayon $R = 6\,400$ km.

E_c est donnée par (8,4) où $\omega = \frac{2\pi}{T}$; on a $\omega = \frac{2\pi}{24 \times 3\,600}$ soit $\underline{\omega = 7{,}3.10^{-5} \text{ rad.s}^{-1}}$ et (*cf.* **8.[2]**) $J = \frac{2}{5}MR^2$:

$$\boxed{E_c = \frac{1}{5}MR^2\omega^2,}$$

soit $E_c = 6{,}0.10^{24} \times (6{,}4.10^6 \times 7{,}3.10^{-5}) \div 5$ soit $\underline{E_c = 2{,}6.10^{29} \text{ J}}$.

[4] *Quel couple, supposé de moment constant $\mathcal{M}$, faut-il exercer pour mettre en rotation à la fréquence de* $10\,\text{tours.s}^{-1}$ *une toupie dont le moment d'inertie est de* $10^{-5}\,\text{kg.m}^{-2}$ *? Le couple est exercé par une ficelle qui se déroule quand on lance la toupie, celle-ci effectuant 6 tours avant d'être libérée.*

La travail du couple, $W = \mathcal{M}\alpha$, est transformé en énergie cinétique de rotation $E_c = \frac{1}{2}J\omega^2$. L'angle dont a tourné la toupie pendant sa mise en rotation à la vitesse ω est $\alpha = 6 \times 2\pi$ soit $\alpha = 12\pi$ rad.

Donc (8,5) s'écrit ici :

$$\mathcal{M}\alpha = \frac{1}{2}J\omega^2$$

$$\mathcal{M} = \frac{1}{2}\frac{J\omega^2}{\alpha}.$$

On trouve $\mathcal{M} = \frac{1}{2} \times \frac{10^{-5}}{12\pi}(2\pi \times 10)^2$ soit $\underline{\mathcal{M} = 5{,}2.10^{-4}\,\text{N.m}}$.

[5] *Un disque homogène mobile sans frottement autour d'un diamètre vertical est lancé avec une vitesse angulaire de* $1{,}0\,\text{rad.s}^{-1}$.

[a] *Montrer que le mouvement de rotation ultérieur du disque est uniforme.*

Le disque est soumis à trois forces : son poids et les réactions des pivots sur l'axe. Aucune d'entre elles ne se déplace, de sorte que leur travail est nul. Il en résulte, d'après le théorème de l'énergie cinétique, que la variation d'énergie cinétique est nulle. Le mouvement de rotation du disque est donc uniforme.

[b] *Un projectile de masse* $m = 3\,\text{g}$ *se déplaçant à* $v_1 = 10\,\text{m.s}^{-1}$ *vient se ficher dans le disque à* $r = 0{,}50\,\text{m}$ *de l'axe. On observe que le disque tourne alors à la vitesse angulaire* $1{,}2\,\text{rad.s}^{-1}$.

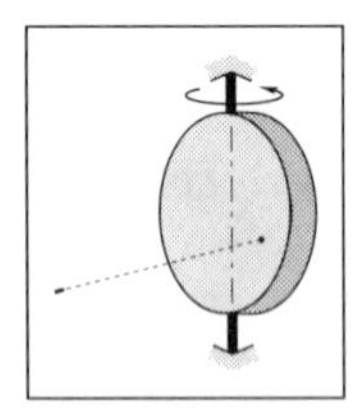

Déterminer l'énergie dissipée en chaleur au moment du choc. Le moment d'inertie du disque est $0{,}09\,\text{kg.m}^{-2}$.

L'énergie cinétique de l'ensemble du disque et du projectile avant le choc est :

$$\boxed{E_{c1} = \frac{1}{2}J\omega_1^2 + \frac{1}{2}mv_1^2,}$$

soit $\underline{E_{c1} = 0{,}155\,\text{J}}$.

Après le choc, le disque entraîne le projectile dans un mouvement de rotation de vitesse angulaire ω^2. La relation (5,17) donne la vitesse $v_2 = r\omega_2$ du projectile. L'ensemble a donc l'énergie cinétique :

$$\boxed{E_{c2} = \frac{1}{2}J\omega_2^2 + \frac{1}{2}mr^2\omega_2^2,}$$

soit $\underline{E_{c2} = 0{,}089\,\text{J}}$.

Il a donc perdu l'énergie $\underline{E_{c1} - E_{c2} = 65\,\text{mJ}}$. D'après le théorème de l'énergie cinétique, ceci correspond au travail des forces de frottement qui apparaissent quand le projectile pénètre dans la cible : il s'agit donc bien de l'énergie dissipée en chaleur.

[exercices]

[1] Calculer l'énergie cinétique :

[a] d'un train de 200 tonnes roulant à 126 km.h^{-1} ;

[b] d'un avion de 20 tonnes volant à 900 km.h^{-1} ;

[c] d'un projectile de 200 g se déplaçant à 1 km.s^{-1} ;

[d] d'un électron ($m_e = 9{,}1.10^{-31}$ kg) de vitesse 50 000 km.s^{-1}.

[2] On lance une balle de 50 g vers le haut avec une vitesse verticale $v = 10\,\text{m.s}^{-1}$. À quelle hauteur monte-t-elle ? Même question avec une masse de 100 g.

[3] Avec quelle vitesse minimale v, faut-il lancer du sol une orange de même masse 200 g pour qu'elle parvienne à une personne qui est à la fenêtre du premier étage à 3,2 m plus haut ? Quelle est alors l'énergie cinétique initiale de l'orange ? On néglige la résistance de l'air.

[4] Un objet de masse 2 kg, lâché sans vitesse initiale, tombe d'une hauteur de 20 m. Quelle est la vitesse à l'arrivée au sol, si l'on néglige la résistance de l'air ?

[5] Le ressort horizontal de la figure (de raideur k) est libéré après avoir été comprimé de a. Il entraîne un objet de masse m sur une table horizontale lisse.

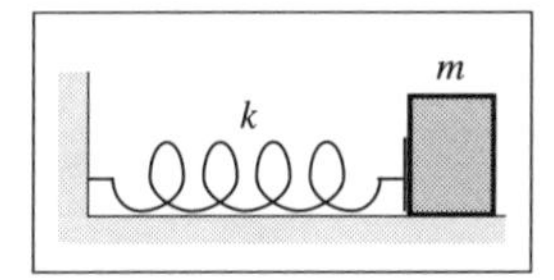

Quand le contact du ressort avec l'objet cesse-t-il ? Quelle est alors la vitesse de l'objet ?

[6] Un obus de 24 kg quitte un canon de 2 m de longueur à la vitesse de 500 m.s^{-1}. Quelle est la valeur moyenne de la force exercée par les gaz sur l'obus ? On considérera que la vitesse initiale de l'obus au départ de culasse est nulle et on négligera les frottements.

[7] Un skieur de masse totale 90 kg aborde une descente à la vitesse de 18 km.h^{-1}. Il arrive ensuite au bas de la piste, caractérisée par un dénivelé de 120 m.

[a] Quelle serait la vitesse du skieur en bas de la piste s'il n'y avait pas de résistance à l'avancement ?

[b] La vitesse du skieur est en réalité de 110 km.h^{-1} en bas de la piste. Calculer la valeur de la force de résistance à l'avancement, supposée constante et parallèle à la piste. La longueur de la piste est de 560 m.

[8] Une planche placée en son milieu sur un rondin est maintenue en équilibre horizontale. Un jeune homme de 70 kg saute d'une hauteur de 1 m sur une extrémité de la planche sur laquelle il reste assis. Calculer la hauteur à laquelle la jeune fille, de masse 50 kg, placée à l'autre extrémité de la planche, est projetée en l'air. On néglige la masse de la planche.

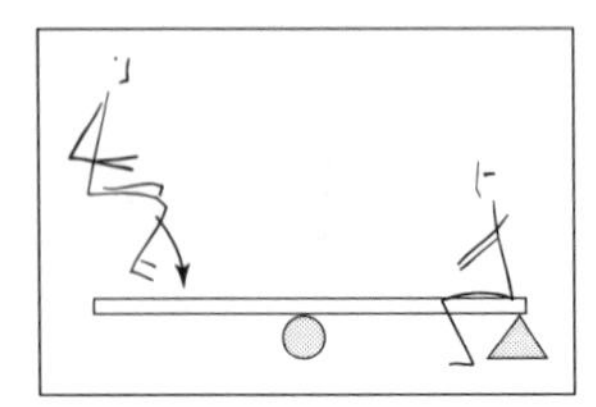

[9] Un wagon de 16 tonnes se heurte contre deux tampons immobiles à la vitesse de $2\,\text{m.s}^{-1}$. Calculer la compression maximale des ressorts des tampons lors du choc, sachant que les ressorts des tampons immobiles et ceux des tampons du wagon sont identiques et se compriment de 1 cm sous l'action d'une force de $4{,}9.10^4$ N.

[10] Une charge de masse m est suspendue à l'extrémité d'un ressort de raideur k. Établir l'expression de l'énergie mécanique totale du système en fonction de la vitesse v, de m, de k, de l'altitude z de la charge au-dessus du point le plus bas (que l'on prendra comme niveau de référence pour l'énergie potentielle de pesanteur) et de l'allongement maximal a que peut prendre le ressort au cours du mouvement. Quelle est sa valeur ?

[11] Un pendule simple est constitué par une masse $m = 10$ g de petite dimension suspendue à l'extrémité d'un fil inextensible de masse négligeable et de longueur $\ell = 1$ m. On écarte le pendule d'un angle de $60°$ par rapport à la verticale.

[a] De combien augmente son énergie potentielle de pesanteur lors de cette opération ?

[b] Quelles sont son énergie cinétique et la vitesse de la masse au passage de la verticale ?

[c] Le pendule remonte : quelle est l'accroissement de son énergie potentielle (toujours par rapport à la position d'équilibre) et son énergie cinétique lorsque le fil fait l'angle $30°$ avec la verticale ?

[12] Un cycliste lancé à $25\,\text{km.h}^{-1}$ aborde une pente de 6 % (on s'élève de 6 m lorsque l'on a parcouru 100 m). À quelle hauteur s'élèvera-t-il si on néglige toute résistance et si le cycliste ne pédale pas ? Quelle est la distance parcourue ?

[13] Le cycliste du **[12]** aborde la pente avec la même vitesse mais il pédale. Au bout de 800 m sa vitesse a diminuée de moitié. Quelle énergie a-t-il fournie ? En déduire la force motrice moyenne F exercée dans la direction du mouvement par le cycliste. La masse du cycliste et de sa machine est de 75 kg.

[réponses]

[1] **[a]** $1{,}2.10^8$ J ; **[b]** $6{,}3.10^8$ J ; **[c]** 10^5 J ; **[d]** $1{,}1.10^{-15}$ J.

[2] 5 m, indépendamment de la masse.

[3] 8 m.s^{-1} ; 6,4 J.

[4] 20 m.s^{-1}.

[5] Quand la force de rappel du ressort change de sens ; écrire la conservation de l'énergie mécanique ; on trouve : $v = a\sqrt{\dfrac{k}{m}}$.

[6] $1{,}5.10^6$ N.

[7] **[a]** 176 km.h^{-1} ; **[b]** 116 N.

[8] Le système (jeune homme, planche, fille, Terre) est isolé. Son énergie cinétique initiale et finale est nulle, donc son énergie potentielle ne varie pas : $Mgh = mgH$, et $H = 1{,}4$ m.

[9] $\dfrac{1}{2}mv^2 = 4 \times \dfrac{1}{2}ka^2$.
On trouve $a = 5{,}7$ cm.

[10] $E = \dfrac{1}{2}mv^2 + \dfrac{1}{2}k(a-z)^2 + mgz = \dfrac{1}{2}ka^2$, ($v = 0$ quand z s'annule et E est constante).

[11] **[a]** 0,049 J ; **[b]** 0,049 J et 3,1 m.s^{-1} ; **[c]** $E_c = 0{,}036$ J et $\Delta E_p = 0{,}013$ J.

[12] Son énergie cinétique initiale est entièrement emmagasinée sous forme potentielle ; lorsqu'il s'arrête : $\dfrac{1}{2}mv^2 = mgh$,

et la hauteur : $h = \dfrac{v^2}{2g}$, soit $h = \left(\dfrac{25\,000}{3\,600}\right)^2 \div (2 \times 9{,}8)$ d'où $h = 2{,}5$ m et $\ell = 41$ m.

[13] Le travail total fourni par le cycliste et par le poids, soit $F\ell - mgh$, est égal à l'accroissement de l'énergie cinétique. Ou bien, ce qui revient au même, l'énergie fournie par le cycliste (le travail de $\vec{F}$) et la perte d'énergie cinétique sont emmagasinées sous forme potentielle.

On trouve $W = 3{,}4.10^4$ J et $F = 42$ N.

INTERACTION GRAVITATIONNELLE

CHAPITRE 9

[l'essentiel]

[1] La loi de gravitation universelle

En observant le mouvement de la Lune et des planètes, Newton montra que les lois cinématiques caractérisant ces mouvements pouvaient se déduire de la loi suivante :

– deux masses ponctuelles m_1 et m_2 s'attirent ;

– les forces qu'elles exercent l'une sur l'autre, $\overrightarrow{F_{21}}$ sur m_1 et $\overrightarrow{F_{12}}$ sur m_2, ont même intensité ; elles sont proportionnelles à chacune des deux masses m_1 et m_2, inversement proportionnelles au carré de la distance r entre les masses et portées par la droite joignant les deux masses :

$$F_{12} = G\frac{m_1 m_2}{r^2} = F_{21}.$$

G est la *constante de gravitation* ; c'est une constante universelle dont la valeur est :

$$G = 6{,}67.10^{-11}\ \text{m}^3.\text{kg}^{-1}.\text{s}^{-2}.$$

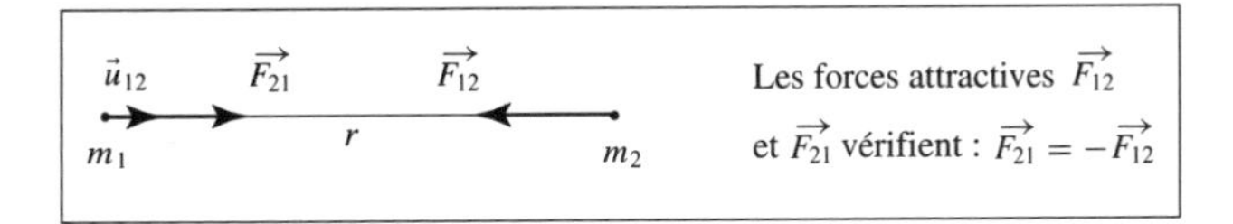

Les forces attractives $\overrightarrow{F_{12}}$ et $\overrightarrow{F_{21}}$ vérifient : $\overrightarrow{F_{21}} = -\overrightarrow{F_{12}}$

On peut résumer cette loi par une relation vectorielle :

$$\boxed{\overrightarrow{F_{12}} = -G\frac{m_1 m_2}{r^2}\vec{u}_{12},} \qquad (9, 1)$$

où $\vec{u}_{12}$ est le vecteur unitaire ($\|\vec{u}_{12}\| = 1$: sans dimension) pointé de m_1 vers m_2.

Notons bien que $\overrightarrow{F_{12}} = -\overrightarrow{F_{21}}$!

[2] Le champ de gravitation

Voyons maintenant les choses d'un point de vue différent, faisant jouer un rôle privilégié à l'une des masses ponctuelles m_1 fixée en un point O. L'autre masse m_2 peut être déplacée d'un point à l'autre de l'espace et modifiée. Elle est soumise de la part de m_1 à la force (9,1).

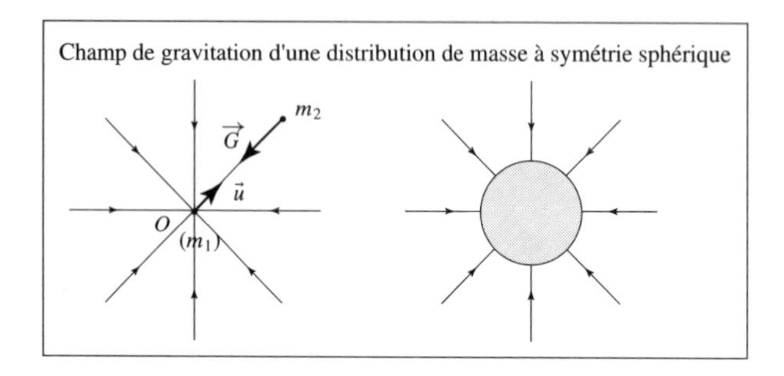

Le rapport $\vec{\mathcal{G}} = \vec{F}/m_2$ est indépendant de m_2 ; il ne dépend que de la distance r où l'on place m_2 : on l'appelle le *champ de gravitation*[1] *de la masse* m_1 :

$$\vec{\mathcal{G}} = -G\frac{m_1}{r^2}\vec{u}. \qquad (9,2)$$

Il est tout à fait remarquable que si l'on considère une distribution quelconque de masses fixées, au lieu d'une simple masse ponctuelle m_1, la force $\vec{F}$ résultante sur une masse m en un point de l'espace est encore proportionnelle à m :

$$\boxed{\vec{F} = m\,\vec{\mathcal{G}}.} \qquad (9,3)$$

$\vec{\mathcal{G}}$ est le champ de gravitation *des autres masses* : son expression dépend de la distribution considérée. Cependant, on démontre que si cette distribution est à symétrie sphérique (comme une planète ou une étoile par exemple) l'expression (9,2) demeure valable **à l'extérieur de la distribution**, si m_1 désigne la masse totale de cette dernière, r désignant alors la distance du point considéré au centre O de la distribution.

Cette dernière assertion va nous permettre d'évaluer le champ de pesanteur à la surface de la Terre (rayon moyen : 6 370 km ; masse : $5{,}98.10^{24}$ kg) :

$$\mathcal{G} = 6{,}67.10^{-11}\,\frac{5{,}98.10^{24}}{(6{,}38.10^{6})^2} = 9{,}8\,\mathrm{m.s^{-2}}.$$

✘ **Le champ de gravitation à la surface de la Terre s'identifie avec le champ de pesanteur[2].**

---

[1] C'est donc bien un champ vectoriel (*cf.* **C.[3]**).

[2] Il est clair que (2,1) et (9,3) montrent que G et g s'expriment dans la même unité. Par ailleurs, il faut noter que $\vec{g} = \vec{\mathcal{G}}$ n'est qu'une approximation : il n'est possible en effet d'expliquer correctement la légère variation de g entre les pôles et l'équateur qu'en tenant compte de la rotation de la Terre.

[3] Énergie potentielle de gravitation

Considérons une masse ponctuelle m_2 se déplaçant d'un point A à un point B dans le champ d'une masse m_1 à symétrie sphérique de centre O.

Quel est le travail de la force de gravitation $\vec{F}$ exercée sur m_2 ?

Le travail de la force de gravitation ne dépend pas du chemin suivi entre A et B

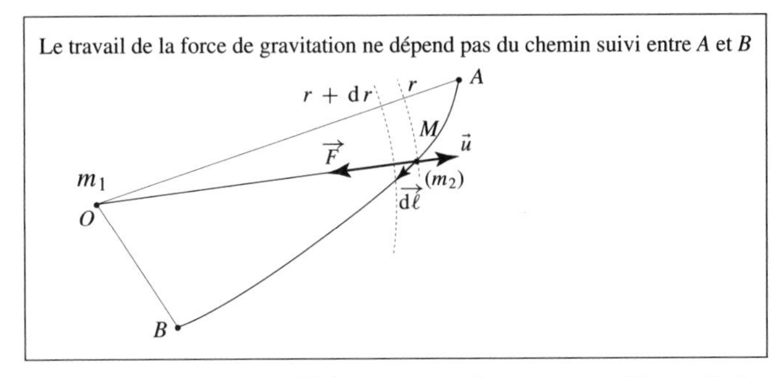

Celle-ci n'étant pas constante et le déplacement n'étant pas rectiligne, il faut sommer les déplacements élémentaires (*cf.* **6.[2]**) :

$$\mathrm{d}W = \vec{F} \cdot \vec{\mathrm{d}\ell} = -G\frac{m_1 m_2}{r^2}\vec{u} \cdot \vec{\mathrm{d}\ell}.$$

$\vec{u} \cdot \vec{\mathrm{d}\ell}$ est la coordonnée de $\vec{\mathrm{d}\ell}$ sur $\vec{u}$, c'est-à-dire la variation $\mathrm{d}r$ de r quand M se déplace de $\vec{\mathrm{d}\ell}$, comme le montre la figure. Ainsi :

$$W_{AB} = \int_{\widehat{AB}} \mathrm{d}W = \int_{r_A}^{r_B} -G\frac{m_1 m_2}{r^2}\,\mathrm{d}r.$$

$-\frac{1}{r^2}$ admet $\frac{1}{r}$ comme primitive (*cf.* **E[3]**) :

$$W_{AB} = G\frac{m_1 m_2}{r_B} - G\frac{m_1 m_2}{r_A}. \tag{9, 4}$$

Cela signifie, comme on l'a vu au chapitre **7** pour la tension d'un ressort ou pour le poids, que l'énergie qu'il faut fournir pour amener m_2 de A à B est restituée intégralement par la force de gravitation lorsque m_2 est ramenée de B en A. Par exemple, pour *éloigner* m_2 de r_A à $r_B > r_A$, il faut fournir l'énergie positive $-W_{AB}$ sous forme de travail moteur compensant le travail W_{AB} de la force de gravitation ; lorsque l'on ramène m_2 de B en A la force de gravitation restitue le travail moteur $W_{BA} = -W_{AB}$.

En particulier, pour mettre les masses m_1 et m_2 en interaction, c'est-à-dire amener m_2 de l'infini, où la force est nulle, à la distance r de m_1, il faut fournir d'après (9,4) (en faisant $r_B = \infty$ et $r_A = r$) l'énergie :

$$\boxed{E_p = -G\frac{m_1 m_2}{r}.} \tag{9, 5}$$

Cette expression repésente l'*énergie potentielle de gravitation* des masses m_1 et m_2 et (9,4) s'interprète comme la diminution de cette énergie potentielle entre A et B :

$$W_{AB} = E_p(A) - E_p(B) = -\Delta E_p,$$

relation tout à fait analogue à (7,4).

[de l'essentiel à la pratique]

Mot-clé

champ de gravitation

Données complémentaires

Masse du Soleil	$2{,}0.10^{30}$ kg	Rayon de la Terre	$6{,}37.10^{6}$ m
Masse de la Terre	$6{,}0.10^{24}$ kg	Rayon de la Lune	$1{,}74.10^{6}$ m
Masse de la Lune	$7{,}4.10^{22}$ kg		
Distance Terre – Soleil	$1{,}5.10^{11}$ m	Masse du proton	$1{,}66.10^{-27}$ kg
Distance Terre – Lune	$3{,}8.10^{8}$ m	Masse de l'électron	$9{,}1.10^{-31}$ kg

[1] *Quelle énergie E_{c0} faut-il fournir (sous forme cinétique) au départ de la Terre, à un vaisseau spatial de masse $m = 5$ tonnes, pour qu'il puisse échapper à l'attraction terrestre ?*

La vitesse initiale dépend-elle de la masse du vaisseau ?

L'énergie mécanique du vaisseau dans le champ gravitationnel de la Terre se conserve à partir du moment où, lui communiquant l'énergie E_{c0}, on le propulse dans l'espace. Lorsqu'il a échappé à l'attraction terrestre, son énergie potentielle est nulle (*cf.* (9,5)) et son énergie mécanique est purement cinétique, soit $E = E_{c1}$:

$$E_{p0} + E_{c0} = E_{c1}.$$

E_{c1} étant par définition positive, il faut que $E_{p0} + E_{c0} \geqslant 0$. Comme $E_{p0} = -G\frac{Mm}{R_T}$, on a $E_{c0} \geqslant G\frac{Mm}{R_T}$ soit $E_{c0} \geqslant 3{,}1.10^{11}$ J.

Par ailleurs, $E_{c0} = \frac{1}{2}mv_0^2$ entraîne $\frac{1}{2}mv_0^2 \geqslant G\frac{Mm}{R_T}$, soit :

$$\boxed{v_0 \geqslant \sqrt{\frac{2GM}{R_T}}.}$$

On a $v_0 \geqslant \sqrt{\frac{2 \times 6{,}67.10^{-11} \times 6{,}0.10^{24}}{6{,}4.10^{6}}} \simeq 11\,\text{km.s}^{-1}$; v_0 est indépendante de la masse du vaisseau.

[2] [a] *Trouver la relation entre l'accélération de la pesanteur g_0 à la surface de la Terre, les rayon R et masse M de cette dernière.*

On a vu au **9.[2]** que $g = \mathcal{G}$ (si l'on néglige l'effet de rotation de la Terre). Dans ces conditions, (9,2) montre que :

$$g_0 = G\frac{M}{R^2}.$$

[b] *En déduire comment l'accélération de la pesanteur g varie avec l'altitude z en fonction de g_0, R et z, et en donner une expression approchée.*

De même (9,2) s'écrit, avec $r = R + z$:

$$g = G\frac{M}{(R+z)^2} = G\frac{M}{R^2}\frac{R^2}{(R+z)^2},$$

soit :

$$\boxed{g = \frac{g_0}{\left(1+\frac{z}{R}\right)^2}.} \qquad (9,6)$$

Lorsque $z \ll R$, alors $\left(1+\dfrac{z}{R}\right)^{-2} \simeq 1 - 2\dfrac{z}{R}$ (*cf.* **E[4]**), de sorte que :

$$g \simeq g_0\left(1 - 2\frac{z}{R}\right). \qquad (9,7)$$

[exercices]

[1] Deux billes d'acier (masse volumique $7{,}6.10^3$ kg.m^{-3}) de même rayon 5 mm sont au contact. En admettant que la force d'interaction gravitationnelle entre les billes est la même que si leur masse était ponctuelle en leur centre (*cf* **9.[2]**), calculer cette force et la comparer avec le poids d'une bille. Conclure.

[2] Comparer les forces exercées par la Terre, la Lune, le Soleil sur une personne de 60 kg à la surface de la Terre.

[3] Comparer le champ gravitationnel à la surface de la Lune et de la Terre.

[4] Calculer les champs de gravitation de la Lune et du Soleil à la surface de la Terre.

[5] Calculer la variation du champ de gravitation de la Lune sur un diamètre terrestre AB, dans la direction de l'astre. Refaire le calcul avec le Soleil.

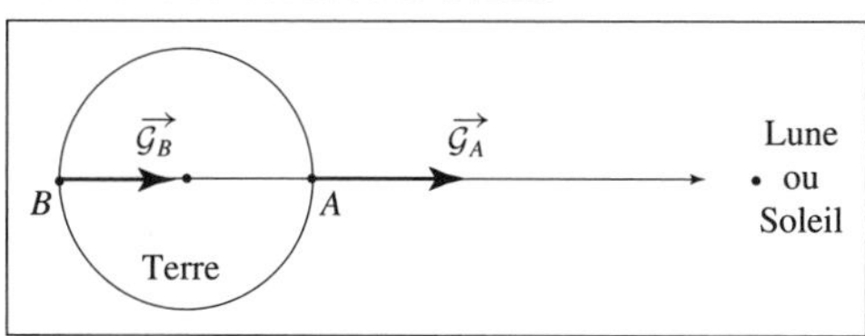

[6] Il y a 50 000 ans environ, une météorite constituée de nickel et de fer a percuté la Terre dans le Nord de l'Arizona. On estime sa masse à 3 millions de tonnes et sa vitesse à 17 km.s^{-1} au moment du choc.

[a] Comparer l'énergie libérée par la météorite au moment du choc à celle de l'explosion nucléaire de Hiroshima ($5{,}6.10^{13}$ J).

[b] Quelle était, si l'on néglige les frottements dans l'atmosphère, la vitesse v_0 de la météorite quand elle est entrée dans le champ de gravitation terrestre ?

On négligera la rotation de la Terre.

[réponses]

[1] $4{,}2.10^{11}\,\mathrm{N} \ll 3{,}9.10^{-2}\,\mathrm{N}$ (poids).

[2] $F_T = 590\,\mathrm{N}$; $F_L = 2{,}1.10^{-3}\,\mathrm{N}$; $F_S = 0{,}36\,\mathrm{N}$.

[3] $g_L = 1{,}6\,\mathrm{m.s^{-2}} \simeq g/6$.

[4] $\mathcal{G}_L = 0{,}034.10^{-3}\,\mathrm{m.s^{-2}}$; $\mathcal{G}_S = 5{,}9.10^{-3}\,\mathrm{m.s^{-2}} \simeq 170\,\mathcal{G}_L$.

[5] $\Delta\mathcal{G}_L = 2{,}3.10^{-6}\,\mathrm{m.s^{-2}}$; $\Delta\mathcal{G}_S = 1{,}0.10^{-6}\,\mathrm{m.s^{-2}}$.

[6] **[a]** L'énergie libérée est égale à $\frac{1}{2}mv_1^2 = 4{,}3.10^{17}\,\mathrm{J}$, soit 7 700 fois celle d'Hiroshima, l'équivalent de la bombe H la plus puissante jamais expérimentée.

[b] Utiliser la conservation de l'énergie mécanique du système (météorite – Terre) entre $r \simeq \infty$ (pour v_0) et $r = R_T$ (pour v_1).

On trouve $v_0 = \sqrt{v_1^2 - \frac{2GM_T}{R_T}}$, soit $v_0 = 13\,\mathrm{km.s^{-1}}$.

INTERACTION ÉLECTROSTATIQUE

CHAPITRE 10

Malgré une différence de nature profonde, les interactions gravitationnelle et électrostatique présentent des similitudes formelles frappantes.

[l'essentiel]

[1] La charge électrique et la loi de Coulomb

L'*électrisation* des poussières par contact avec un bâton de verre ou d'ébonite frotté met en évidence l'existence d'une interaction qui n'est pas de nature gravitationnelle : on dit qu'il y a apparition de charges électriques. On a trouvé deux types de charge : les unes sont dites *positives*, les autres *négatives*. La charge se mesure en **coulomb** (symbole **C**) dans le système international. On sait aujourd'hui que toute charge est multiple d'une *charge élémentaire* dont la valeur est approximativement :

$$e \simeq 1{,}6.10^{-19}\,\text{C}.$$

Les charges positives et négatives s'ajoutent algébriquement et existent en quantités égales dans la nature, portées essentiellement par des électrons atomiques et des protons entrant dans la composition des noyaux atomiques : un électron porte la charge $-e$, un proton la charge $+e$. Ainsi l'atome est électriquement neutre et il est exceptionnel de rencontrer des charges libres.

Coulomb a établi que les forces d'interaction entre deux charges ponctuelles q_1 et q_2 obéissent à une loi analogue à (9,1) :

$$\boxed{\overrightarrow{F_{12}} = K\frac{q_1q_2}{r^2}\vec{u}_{12}.} \qquad (10, 1)$$

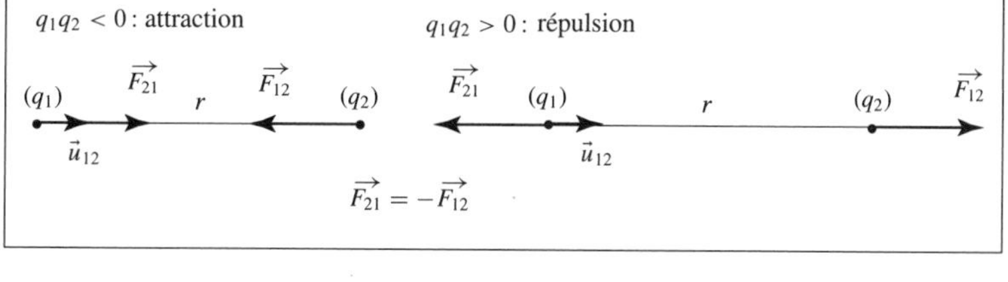

$q_1q_2 < 0$: attraction

$q_1q_2 > 0$: répulsion

(q_1) $\overrightarrow{F_{21}}$ r $\overrightarrow{F_{12}}$ (q_2) $\vec{u}_{12}$

$\overrightarrow{F_{21}}$ (q_1) r (q_2) $\overrightarrow{F_{12}}$ $\vec{u}_{12}$

$\overrightarrow{F_{21}} = -\overrightarrow{F_{12}}$

La constante de Coulomb K est une constante positive universelle[1] dont la valeur est :

$$K = 9.10^9 \text{ unités S.I.}$$

La différence de signe dans les expressions (9,1) et (10,1) traduit les faits expérimentaux suivants :

– deux charges de même nature se repoussent, contrairement à deux masses (il n'y a qu'une sorte de masse) ;

– deux charges de nature différente s'attirent.

[2] La loi de conservation de la charge

Quand on charge des corps par frottement, la charge que gagne l'un est perdue par l'autre : on transfère des particules chargées (des électrons), mais *globalement, la matière est neutre et reste neutre*. Ceci traduit une loi plus générale, extrêmement importante et que l'on peut associer à la loi de conservation de l'énergie (voir **6.[6].[b]**) :

✗ **La charge totale d'un système électriquement isolé, c'est-à-dire qui n'échange pas de charge avec l'extérieur, est constante.**

Il peut se faire que des particules chargées soint créées, par exemple par radioactivité (voir Tome **II** chapitre **15**), mais la charge totale reste la même. Ainsi lorsqu'un neutron disparaît pour donner naissance à un proton et à un électron, la charge totale est nulle avant et après cette transformation.

[3] Le champ électrostatique

La force électrostatique $\vec{F}$ subie par une charge q est proportionnelle à q. On peut donc affirmer, en suivant un raisonnement analogue à celui de **9.[3]**, que :

$$\boxed{\vec{F} = q\,\vec{E}.} \qquad (10, 2)$$

$\vec{E}$ est *le champ électrostatique des autres charges* : il est indépendant de q. Le champ électrostatique d'une charge q_1 ponctuelle ou à symétrie sphérique est :

$$\boxed{\vec{E} = K\frac{q_1}{r^2}\vec{u}.} \qquad (10, 3)$$

[1] K est reliée à la permittivité du vide ε_0 (*cf.* Tome **II** chapitre **4.[4].[b]**) par la relation $K = \dfrac{1}{4\pi\varepsilon_0}$.

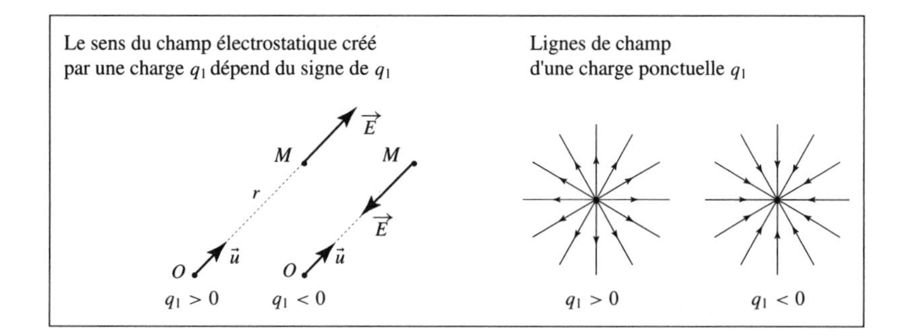

✗ **Contrairement au champ gravitationnel qui est toujours de même sens que la force gravitationnelle, le champ électrostatique a même sens que la force électrostatique subie par la charge q si celle-ci est positive, mais il a le sens contraire si q est négative.**

[4] L'énergie potentielle électrostatique

[a] Cas du champ uniforme

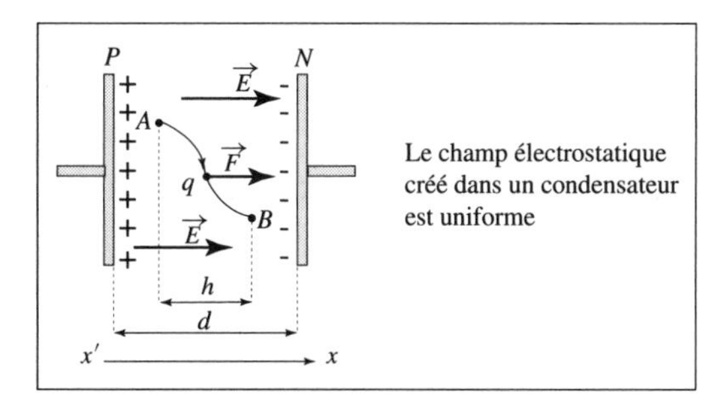

Un champ électrique uniforme[1] peut être obtenu dans un condensateur plan[2] chargé avec un générateur. Une particule de charge q y est donc soumise à une *force constante* $\vec{F} = q\,\vec{E}$: il y a une analogie complète avec une masse m soumise à son poids $\vec{P} = m\vec{g}$ dans le champ de la pesanteur (*cf.* **7.[3]**) de sorte que le travail de $\vec{F}$ est indépendant du chemin suivi entre deux points A et B. On peut donc affirmer que q possède, dans le champ électrostatique du condensateur, l'énergie potentielle :

$$E_p = -qEx, \qquad (10,4)$$

si l'on prend l'axe $x'x$ dans la direction et dans le sens[3] de $\vec{E}$.

---

1 C'est-à-dire de direction, sens, intensité constants (*cf.* **D.[3]**).

2 Un condensateur plan est constitué de deux plaques planes conductrices parallèles appelées aussi armatures (*cf.* Tome **II** chapitre **4.[1]**).

3 On avait choisi $z'z$ en sens contraire de $\vec{g}$ au **7.[3]** : d'où la différence de signe avec (7,8).

✗ **Le champ électrostatique est toujours orienté des charges positives vers les charges négatives.**

La quantité :

$$V = -Ex, \qquad (10, 5)$$

s'appelle le *potentiel électrostatique* dans le condensateur et (10,4) s'écrit :

$$\boxed{E_p = qV.} \qquad (10, 6)$$

En particulier, si la charge q se déplace de la plaque chargée positivement P à la plaque chargée négativement N, le travail de la force électrostatique exercée sur q est :

$$W_{PN} = -\Delta E_p = E_p(P) - E_p(N)$$

soit :

$$W_{PN} = q(V_P - V_N).$$

$U = V_P - V_N$ s'appelle *la différence de potentiel*[1] (ou d.d.p.) entre P et N.

De plus, si d est la distance entre les plaques, (10,5) montre que :

$$\boxed{U = Ed,} \qquad (10, 7)$$

✗ **L'unité de différence de potentiel est le volt (symbole V) dans le système international, tandis que l'unité de champ électrostatique est le volt par mètre (symbole V.m^{-1}).**

Il faut enfin noter que (10,5) montre que le *champ électrostatique est orienté vers les potentiels décroissants.*

[b] Travail reçu par une charge dans une d.d.p. U

Lorsqu'une charge q en mouvement passe d'un point A à un point B en présence d'un champ électrostatique, le travail W_{AB} de la force électrostatique est égal à la diminution de l'énergie potentielle (10,6) de la charge :

$$W_{AB} = E_p(A) - E_p(B) = q(V_A - V_B),$$

où $V_A - V_B = U$ est la différence de potentiel électrostatique entre A et B. Le théorème de l'énergie cinétique (*cf.* **6.[2]**) stipule que ce travail est égal à la variation de l'énergie cinétique ΔE_c de la charge :

$$\boxed{\Delta E_c = qU.} \qquad (10, 8)$$

ΔE_c est en **J**, q en **C**, U en **V**.

On utilise souvent comme unité d'énergie en Physique atomique l'énergie acquise par une charge élémentaire e qui a subi une d.d.p. de 1 volt. Cette unité est l'électronvolt (e**V**).

D'après (10,8) :

$$1\, e\text{V} = 1{,}6.10^{-19}\,\text{C}.$$

---

1 La différence de potentiel entre les plaques n'est autre que la *tension* appliquée (*cf.* Tome **II** chapitre **1.[1]**). Notez que $V_P - V_N > 0$.

[c] Énergie potentielle de deux charges ponctuelles

On l'obtient très simplement à l'aide de (9,4), où l'on change G en $-K$ et m_1, m_2 en q_1, q_2 :

$$\boxed{E_p = K\frac{q_1 q_2}{r}.} \qquad (10,9)$$

Elle représente l'énergie qu'il faut fournir aux deux charges pour les assembler à la distance r l'une de l'autre à partir d'une configuration où elles n'interagissent pas et sont donc très éloignées.

[5] Comparaison des forces électrostatiques et gravitationnelles

Les particules atomiques (ions) ou subatomiques (protons, électrons) interagissent à la fois de façon électrostatique et gravitationnelle. Considérons par exemple deux électrons, de masse m et charge $-e$ distants de r ; alors :

$$F_{\text{él.}} = K\frac{e^2}{r^2} \quad \text{et} \quad F_{\text{gr}} = G\frac{m^2}{r^2},$$

$$\frac{F_{\text{él.}}}{F_{\text{gr.}}} = \frac{K}{G}\frac{e^2}{m^2},$$

où $e = 1{,}6.10^{-19}$ C et $m = 9{,}1.10^{-31}$ kg.

On trouve aussi un rapport $F_{\text{él.}}/F_{\text{gr.}} \sim 10^{42}$: c'est gigantesque !

✗ **Pour des particules chargées atomiques ou subatomiques, on négligera toujours les forces de gravitation (ou de pesanteur) devant les forces électrostatiques.**

Cependant, en raison du caractère électriquement neutre de la matière, à grande distance seules subsistent les forces de gravitation.

[de l'essentiel à la pratique]

Mots-clés

force électrostatique

champ électrostatique

différence de potentiel

énergie potentielle électrostatique

[1] *Dans un cristal de chlorure de sodium, les ions sodium* Na^+ *portent la charge* $+e$, *les ions chlorures* Cl^- *la charge* $-e$. *Les ions se répartissent en alternance aux sommets de cubes identiques d'arrête* $a = 2{,}82.10^{-10}$ m *empilés.*

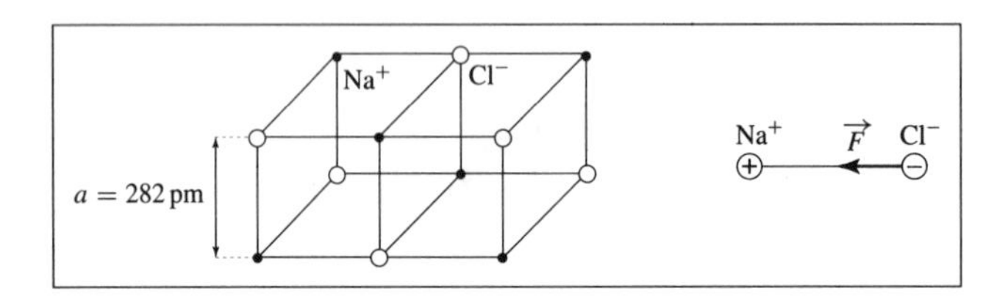

[a] *Calculer la valeur de la force électrostatique d'interaction entre un ion* Na^+ *et l'ion* Cl^- *le plus proche.*

$$F = \left| K\frac{e(-e)}{a^2} \right| = K\frac{e^2}{a^2}, \quad \text{d'après (10,1),}$$

d'où $F = 9.10^9 \left(\dfrac{1{,}6.10^{-19}}{2{,}82.10^{-10}} \right)^2$ soit $\underline{F = 2{,}9.10^{-9}\,\text{N}}$.

[b] *Déterminer le champ* $\vec{E_1}$ *créé par l'ion* Na^+ *au point* O *où se trouve l'ion* Cl^-.

Na^+ A $\vec{u}_{AO}$ a Cl^- O $\vec{E_1}$

$$\vec{E_1} = K\frac{e}{a^2}\vec{u}_{AO} = \frac{\vec{F_1}}{e}, \quad \text{d'après (10,3)}$$

(si $\vec{F_1}$ est la force exercée par Na^+ sur Cl^-) d'où $E_1 = 2{,}9.10^{-9} \div 1{,}6.10^{-19}$ soit $\underline{E_1 = 1{,}8.10^{10}\,\text{V.m}^{-1}}$.

On remarque que, si la force d'interaction est faible (à cause de la petitesse de la charge), le champ est considérable (en raison de leur proximité).

[c] *On considère maintenant les quatre plus proches voisins* Na^+ *de l'ion* Cl^- *situés dans un même plan. Quel est le champ résultant créé par les ions en* O *?*

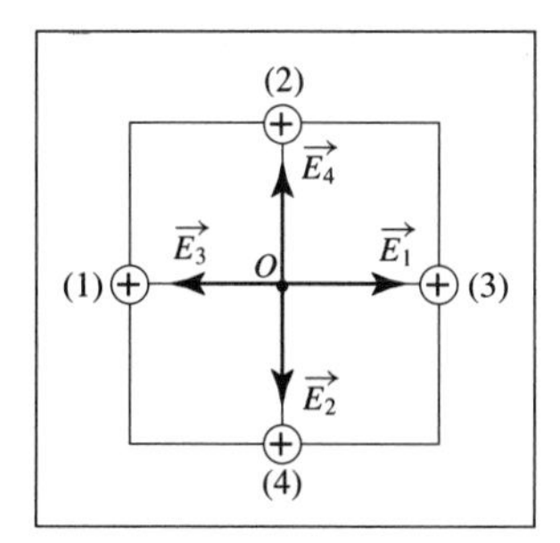

Cl^- est à équidistance de a des quatre ions Na^+ : les quatre champs ont même intensité $E_1 = E_2 = E_3 = E_4$ et le champ résultant $\vec{E} = \vec{E_1} + \vec{E_2} + \vec{E_3} + \vec{E_4} = \vec{0}$ par symétrie.

[d] *Même question si l'on considère les quatre plus proches voisins* Cl^- *de l'ion* Cl^-.

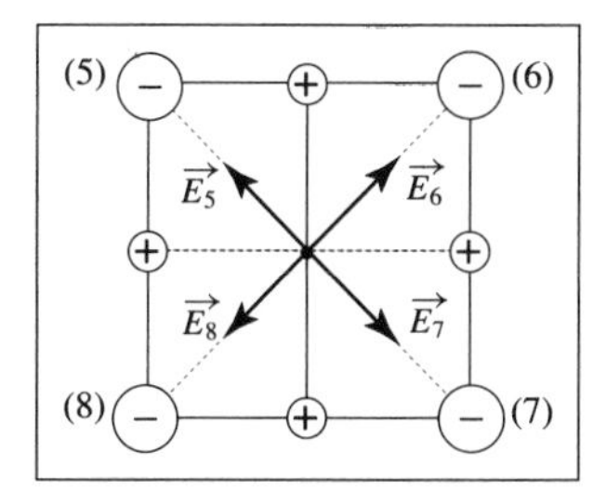

Cl^- est équidistant de $a\sqrt{2}$ de ses homologues plus proches voisins. Le résultat est le même qu'en **[c]** :

$$\vec{E} = \vec{E_5} + \vec{E_6} + \vec{E_7} + \vec{E_8} = \vec{0}.$$

[e] *Que vous suggère ceci, quant au champ créé par tous les autres ions du cristal en un nœud quelconque, si l'on considère leur nombre comme infiniment grand ?*

En un nœud quelconque O, les champs créés se compensent quatre par quatre par symétrie, et le champ total résultant est nul. La force subie par l'ion qui s'y trouve (Na^+ ou Cl^-) et qui est due à l'action de tous les autres est nulle, ce qui explique que le cristal puisse rester en équilibre.

[2] *Deux charges* $q_1 = 1\,\text{nC}$ *et* $q_2 = -2\,\text{nC}$ *sont placés en deux points A et B distants de* $d = 10\,\text{cm}$. *Déterminer le(s) point(s) de la droite* (AB) *où le champ résultant est nul.*

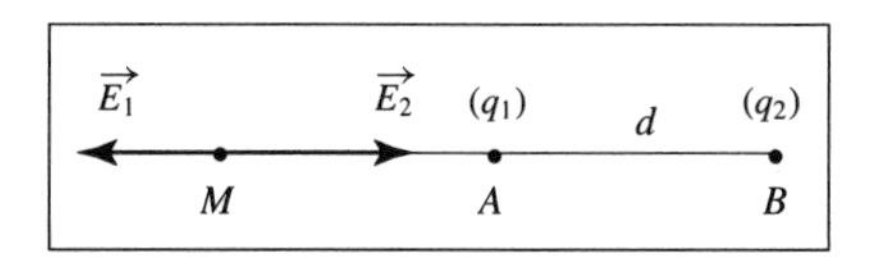

Les charges q_1 et q_2 créent respectivement ls champ $\vec{E_1}$ et $\vec{E_2}$. Le point M cherché est tel que :

$$\vec{E_2}(M) + \vec{E_2}(M) = \vec{0}$$

et donc $E_1 = E_2$.

Posons $AM = x$. D'après (10,3) :

$$E_1 = K\frac{q_1}{x^2} \quad \text{et} \quad E_2 = K\frac{|q_2|}{x^2}$$

car $q_1 > 0$ et $q_2 < 0$, d'où :

$$\frac{q_1}{x^2} = \frac{|q_2|}{(x+d)^2} \quad \text{ou} \quad \frac{|q_2|}{q_1}x^2 = (x+d)^2.$$

Résolvons cette équation numériquement en exprimant les distances en mètres :

$$2x^2 = (x+0{,}1)^2,$$

soit en développant :

$$x^2 - 0{,}2x - 0{,}01 = 0.$$

Seule la solution positive a un sens physique (x est une *distance*), soit $x = 0{,}24$ m, mais seul le point situé à 24 cm *à gauche* de A convient. En effet, à 24 cm à droite de A, l'on est aussi à droite de B et donc $E_2 > E_1$.

Remarque. Il était clair *a priori* que le champ résultant ne peut être nul entre A et B où $\vec{E_1}$ et $\vec{E_2}$ ont même sens.

[3] *Un dipôle électrique est constitué de deux charges opposées $q_1 = +q$ et $q_2 = -q$ placées à une distance $2a = 8$ cm l'une de l'autre ; $q = 1$ nC.*

[a] *Déterminer le champ $\vec{E}$ au point P situé à la distance $2a$ de chacune des charges.*

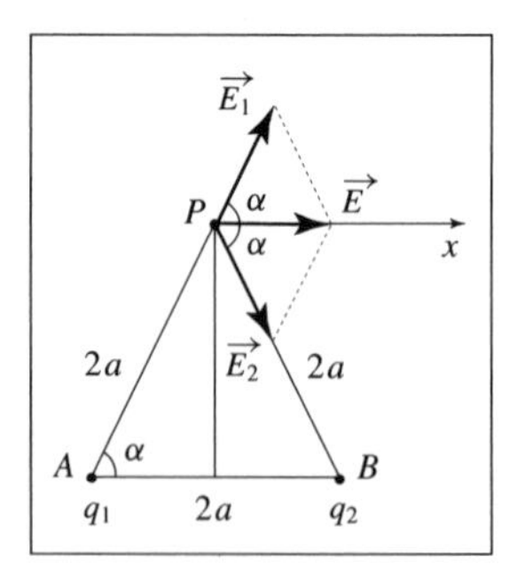

Calculons d'abord les intensités des champs $\vec{E_1}$ et $\vec{E_2}$ créés au point P par q_1 et q_2 :

$$E_1 = E_2 = K\frac{q}{4a^2}.$$

Le champ résultant est la somme *vectorielle* de $\vec{E_1}$ et $\vec{E_2}$:

$$\vec{E} = \vec{E_1} + \vec{E_2},$$

a la direction de (AB) car $\vec{E_1}$ et $\vec{E_2}$ sont symétriques par rapport à cette direction ; il faut donc projeter cette relation vectorielle sur l'axe PX parallèle à (AB) :

$$E = E_1\cos\alpha + E_2\cos\alpha = 2E_1\cos\alpha,$$

soit :

$$E = K\frac{q}{2a^2}\cos\alpha.$$

$\alpha = 60°$ car PAB est équilatéral et $E = 9.10^9 \dfrac{10^{-9}}{2(4.10^{-2})^2}\cos 60°$, soit $\underline{E = 1{,}4\,\text{kV.m}^{-1}}$.

[b] *Quelles sont les caractéristiques de la force $\vec{F}$ subie par une charge $Q = -10\,\text{nC}$ placée en P ?*

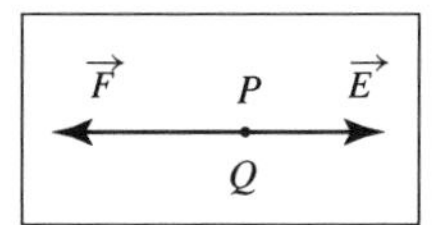

$\vec{F} = Q\,\vec{E}$ est de sens contraire à $\vec{E}$ car Q est négative. $F = |Q|E$ d'où $F = 10^{-8} \times 1{,}4.10^3$ soit $\underline{F = 1{,}4.10^{-5}\,\text{N}}$.

[4] Équilibre d'un pendule électrique

Une petite boule de polystyrène de masse $m = 2\,\text{g}$ portant une charge $q = 1\,\mu\text{C}$ est suspendue à un fil très fin de masse négligeable, entre deux plaques métalliques verticales (M) et (N) distantes de $d = 10\,\text{cm}$ entre lesquelles règne la différence de potentiel $V_M - V_N = 500\,\text{V}$.

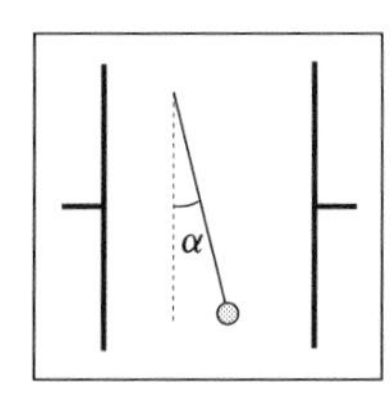

[a] *Vers quelle plaque le pendule dévie-t-il ?*

La boule chargée positivement est attirée par les charges négatives : le pendule dévie vers la plaque (N).

[b] *Calculer l'angle α de déviation du pendule.*

La boule est soumise à trois forces :

$$\begin{cases} \vec{F} = q\,\vec{E} & \text{(force électrostatique, de même sens que } \vec{E}\text{)} ; \\ m\vec{g} & \text{(poids)} ; \\ \vec{T} & \text{(tension du fil).} \end{cases}$$

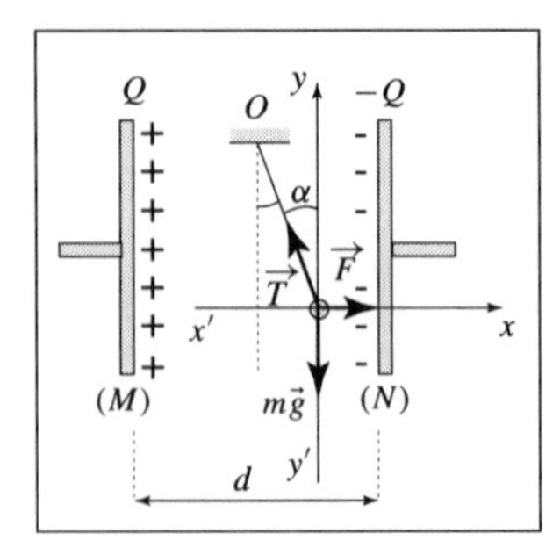

Conditions d'équilibre de la boule :

$$\vec{F} + m\vec{g} + \vec{T} = \vec{0},$$

$$\begin{cases} \text{projection sur } x'x : & F - T\sin\alpha = 0 ; \\ \text{projection sur } y'y : & -mg + T\cos\alpha = 0. \end{cases}$$

d'où en éliminant T :

$$\tan\alpha = \frac{F}{mg},$$

et comme $F = qE = q\dfrac{V_M - V_N}{d}$, on obtient finalement :

$$\boxed{\tan\alpha = q\frac{V_M - V_N}{mgd}.}$$

On trouve $\tan\alpha = \dfrac{10^{-6} \times 500}{2.10^{-3} \times 9{,}8 \times 0{,}10}$, soit $\underline{\alpha = 14°}$.

[5] *On considère un condensateur plan chargé sous une tension* $U = 2\,000$ V. *La distance entre les armatures est* $d = 5$ cm. *Un électron (de masse* $m = 9{,}1.10^{-31}$ kg*) est émis à* $x_0 = 1$ cm *de la plaque chargée positivement avec une vitesse initiale négligeable.*

[a] *Quelle est l'énergie cinétique de l'électron en fonction de sa distance x à la plaque positive ?*

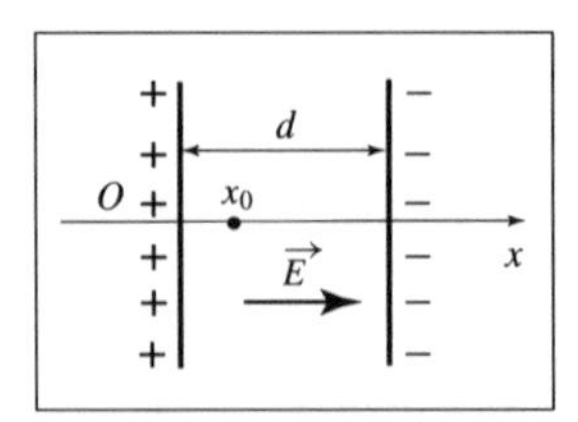

Le poids de l'électron est négligeable devant les forces électrostatiques (*cf.* **10.[4]**). L'énergie potentielle de l'électron dans le condensateur est donnée par (10,6) :

$$E_p = -(-e)Ex = e\frac{U}{d}x,$$

compte tenu de (10,7). L'énergie mécanique de l'éléctron se conserve :

$$E_p + E_c = e\frac{U}{d}x + E_c = e\frac{U}{d}x_0,$$

car $E_c(x_0)$ est nulle, d'où :

$$\boxed{E_c = e\frac{U}{d}(x_0 - x).} \qquad (1)$$

[b] *Vers quelle armature se déplace l'électron ? Quelle est sa vitesse lorsqu'il vient heurter l'armature s'il ne rencontre pas d'obstacle ?*

L'électron est soumis à la force élecrtrostatique (10,2), $\vec{F} = -e\vec{E}$, opposée au champ et donc orientée vers l'armature positive. On peut retrouver ce résultat à l'aide de l'expression trouvée en **[a]** pour l'énergie cinétique : celle-ci n'a en effet de sens que si $x \leqslant x_0$ car $E_c \geqslant 0$.

Quand l'électron arrive sur l'armature, $x = 0$ et l'on a d'après (1) :

$$E_c = \frac{1}{2}mv^2 = eU\frac{x_0}{d},$$

d'où :

$$v = \sqrt{\frac{2eUx_0}{md}}.$$

Numériquement, $v = \sqrt{\dfrac{2 \times 1{,}6.10^{-19} \times 2\,000 \times 1}{9{,}1.10^{-31} \times 5}}$ soit $\underline{v = 1{,}2.10^7\ \text{m.s}^{-1}}$.

[c] *Quelle est la valeur de la force électrostatique subie par l'électron ? Vérifier que le poids de l'électron est bien négligeable.*

$$\boxed{F = eE = e\frac{U}{d},}$$

soit $\underline{F = 6{,}4.10^{-15}\ \text{N}}$; $mg = 8{,}9.10^{-30}\ \text{N} \ll F$.

[6] *Bohr avait proposé pour l'atome d'hydrogène le modèle suivant : l'électron décrit un cercle de rayon* $r = 53$ pm *autour du noyau, constitué d'un proton. La charge de l'électron est* $-e$, *celle du proton* $+e$.

[a] *Calculer en électronvolt (eV) l'énergie potentielle d'interaction de l'électron et du proton.*

Les forces de gravitation ou de pesanteur sont ici négligeables (*cf.* **10.[4]**).

$$1\,e\text{V} = 1 \times 1{,}6.10^{-19} \times 1 = 1{,}6.10^{-19}\ \text{J}.$$

Selon (10,9) :

$$E_p = -K\frac{e^2}{r}, \quad \text{en J}$$

soit $E_p = -\dfrac{9.10^9 \times (1{,}6.10^{-19})^2}{53.10^{-12} \times 1{,}6.10^{-19}}$ eV soit enfin $\underline{E_p = -27{,}2\,e\text{V}}$, qui reste constante sur la trajectoire circulaire.

[b] *Que peut-on dire de l'énergie cinétique de l'électron ?*

L'énergie mécanique de l'électron se conserve : E_p étant constante, E_c est donc aussi une constante et le mouvement de l'électron est uniforme (ce résultat peut être obtenu aussi bien à l'aide du théorème de l'énergie cinétique).

[c] *Pour arracher l'électron à l'atome, il faut fournir une énergie $E_0 = 13{,}6\,eV$ au minimum (par exemple en le bombardant avec des électrons accélérés par $13{,}6\,eV$ au moins). Quelle est dans ce modèle l'énergie cinétique de l'électron de l'atome d'hydrogène ? En déduire sa vitesse.*

L'énergie mécanique initiale de l'électron est :

$$E_1 = E_p + E_c. \qquad (1)$$

Lorsque l'électron est arraché à l'atome ($r \longrightarrow \infty$), son énergie potentielle est nulle de sorte que son énergie mécanique E_2 est purement cinétique, donc *positive*. L'énergie minimale qu'il faut fournir est donc :

$$E_0 = E_{2\min} - E_1 = -E_1,$$

puisque $E_{2\min} = 0$. D'où, compte tenu de (1) : $E_c = -E_0 - E_p = -13{,}6 + 27{,}2$, soit $\underline{E_c = 13{,}6\,eV}$.

Enfin, $v = \sqrt{\dfrac{2E_c}{m}}$ soit $m = \sqrt{\dfrac{2 \times 13{,}6 \times 1{,}6.10^{-19}}{9{,}1.10^{-31}}}$ soit $\underline{v = 2{,}2.10^6\ \text{m.s}^{-1}}$.

Attention ! Pour obtenir v en m.s^{-1}, il faut exprimer E_c en J et m en kg.

[exercices]

[1] Calculer la force d'interaction gravitationnelle entre l'électron et le proton de l'atome d'hydrogène. La distance moyenne (électron – proton) est de $5{,}3.10^{-11}$ m. Comparer avec le poids de l'atome et la force électrostatique. Conclure.

[2] Quelles sont la direction, le sens et l'intensité du champ électrostatique $\vec{E}$ créé par une charge ponctuelle $Q = 10^{-8}$ C à une distance $d = 10$ cm de celle-ci ?

[3] Déterminer le champ électrostatique $\vec{E}$ au centre O du carré $ABCD$.
On donne $AB = a = 2.10^{-10}$ m et $q = 1{,}6.10^{-19}$ C.

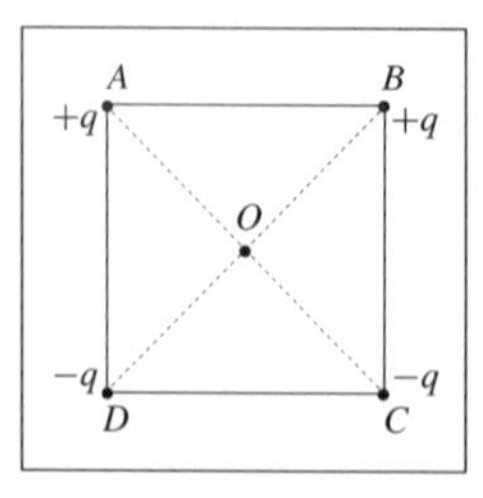

[4] Deux charges ponctuelles de 10 nC et 50 nC sont distantes de 10 cm. Trouver le point, situé entre les deux charges, où le champ est nul.

[5] Une charge $q = 5\,\text{nC}$ est placée en un point A à la distance $2a = 2\,\text{cm}$ d'une charge $-q$ placée en B. Déterminer le champ électrostatique $\overrightarrow{E}$ au point M situé sur la médiatrice de AB, à une distance $x = 3\,\text{cm}$ du milieu O de AB.

On place une charge $q' = -2\,\text{nC}$ en M. Déterminer la force $\overrightarrow{F}$ subie par la charge q'.

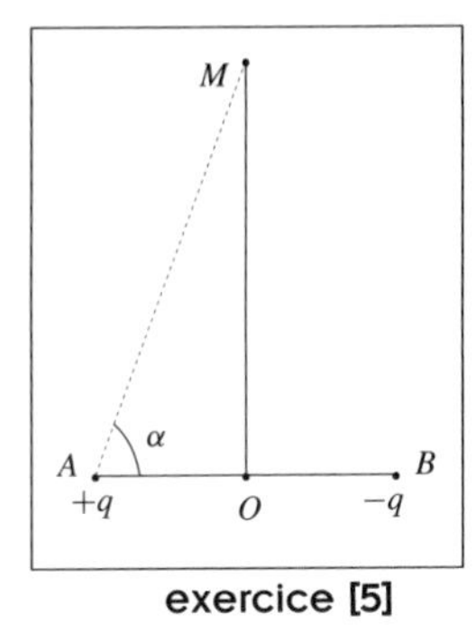

exercice [5]

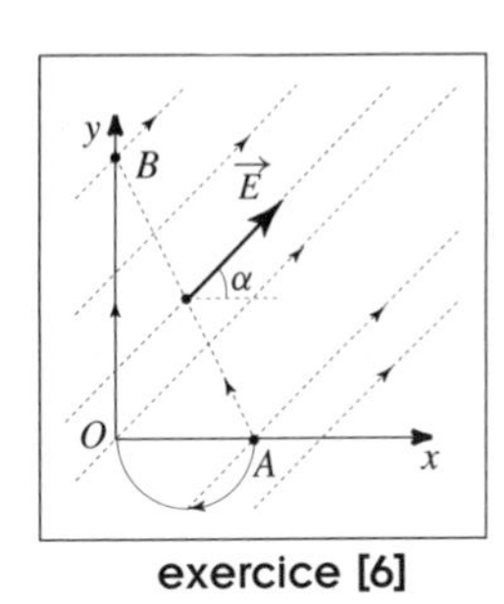

exercice [6]

[6] Dans le plan xOy règne un champ électrostatique uniforme $\overrightarrow{E}$ incliné d'un angle $\alpha = 45°$ sur l'axe Ox et d'intensité $E = 1\,000\,\text{V.m}^{-1}$. Le potentiel est pris égal à zéro au point O et les distances sont en cm.

[a] Calculer les potentiels V_A et V_B en $A(5{,}0\,;\ 0)$ et $B(10\,;\ 0)$.

[b] Calculer de deux façons différentes le travail de la force électrostatique qui s'exerce sur une charge $q = 10\,\mu\text{C}$ que l'on déplace en ligne droite de O vers A et de O vers B.

[c] Calculer le travail de la force électrostatique lorsque la charge est déplacée de A en B, soit en ligne droite, soit en suivant un demi-cercle de diamètre OA, puis le segment OB.

[7] Une goutte de glycérine sphérique de masse volumique $\rho = 1\,260\,\text{kg.m}^{-3}$, de rayon connu $r = 0{,}18\,\mu\text{m}$ est en équilibre dans le vide entre deux plaques métalliques horizontales (A) et (B) lorsque la différence de potentiel $V_A - V_B = 295\,\text{V}$. On donne $d = 8\,\text{mm}$.

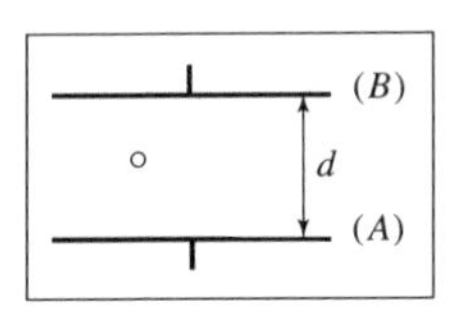

[a] Calculer le champ électrostatique entre (A) et (B).

[b] Montrer que la charge est électrisée et préciser le signe de la charge q qu'elle porte.

[c] Écrire la condition d'équilibre de la goutte et en déduire la valeur de q.

[réponses]

[1] $3{,}6.10^{-47}$ N $\ll 1{,}6.10^{-26}$ N (poids) $\ll 8{,}2.10^{-8}$ N (force électrostatique).

[2] $E = 9.10^3$ V.m^{-1}.

[3] $\vec{E}$ est parallèle à AB, orienté de A vers B et $E = 2{,}0.10^{11}$ V.m^{-1}.

[4] À 3,1 cm de la charge de 10 nC.

[5] $\vec{E}$ est selon $\overrightarrow{AB}$. Avec $\tan\alpha = 3$, on trouve $E = \dfrac{2Kq\cos\alpha}{a^2 + x^2}$ soit $E = 2{,}8.10^4$ V.m^{-1}.

$\vec{F}$ est opposée à $\vec{E}$ et a pour intensité $5{,}7.10^5$ N.

[6] **[a]** $W_{OA} = q(V_O - V_A) = \vec{F} \cdot \overrightarrow{OA} = q\,\vec{E} \cdot \overrightarrow{OA}$, d'où $V_O - V_A = \vec{E} \cdot \overrightarrow{OA}$ soit $V_O - V_A = 1\,000 \times 5{,}0.10^{-2} \times \cos 45°$; on trouve $V_A = -35$ V et $V_B = -71$ V.

[b] $W_{OA} = \vec{F} \cdot \overrightarrow{OA} = 1\,000 \times 5{,}0.10^{-2} \times \cos 45°$ ou $W_{OA} = q(V_O - V_A)$; on trouve $W_{OA} = 0{,}35$ mJ et $W_{OB} = 0{,}71$ mJ.

[c] $W_{AB} = E_p(A) - E_p(B)$ est indépendant du chemin suivi ; $W_{AB} = q(V_A - V_B)$ soit $W_{AB} = 0{,}36$ mJ.

[7] **[a]** $E = 37$ kV.m^{-1} ; **[b]** $q > 0$; **[c]** $q = \dfrac{4}{3}\dfrac{\pi r^3 \rho g}{E}$ soit $q = 8{,}2.10^{-21}$ C.

LOIS GÉNÉRALES DES MOUVEMENTS

CHAPITRE 11

Ces lois générales ont été établies par Galilée et par Newton ; elles sont à la base de la dynamique, branche de la Mécanique permettant de déterminer un mouvement à partir des forces qui le régissent.

[l'essentiel]

[1] Loi de l'inertie de Galilée (1re loi de Newton)

Un objet au repos sur une table horizontale est soumis à une force résultante nulle. Si on lui communique une certaine vitesse sur la table et qu'on le lâche ensuite, on constate en l'absence de frottement (table à coussin d'air, par exemple) que l'objet se déplace sur la table en ligne droite, en gardant la même vitesse. Galilée a eu l'idée de génie de faire l'hypothèse qu'aucune force supplémentaire n'était nécessaire à ce type de mouvement, c'est-à-dire que la résultante des forces exercées sur l'objet est encore nulle, contrairement à une idée reçue répandue alors et encore aujourd'hui. Si l'on observe les choses de plus près, on constate que :

– seul le centre d'inertie G est animé d'un mouvement rectiligne et uniforme, l'objet tournant généralement dans le même temps autour de G ; si l'on ne s'intéresse pas à cette rotation, ce qui revient à observer l'objet « de très loin », on conviendra de qualifier l'objet de « ponctuel » ou de « particule » ;

– si l'on place la table sur un manège tournant, G décrit sur la table une spirale et non une droite, mais son mouvement reste bien rectiligne et uniforme pour un observateur immobile à l'extérieur du manège !

Ceci suggère l'énoncé suivant :

✗ **Loi de l'inertie. En l'absence de force (ou en présence de forces dont la résultante est nulle), un solide ponctuel est animé d'un mouvement rectiligne et uniforme[1].**

[1] Cette loi est aussi appelée *Principe d'inertie*.

[2] Référentiels galiléens

Comme on l'a remarqué plus haut, cette loi n'est pas satisfaite dans tout référentiel : *un référentiel où la loi de l'inertie est vérifiée est dit galiléen.*

Dans l'exemple du paragraphe précédent, le référentiel de la Terre apparaît comme galiléen, alors que celui du manège ne l'est pas. Quels sont donc les référentiels galiléens ?

Certainement tous ceux qui sont en mouvement de translation rectiligne et uniforme par rapport à l'un quelconque d'entre eux, la Terre par exemple.

En pratique les choses ne sont pas aussi simples : du fait de la rotation de la Terre sur elle-même, on s'aperçoit que le loi de l'inertie s'applique d'autant moins bien que la durée de l'observation augmente : elle apparaît même totalement fausse dans le référentiel terrestre sur une durée de 24 heures. On la trouvera cependant encore bien vérifiée dans le *référentiel géocentrique*, défini par un repère dont l'origine est au centre de la Terre et les axes pointés vers trois étoiles n'ayant pas bougé de façon apparente depuis des siècles. En raison de la rotation de la Terre autour du Soleil, le référentiel géocentrique perd son caractère galiléen si l'on étudie un mouvement dont la durée dépasse quelques semaines. En pratique, on considérera comme galiléen :

- le *référentiel terrestre* pour les mouvements dont la durée n'excède pas quelques heures ;
- *le référentiel géocentrique* sur quelques semaines ;
- le *référentiel héliocentrique de Copernic*, défini comme le référentiel géocentrique, mais avec l'origine du repère considéré au centre du système solaire, pour une durée pouvant aller jusqu'à plusieurs millénaires.

[3] Loi fondamentale (2e loi de Newton)

Selon la loi de l'inertie, un solide ponctuel est animé d'un mouvement rectiligne et uniforme en l'absence de force. Que devient le mouvement si une force $\overrightarrow{F}$ apparaît ?

Si cette force est colinéaire à la trajectoire rectiligne initiale, celle-ci ne sera pas modifiée, mais l'énergie cinétique de l'objet augmentera ou diminuera selon que $\overrightarrow{F}$ a le sens de la vitesse $\vec{v}$ ou le sens contraire. Si la force a une direction différente *la trajectoire va s'incurver dans le sens de la force*. Plus précisément, l'effet obtenu dépendra de « l'inertie » qu'oppose l'objet au mouvement : plus sa masse m est grande, plus grande est son inertie. En outre, plus la vitesse initiale est élevée, moins la trajectoire initiale s'en trouve altérée. La grandeur physique la plus simple prenant en compte à la fois la masse m et la vitesse $\vec{v}$ est le produit des deux. On l'appelle la **quantité de mouvement** $\vec{p}$ de l'objet :

$$\boxed{\vec{p} = m\vec{v}.} \qquad (11, 1)$$

Malgré une apparence abstraite[1], la quantité de mouvement joue en mécanique un rôle bien plus fondamental que la vitesse, comme nous le verrons plus loin. Nous sommes ainsi amenés à formuler autrement notre question initiale : comment la force modifie-t-elle la quantité de mouvement ?

[1] L'unité de quantité de mouvement, le kg.m.s^{-1} dans le système international, n'a pas d'intérêt pratique et n'a donc pas reçu de nom spécifique

Considérons par exemple une planète gravitant autour du soleil, qui exerce sur elle la force d'attraction $\vec{F}$; soit $\vec{p}$ sa quantité de mouvement à l'instant t. À un instant très voisin $t + \mathrm{d}t$, elle est $\vec{p} + \mathrm{d}\vec{p}$.

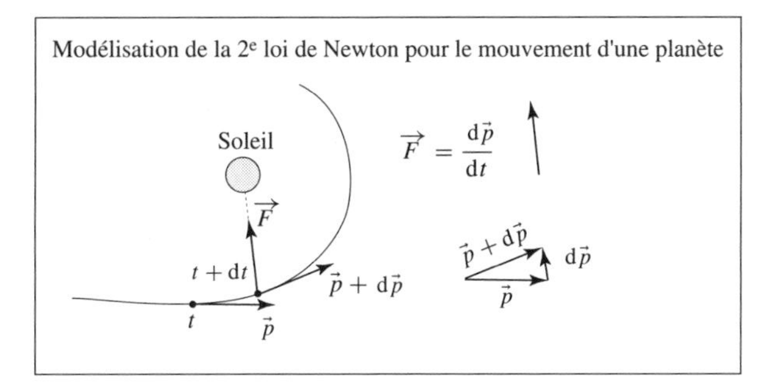

Newton a découvert que $\vec{p}$ varie selon la loi :

$$\boxed{\frac{\mathrm{d}\vec{p}}{\mathrm{d}t} = \vec{F}.} \tag{11, 2}$$

C'est la loi fondamentale de la dynamique. Dans la pratique, on utilisera l'une des deux formulations équivalentes suivantes :

$$\boxed{m\frac{\mathrm{d}\vec{v}}{\mathrm{d}t} = \vec{F},} \tag{11, 3}$$

que l'on obtient en reportant (11,1) dans (11,2).

Par ailleurs, $\mathrm{d}t$ étant très petit, le rapport $\frac{\mathrm{d}\vec{v}}{\mathrm{d}t}$ s'identifie avec la dérivée de $\vec{v}$, c'est-à-dire avec *l'accélération* $\vec{a}$ (*cf.* **5.[3].[b]**) :

$$\boxed{m\vec{a} = \vec{F}.} \tag{11, 4}$$

✗ **• On retrouve la loi de l'inertie si $\vec{F} = \vec{0}$ dans (11,3) ; par conséquent :**

La loi fondamentale n'est valable que dans les référentiels galiléens.

• Si le corps est soumis à plusieurs forces, il est clair que $\vec{F}$ représentera leur résultante.

• En toute rigueur $\vec{v}$ est la vitesse du centre d'inertie du système : on n'aura garde de l'oublier si l'on n'a pas affaire à une masse ponctuelle.

• On admettra que dans ces conditions la loi de Newton reste valable pour un système matériel quelconque (déformable ou constitué de parties mobiles les unes par rapport aux autres).

• La comparaison de (2,1) et (11,4) montre que le champ de pesanteur $\vec{g}$ est homogène à une accélération et justifie son unité, le m.s^{-2}.

[4] Loi des actions réciproques (3e loi de Newton)

Un corps suspendu à un ressort ou à un fil exerce une force qui déforme le ressort ou qui tend le fil ; inversement, le ressort ou le fil exerce une force qui empêche le corps suspendu de tomber. De même, la Terre et la Lune s'attirent l'une l'autre par interaction de gravitation : il y a toujours réciprocité.

Newton a découvert que d'une manière générale les forces d'interaction entre deux corps en mouvement obéissent à la loi des actions réciproques[1] :

✗ **Deux objets ponctuels en interaction exercent l'un sur l'autre des forces $\overrightarrow{F_{12}}$ et $\overrightarrow{F_{21}}$ ayant même droite d'action, même intensité et des sens opposés.**

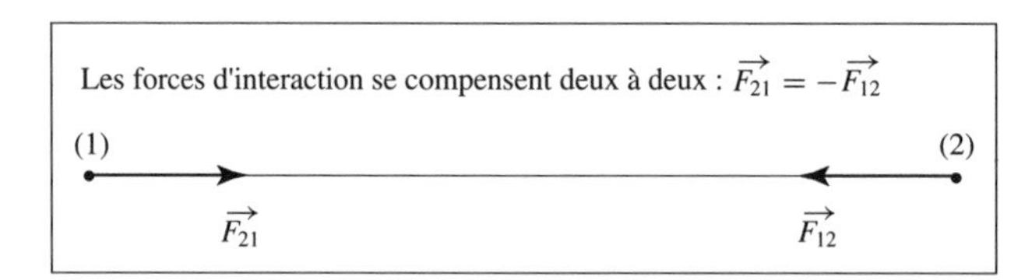

Nous avons déjà pu constater dans des cas particuliers la validité de cette loi : pour les forces de contact (*cf.* **3.[2]** et **[4]**), les forces de gravitation (*cf.* **9.[2]**) ou les forces électrostatiques (*cf.* **10.[1]**).

En particulier, les forces intérieures à un système se compensent deux à deux :

✗ **La résultante des forces intérieures est toujours nulle : on n'en tiendra donc jamais compte dans les expressions (11,2) à (11,4).**

[5] Loi de conservation de la quantité de mouvement

C'est une évidence, d'après la loi de l'inertie, que la quantité de mouvement d'une particule isolée se conserve : $\vec{p} = m\vec{v}$ est constante si $\vec{v}$ est constante.

Définissons maintenant la quantité de mouvement $\vec{p}$ d'un système de particules comme la somme vectorielle des quantités de mouvement des particules :

$$\vec{p} = \sum_i \vec{p}_i. \qquad (11,5)$$

Considérons un système *isolé* constitué de deux particules : chacune d'elles n'est donc soumise qu'à l'action de l'autre et la 2e loi de Newton s'écrit :

$$\frac{\mathrm{d}\vec{p}_1}{\mathrm{d}t} = \overrightarrow{F_{21}} \quad \text{et} \quad \frac{\mathrm{d}\vec{p}_2}{\mathrm{d}t} = \overrightarrow{F_{12}}.$$

La résultante de ces deux forces est nulle d'après la 3e loi de Newton, de sorte que :

$$\frac{\mathrm{d}\vec{p}_1}{\mathrm{d}t} + \frac{\mathrm{d}\vec{p}_2}{\mathrm{d}t} = \vec{0},$$

[1] On dit aussi *Principe d'égalité de l'action et de la réaction.*

et par conséquent $\vec{p} = \vec{p}_1 + \vec{p}_2$ est constant.

Cela suggère l'énoncé suivant, valable pour un nombre quelconque de particules :

✗ **La quantité de mouvement d'un système isolé se conserve.**

Cette loi est à associer à la loi de conservation de l'énergie d'un système isolé (*cf.* **6.[6]**) avec laquelle elle constitue un des principes fondamentaux de la Physique : on ne lui connaît à ce jour aucune exception et sa validité subsiste dans toutes les théories physiques actuellement en vigueur. On ne peut en dire autant des 2e et 3e lois de Newton.

[de l'essentiel à la pratique]

Mots-clés

loi de l'inertie

— fondamentale

— des actions réciproques

quantité de mouvement

référentiels galiléens

centre d'inertie

forces extérieures

— intérieures

choc élastique

— mou

[1] Loi de l'inertie

Une automobile de masse $m = 960\,\text{kg}$ *se déplace à* $90\,\text{km.h}^{-1}$ *sur une route rectiligne et horizontale. Le moteur exerce une force de traction dont l'intensité est* 1 200 N.

Déterminer les caractéristiques des forces exercées sur le véhicule considéré comme un objet ponctuel.

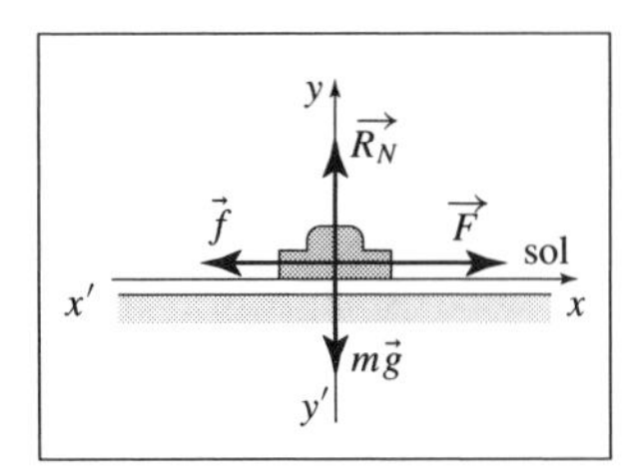

Les forces exercées sur la voiture sont le poids $m\vec{g}$, la force de traction $\vec{F}$ parallèle à la route, la réaction de la route, que l'on peut représenter par sa composante normale $\overrightarrow{R_N}$ et sa composante tangentielle $\vec{f}$; cette dernière correspond à la résistance à l'avancement.

Le mouvement de la voiture est rectiligne et uniforme ; par conséquent, la résultante des forces appliquées doit être nulle selon la première loi de Newton :

$$M\vec{g} + \overrightarrow{R_N} + \vec{F} + \vec{f} = \vec{0}. \qquad (1)$$

$F = 1\,200\,\text{N}$ et $mg = 960 \times 9{,}8 = 9{,}4.10^3\,\text{N}$ sont connues.

Pour calculer f, nous projetons la relation (1) sur l'axe horizonal $x'x$ de façon à éliminer $\overrightarrow{R_N}$ et $m\vec{g}$ dont les projections sur $x'x$ sont nulles :

$$F - f = 0,$$

soit :

$$f = F = 1\,200\,\text{N}.$$

Pour calculer R_N, on projette sur l'axe vertical $y'y$:

$$R_N - mg = 0$$
$$\underline{R_N = mg \simeq 9\,400\,\mathrm{N}.}$$

[2] Choc entre deux solides ponctuels ou deux particules

On considère que pendant la durée très brève du choc les solides interagissent par des forces de contact très élevées de sorte que pendant le choc toutes les forces extérieures sont négligeables.

[a] *Que peut-on dire de la quantité de mouvement du système des deux solides ?*

Pendant le choc, si on néglige les forces extérieures, la somme des forces appliquées au système est nulle car les forces de contact sont des forces intérieures (3e loi de Newton). Ce système peut donc, pendant la durée du choc, être considéré comme isolé. **Sa quantité de mouvement se conserve donc pendant la durée du choc** :

$$\underset{\text{(juste avant le choc)}}{\vec{p}_1 + \vec{p}_2} = \underset{\text{(juste après le choc)}}{\vec{p}_1' + \vec{p}_2'}.$$

Notez que cela ne restera pas vrai dans le temps (après le choc) s'il y a des forces extérieures.

[b] Choc élastique

Que peut-on dire de l'énergie cinétique du système constitué de deux particules élémentaires (nucléons, atomes, noyaux, électrons,. . .) qui entrent en collisions ? On suppose qu'il n'y a pas modification des particules pendant la collision et qu'il n'y a pas de forces extérieures.

Le système des deux particules est isolé, son énergie se conserve donc (*cf.* **6.[6].[b]**). Cette énergie est dans ce cas de nature purement cinétique. Il y a donc **conservation de l'énergie cinétique du système** (on dit que le choc est **élastique**) :

$$\underset{\text{(avant)}}{E_{c1} + E_{c2}} = \underset{\text{(après)}}{E_{c1}' + E_{c2}'}.$$

[3] Choc de plein fouet

Une petite bille (1) de masse m, animée d'une vitesse $\vec{v}_1$ heurte une bille (2) identique initialement au repos. Le choc est « de plein fouet » (ou « direct » ou « frontal »), c'est-à-dire que les vitesses après le choc sont colinéaires à $\vec{v}_1$.

m $\vec{v}_1$ m
x' (1) (2) x

Déterminer les vitesses $\vec{v}_1'$ et $\vec{v}_2'$ après le choc supposé élastique.

La quantité de mouvement du système des deux billes se conserve pendant le choc :

$$m\,\vec{v_1} = m\,\vec{v_1'} + m\,\vec{v_2'}.$$

Désignons par v_1, v'_1, v'_2 les valeurs *algébriques* des vitesses sur la direction commune $x'x$. On doit donc écrire :

$$\begin{cases} mv_1 = mv'_1 + mv'_2 & \text{(conservation de la quantité de mouvement)} \\ \dfrac{1}{2}mv_1^2 = \dfrac{1}{2}mv_1'^2 + \dfrac{1}{2}mv_2'^2 & \text{(choc élastique),} \end{cases}$$

soit :

$$\begin{cases} v'_1 + v'_2 = v_1 \\ v_1'^2 + v_2'^2 = v_1^2. \end{cases} \qquad \text{(I)}$$

Les vitesses v'_1 et v'_2 sont donc solutions d'un système *non-linéaire* : nous allons essayer de lui substituer un système linéaire ; (I) peut s'écrire :

$$\begin{cases} v_1 - v'_1 = v'_2 \\ v_1^2 - v_1'^2 = v_2'^2. \end{cases}$$

$v_1 \neq v'_1$ sinon $v'_2 = 0$: il n'y aurait pas de choc.
On peut donc diviser membre à membre les deux équations obtenues. Compte tenu de $v_1^2 - v_1'^2 = (v_1 - v'_1)(v_1 + v'_1)$, on obtient une deuxième équation linéaire :

$$v_1 + v'_1 = v'_2 \quad \text{ou} \quad v'_1 - v'_2 = -v_1.$$

(I) est donc équivalent au système linéaire :

$$\begin{cases} v'_1 + v'_2 = v_1 \\ v'_1 - v'_2 = -v_1. \end{cases} \qquad \text{(II)}$$

En additionnant membre à membre, on obtient immédiatement :

$$v'_1 = 0,$$

puis

$$v'_2 = v_1.$$

La bille (1) s'arrête donc tandis que la bille (2) part avec la vitesse v_1.

[4] Choc mou

Un wagon de masse $m = 20$ tonnes est lâché sans vitesse initiale sur une pente de longueur $\ell = 50$ m, faisant l'angle $\alpha = 1°$ avec l'horizontale. Le wagon vient heurter un autre wagon de masse $m = 30$ tonnes, initialement immobile. Les frottements sont négligeables.

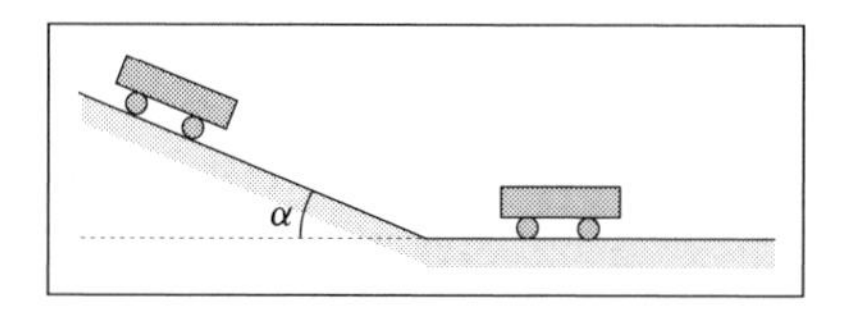

[a] *Quelle est la vitesse commune v des deux wagons après le choc si ceux-ci restent accrochés ?*

Si V est la vitesse du premier wagon au moment du choc, on a :

$$m_1 V = (m_1 + m_2)v \quad \text{(conservation de la quantité de mouvement au cours du choc).}$$

V est donnée par le théorème de la conservation de l'énergie mécanique du premier wagon dans le champ de pesanteur (il n'y a pas de frottement) ; l'énergie cinétique étant nulle :

$$mgh = \frac{1}{2}mV^2,$$

où $h = \ell \sin\alpha$.

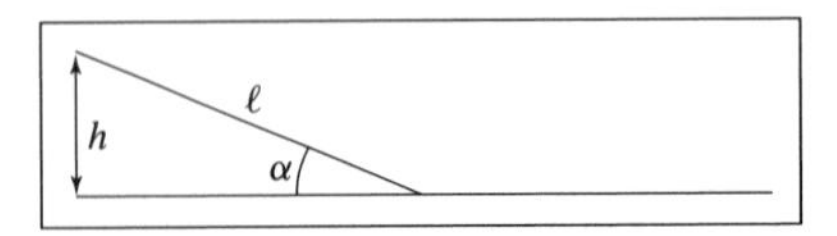

Finalement :

$$V = \sqrt{2g\ell \sin\alpha} \quad \text{et} \quad v = \frac{m_1}{m_1 + m_2}V,$$

soit :

$$\boxed{v = \frac{m_1}{m_1 + m_2}\sqrt{2g\ell \sin\alpha}.}$$

On trouve $\underline{v = 1{,}7\,\text{m.s}^{-1}}$.

[b] *Exprimer la variation de l'énergie cinétique ΔE_c du système des deux wagons au moment du choc en fonction de l'énergie cinétique initiale E_0. Conclure.*

$$\Delta E_c = \frac{1}{2}(m_1 + m_2)v^2 - \frac{1}{2}m_1 V^2.$$

En reportant $v = \dfrac{m_1}{m_1 + m_2}V$ on obtient :

$$\Delta E_c = \frac{1}{2}\frac{m_1^2}{m_1 + m_2}V^2 - \frac{1}{2}m_1 V^2.$$

Mais $\dfrac{1}{2}m_1 V^2 = E_0$, de sorte que :

$$\Delta E_c = \frac{1}{2}m_1 V^2\left[\frac{m_1}{m_1 + m_2} - 1\right] = \frac{1}{2}m_1 V^2\left[-\frac{m_2}{m_1 + m_2}\right]$$

$$\Delta E_c = -\frac{m_2}{m_1 + m_2}E_0.$$

Il y a donc perte d'énergie cinétique : *le choc n'est pas élastique*. Les deux wagons étant accolés après le choc, celui-ci est qualifié de *mou*. L'énergie cinétique « perdue » a été transformée en chaleur, c'est-à-dire en énergie cinétique répartie de façon désordonnée entre les atomes et molécules des deux solides (*cf.* **18.[1]** et **20.[1]**).

[5] Choc élastique

Un neutron animé d'une vitesse $\vec{v}_1$ vient heurter un autre neutron au repos. Montrer que si le choc n'est pas direct, les particules diffusent dans des directions perpendiculaires entre elles.

Soient $\overrightarrow{v_1'}$ et $\overrightarrow{v_2'}$ les vitesses après le choc. Les deux particules ayant même masse m, on peut écrire :

$$m\,\overrightarrow{v_1} = m\,\overrightarrow{v_1'} + m\,\overrightarrow{v_2'} \qquad \text{(conservation de la quantité de mouvement)}$$
$$\frac{1}{2}mv_1^2 = \frac{1}{2}mv_1'^2 + \frac{1}{2}mv_2'^2 \qquad \text{(conservation de l'énergie cinétique),}$$

soit :

$$\overrightarrow{v_1} = \overrightarrow{v_1'} + \overrightarrow{v_2'} \tag{1}$$
$$v_1^2 = v_1'^2 + v_2'^2. \tag{2}$$

En élevant les deux membres de (1) au carré, on obtient $v_1^2 = v_1'^2 + v_2'^2 + 2\,\overrightarrow{v_1'} \cdot \overrightarrow{v_2'}$. La comparaison de ce résultat à (2) montre que le produit scalaire $\overrightarrow{v_1'} \cdot \overrightarrow{v_2'} = 0$. Donc, ou bien $v_2' = 0$ (choc direct) ou bien $\overrightarrow{v_1'}$ et $\overrightarrow{v_2'}$ sont perpendiculaires.

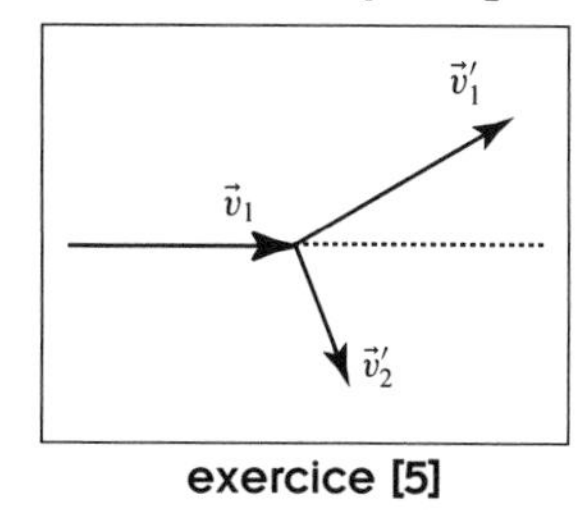

exercice [5]

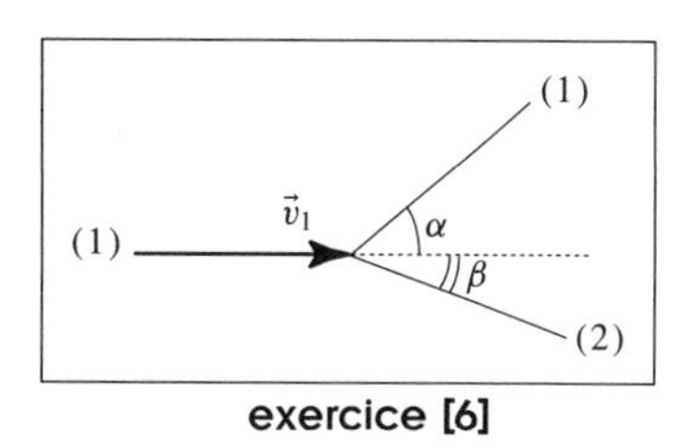

exercice [6]

[6] Choc élastique

Une bille animée d'une vitesse $\vec{v}_1$ heurte une deuxième bille au repos.

[a] *Écrire la conservation de la quantité de mouvement du système des deux billes et en déduire que le rapport $k = m_2/m_1$ de leurs masses et la valeur v_2' de la vitesse de la deuxième bille vérifient $v_1 \sin\alpha = kv_2' \sin(\alpha + \beta)$.*

On a :

$$m_1\,\overrightarrow{v_1} = m_1\,\overrightarrow{v_1'} + km_1\,\overrightarrow{v_2'},$$

soit en divisant par m_1 :

$$\overrightarrow{v_1} = \overrightarrow{v_1'} + k\,\overrightarrow{v_2'}. \tag{1}$$

Projetons (1) sur $x'x$ suivant $\overrightarrow{v_1}$ et $y'y$ perpendiculaire à $x'x$:

$$v_1 = v_1' \cos\alpha + kv_2' \cos\beta \tag{2}$$
$$0 = v_1' \sin\alpha - kv_2' \sin\beta. \tag{3}$$

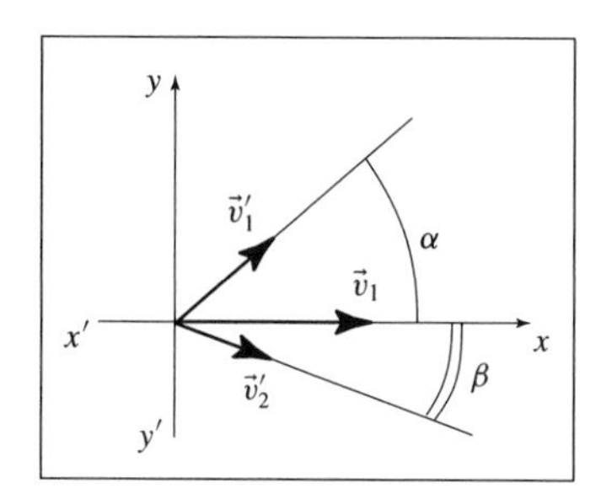

En formant (2) $\times \sin\alpha$ – (3) $\times \cos\alpha$, on élimine v'_1 :

$$v_1 \sin\alpha = kv'_2(\sin\alpha\cos\beta + \sin\beta\cos\alpha).$$

Finalement :

$$v_1 \sin\alpha = kv'_2 \sin(\alpha+\beta). \qquad (4)$$

[b] *Le choc est élastique. En déduire k. On donne $\alpha = 125°$ et $\beta = 10°$.*

Le choc est élastique, donc :

$$\begin{aligned}\frac{1}{2}m_1v_1^2 =& \frac{1}{2}m_1v_1'^2 + \frac{1}{2}km_1v_2'^2\\ v_1^2 =& v_1'^2 + kv_2'^2. \qquad (5)\end{aligned}$$

En reportant $v'_1 \sin\alpha = kv'_2 \sin\beta$ tiré de (3), dans (5) multipliée par $\sin^2\alpha$, il vient :

$$v_1^2\sin^2\alpha = k^2v_2'^2\sin^2\beta + kv_2'^2\sin^2\alpha.$$

Compte tenu de (4) :

$$\begin{aligned}k^2v_2'^2\sin^2(\alpha+\beta) =& k^2v'^2\sin^2\beta + kv'^2\sin^2\alpha\\ k\sin^2(\alpha+\beta) =& k\sin^2\beta + \sin^2\alpha.\end{aligned}$$

Finalement :

$$\boxed{k = \frac{\sin^2\alpha}{\sin^2(\alpha+\beta) - \sin^2\beta},}$$

soit $\underline{k = 1{,}4}$.

Remarque. Si $\alpha + \beta = 90°$, alors $k = \dfrac{\sin^2\alpha}{1-\sin^2\beta} = \dfrac{\sin^2\alpha}{\cos^2\beta} = 1$ puisque $\cos\beta = \sin\alpha$: on retrouve l'hypothèse de l'exercice [5].

[exercices]

[1] Un skieur descend en ligne droite une pente faisant l'angle 30° avec l'horizontale à la vitesse de $72\,km.h^{-1}$. Sa masse est 80 kg. Quelle est la valeur de la force de résistance à l'avancement, supposée parallèle à la piste ?

[2] Un cycliste gravit une route rectiligne dont la pente est 3% (on s'élève de 3 m pour 100 m parcourus). Sa vitesse est $18\,km.h^{-1}$ et sa masse totale avec le vélo est 85 kg. Quelle est l'intensité de la force de traction execée par le cycliste si la résistance au mouvement équivaut, par unité de masse, à une force de $0{,}36\,N.kg^{-1}$?

[3] Deux palets sur une table à coussin d'air sont liés par un ressort comprimé et maintenu par un fil. Lorsqu'on brûle le fil, les palets initialement au repos se séparent avec des vitesses de $5\,cm.s^{-1}$ et $2\,cm.s^{-1}$. Quel est le rapport de leurs masses ?

[4] Un proton ($m_1 = 1{,}67.10^{-27}$ kg) heurte à la vitesse $v_1 = 1{,}0.10^7\,m.s^{-1}$ un noyau d'hélium immobile et rebondit en arrière à la vitesse $v'_1 = 4{,}0.10^6\,m.s^{-1}$ tandis que le noyau d'hélium est propulsé à la vitesse $v'_2 = 1{,}3.10^6\,m.s^{-1}$. Quelle est la masse du noyau d'hélium ?

[5] Un wagon de masse égale à 10^4 kg est tamponné par une motrice de masse $1{,}5.10^4$ kg qui se déplace avant le choc à $1\,m.s^{-1}$. Quelle est la vitesse de l'ensemble après le choc s'il y a accrochage du wagon ?

[6] Une bille tombe d'une hauteur h. Le choc est élastique. À quelle hauteur rebondit-elle ?

[7] Trouver les vitesses finales après le choc élastique de deux billes identiques se déplaçant à la rencontre l'une de l'autre avec les vitesses $\vec{v}_1$ et $\vec{v}_2$.

[8] Une balle de masse 4 kg heurte de plein fouet à la vitesse de $1{,}2\,m.s^{-1}$ une autre balle de masse 5 kg se déplaçant à $0{,}6\,m.s^{-1}$ dans la même direction. Le choc est élastique. Trouver les vitesses après le choc.

[9] Même question si les deux balles restent collées après le choc.

[10] Pendule balistique. Le dispositif de la figure est utilisé pour déterminer la vitesse d'une balle ou d'un obus en mesurant la hauteur h à laquelle le récipient rempli de sable s'élève après que le projectile s'y est encastré. Calculer la vitesse V du projectile en fonction de h, de sa masse m et de la masse M du récipient.

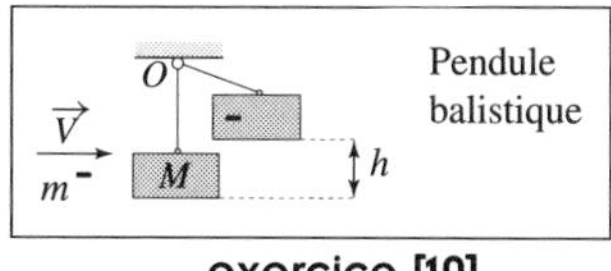

exercice [10]

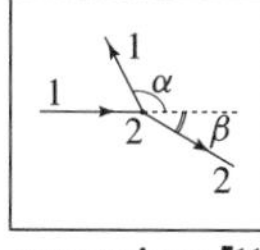

exercice [11]

[11] Une boule de masse $m_1 = 2$ kg vient heurter à la vitesse $v_1 = 4{,}0\,m.s^{-1}$ une autre boule initialement au repos et de masse $m_2 = 2{,}5$ kg. La première boule est déviée d'un angle $\alpha = 118°$ avec une vitesse $v'_1 = 0{,}38\,m.s^{-1}$.

[a] Déterminer l'angle β définissant la direction dans laquelle est projetée la deuxième boule.

[b] Calculer la vitesse v'_2 de cette boule après le choc.

[c] Calculer la perte relative ou énergie cinétique au cours du choc.

[réponses]

[1] $f = mg\sin 30°$ soit $f \simeq 390\,\text{N}$.

[2] Le cycliste est soumis à une résistance $\vec{f} = m\vec{f_0}$ où $f_0 = 0{,}36\,\text{N.kg}^{-1}$; on trouve avec $\sin\alpha = 3/100$, $F = m(f_0 + g\sin\alpha)$ soit $F \simeq 56\,\text{N}$.

[3] Le système des deux palets est isolé, leur quantité de mouvement se conserve : $\dfrac{m(5)}{m(2)} = \dfrac{2}{5}$.

[4] Attention aux signes des vitesses... $6{,}4.10^{-27}\,\text{kg}$.

[5] $0{,}6\,\text{m.s}^{-1}$.

[6] La bille rebondit avec la même vitesse (en sens inverse) $v = \sqrt{2gh}$ donnée par la conservation de l'énergie mécanique. Elle remonte à la hauteur h.

[7] Après le choc, les billes échangent leurs vitesses : $\vec{v_1'} = \vec{v_2}$ et $\vec{v_2'} = \vec{v_1}$.

[8] $0{,}54\,\text{m.s}^{-1}$ et $1{,}13\,\text{m.s}^{-1}$.

[9] $0{,}87\,\text{m.s}^{-1}$.

[10] $V = \left(1 + \dfrac{M}{m}\right)\sqrt{2gh}$. Exprimer la vitesse de l'ensemble après impact et utiliser le théorème de l'énergie cinétique.

[11] Calculer $\sin\beta$ et $\cos\beta$ en projetant la relation exprimant la conservation de la quantité de mouvement comme au **[6].[b]** p.144. On trouve :

$$\tan\beta = \frac{\sin\alpha}{v_1/v_1' - \cos\alpha},$$

et $\beta = 4{,}6°$.
On en déduit :

$$v_2' = v_1' \frac{m_1}{m_2}\frac{\sin\alpha}{\sin\beta} = 3{,}35\,\text{m.s}^{-1}$$

$$-\frac{\Delta E_c}{E_c} = 1 - \left(\frac{v_1'}{v_1}\right)^2 - \frac{m_2}{m_1}\left(\frac{v_2'}{v_1}\right)^2 = 11{,}4\,\%.$$

DÉTERMINATION DES FORCES À PARTIR DU MOUVEMENT

CHAPITRE 12

C'est le cas le plus simple d'utilisation des lois de Newton car il ne nécessite que des calculs algébriques. Il suffit de projeter l'équation (11,4) sur des directions convenables comme le montrent les exemples suivants.

[de l'essentiel à la pratique]

[1] *Un objet* (A) *de masse* $m = 2\,\text{kg}$ *glisse sans frottement en ligne droite sur un plan incliné de* $30°$ *sur l'horizontale. Quelle est son accélération* $\vec{a}$ *?*

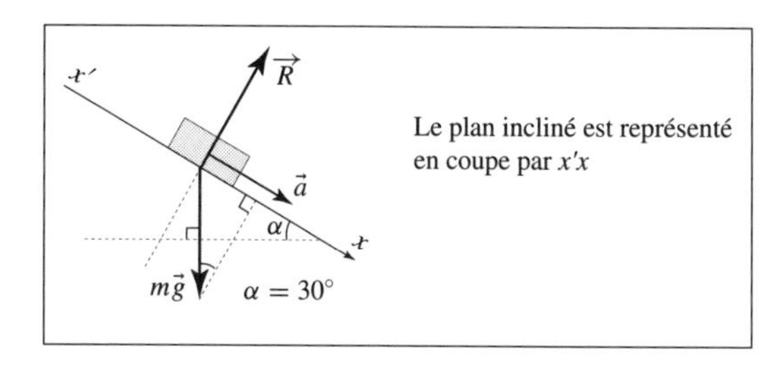

Le plan incliné est représenté en coupe par $x'x$

(A) est soumis à deux forces : son poids $m\vec{g}$ et la réaction $\vec{R}$ du plan, perpendiculaire à celui-ci car il n'y a pas de frottement. Par conséquent la relation fondamentale (11,4) s'écrit :

$$m\vec{g} + \vec{R} = m\vec{a}.$$

En projetant cette relation sur la direction $x'x$ du mouvement, $\vec{R}$ force de contact *a priori* inconnue, donne zéro et s'élimine. On retiendra cette méthode.

✗ **Pour éliminer une force de contact, il suffit de projeter la relation fondamentale sur une direction qui lui est perpendiculaire.**

Il vient donc :

$$mg \sin 30^\circ = ma,$$

d'où :

$$a = g \sin 30^\circ$$

soit $a = 9{,}8 \times 0{,}5$ soit $\underline{a = 4{,}9\,\text{m.s}^{-2}}$.

[2] *Un objet* (A) *de masse* $m = 3\,\text{kg}$ *est accroché à un dynamomètre de masse négligeable, lui-même suspendu dans un ascenseur de masse* $M = 270\,\text{kg}$. *Pendant la phase de démarrage ascendante, le dynamomètre indique un poids apparent* $F = 31{,}2\,\text{N}$. *Quelles sont alors l'accélération* $\vec{a}$ *et la tension* $\vec{T}$ *du câble auquel est suspendu l'ascenseur ?*

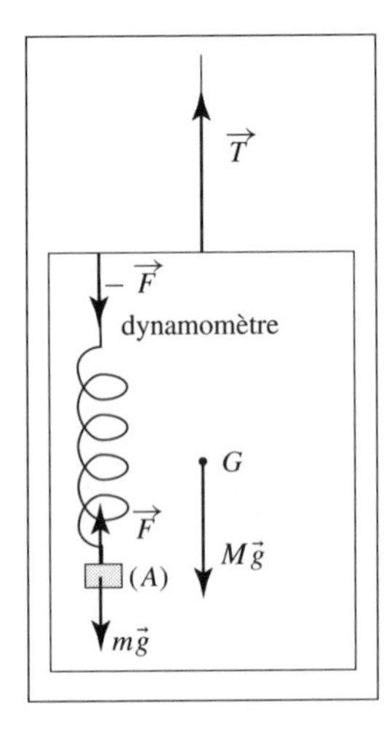

L'objet (A) et l'ascenseur sont fixes l'un par rapport à l'autre : ils ont donc la même accélération par rapport à la Terre. (A) est soumis à son poids $m\vec{g}$ et à la force de rappel $\vec{F}$ du ressort du dynamomètre. Donc :

$$m\vec{a} = m\vec{g} + \vec{F}$$

$$\vec{a} = \vec{g} + \frac{\vec{F}}{m}.$$

$\vec{g}$ et $\vec{F}$ sont de même direction et de sens opposés ; il vient par conséquent, en projetant sur la verticale :

$$a = \frac{F}{m} - g,$$

soit $a = \dfrac{31{,}2}{3} - 9{,}8$ soit enfin $\underline{a = 0{,}6\,\text{m.s}^{-2}}$.

La tension du câble s'exerce sur le système constitué par l'ascenseur et son contenu, dont la masse totale est par ailleurs $M + m$. Il faut donc considérer les forces extérieures qui lui sont appliquées : les poids $m\vec{g}$ de (A) et $M\vec{g}$ de l'ascenseur (exercés par la Terre), la tension

$\vec{T}$ (exercée par la câble). La relation fondamentale (11,4) s'écrit donc pour le système de l'ascenseur et de son contenu :

$$m\vec{g} + M\vec{g} + \vec{T} = (M + m)\vec{a},$$

d'où :

$$\vec{T} = (M + m)\,(\vec{a} - \vec{g}).$$

$\vec{a}$ et $\vec{g}$ étant de sens contraire, il vient alors en projetant cette relation sur la verticale ascendante :

$$T = (M + m)\,(a + g),$$

soit $T = 273 \times 10{,}4$ soit $\underline{T = 2\,840\,\mathrm{N}}$.

[3] *Un ascenseur descend avec un mouvement uniformément accéléré pendant* 10 s *à compter du départ. La distance parcourue dans ce temps est* 35 m *et la masse totale de l'ascenseur est* 280 kg. *Sa vitesse initiale est nulle. Calculer la tension du câble qui supporte l'ascenseur.*

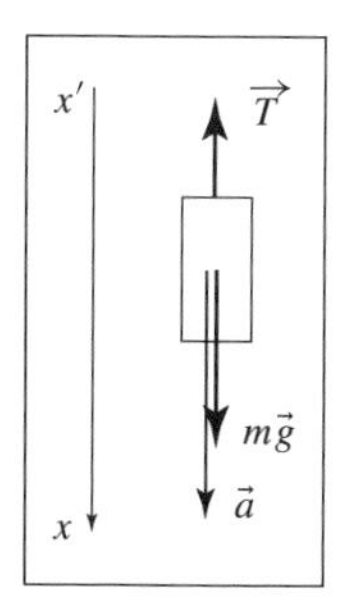

On pose : $m = 280\,\mathrm{kg}$; $t_1 = 10\,\mathrm{s}$; $x_1 = 35\,\mathrm{m}$.

L'ascenseur (considéré ici comme «ponctuel») est soumis à deux forces verticales : la tension $\vec{T}$ du câble et son poids $m\vec{g}$. Son accélération $\vec{a}$ est verticale ascendante. La relation fondamentale s'écrit :

$$m\vec{g} + \vec{T} = m\vec{a},$$

soit en projetant sur la verticale descendante $x'x$:

$$mg - T = ma,$$

d'où l'on tire :

$$T = m(g - a).$$

En fait l'accélération $\vec{a}$ dans la relation fondamentale est celle du centre de masse de l'ascenseur, mais ici l'on a un *mouvement de translation rectiligne*, de sorte que tous les points du système ont le même mouvement.

Il reste à calculer a. La distance parcourue à partir de l'instant initial $t = 0$, où la vitesse initiale est nulle, est :

$$x = \frac{1}{2}at^2 + v_0t + x_0,$$

soit avec $x_0 = 0$ et $v_0 = 0$ par hypothèse :

$$x = \frac{1}{2}at^2,$$

d'où :

$$a = \frac{2x}{t^2} = \frac{2x_1}{t_1^2},$$

soit $\underline{a = 0{,}7\,\text{m.s}^{-2}}$. Enfin :

$$T = m(g - a),$$

soit $T = 280 \times (9{,}8 - 0{,}7)$ soit $\underline{T = 2{,}5.10^3\,\text{N}}$.

[4] *Une masse m est attachée à une ficelle inextensible et décrit un cercle de rayon r dans un plan vertical. Sa position est repérée par l'angle θ de la ficelle avec la verticale.*

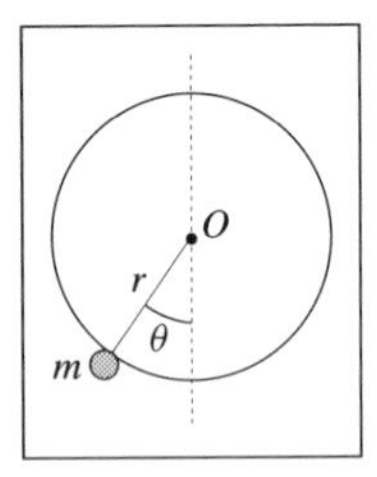

[a] *Exprimer la tension T de la ficelle en fonction de m, θ et de la vitesse angulaire ω du mouvement.*

Deux forces s'exercent sur la masse : son poids $m\vec{g}$ et la tension $\vec{T}$. L'équation fondamentale s'écrit donc :

$$m\vec{g} + \vec{T} = m\vec{a}.$$

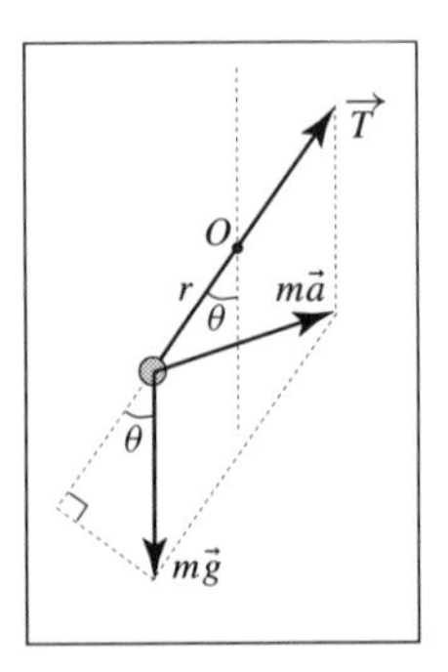

On projette sur la direction de $\vec{T}$, orientée dans le sens de $\vec{T}$:

$$\text{proj}(\vec{T}) = T$$

$$\text{proj}(\vec{g}) = -\,g\cos\theta$$

$$\text{proj}(\vec{a}) = a_N = \frac{v^2}{r} = \frac{r^2\omega^2}{r} = r\omega^2.$$

Notez que $\text{proj}(\vec{a}) > 0$ car $\vec{a}$ est toujours orientée dans l'intérieur de la trajectoire. Donc :

$$-mg\cos\theta + T = m\omega^2 r$$

$$\boxed{T = m\omega^2 r + mg\cos\theta.}$$

[b] *Quelle est la vitesse angulaire minimale pour que le fil reste toujours tendu ?*

La tension T ne doit pas s'annuler, pour que le fil reste tendu ; autrement dit son expression doit rester *positive* pour toutes les valeurs de θ :

$$m\omega^2 r + mg\cos\theta > 0.$$

Le minimum de cette expression, obtenu pour $\cos\theta = -1$, doit donc être positif :

$$m\omega^2 r - mg > 0.$$

D'où :

$$\boxed{\omega > \sqrt{\frac{g}{r}}.}$$

$\omega_{\text{min}} = \sqrt{\dfrac{9{,}8}{0{,}50}}$, soit $\underline{\omega_{\text{min}} = 4{,}4\,\text{rad.s}^{-1}}$.

[c] *Quelle est la valeur maximale admissible pour ω si la tension de rupture est de $16\,\text{N}$, $m = 0{,}3\,\text{kg}$ et $r = 0{,}50\,\text{m}$?*

La condition $T < T_0$ s'écrit :

$$m\omega^2 r + mg\cos\theta < T_0,$$

d'où :

$$\omega < \sqrt{\frac{T_0}{mr} - \frac{g\cos\theta}{r}}.$$

Cette inégalité doit être satisfaite pour toute valeur de θ. Il faut donc que ω soit inférieur à la plus petite valeur de la racine carrée, laquelle correspond à $\cos\theta = 1$. Ainsi :

$$\boxed{\omega < \sqrt{\frac{T_0}{mr} - \frac{g}{r}}.}$$

$\omega_{\text{max}} = \sqrt{\dfrac{16}{0{,}3 \times 0{,}5} - \dfrac{9{,}8}{0{,}5}}$ soit $\underline{\omega_{\text{max}} = 9{,}3\,\text{rad.s}^{-1}}$.

[5] *Quel doit être l'angle α que doit faire le profil de la chaussée d'une autoroute pour qu'une voiture roulant à $130\,\text{km.h}^{-1}$ subisse une réaction du sol perpendiculaire à la chaussée dans un virage horizontal de rayon $r = 600\,\text{m}$? Quel est l'intérêt de ce profil ?*

L'équation fondamentale s'écrit :

$$\vec{R} + m\vec{g} = m\vec{a}.$$

L'accélération $\vec{a}$ du véhicule est centripète (mouvement circulaire et uniforme) donc horizontale et $a = \dfrac{v^2}{r}$.

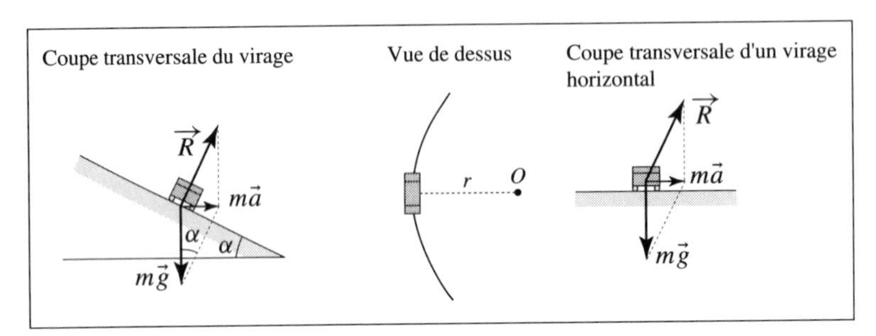

$\vec{R}$ étant perpendiculaire à la route, la figure montre que $m\vec{g}$ et $m\vec{a}$ définissent un triangle rectangle dont l'un des angles est α :

$$\tan\alpha = \frac{ma}{mg} = \frac{v^2}{rg},$$

soit $v = \dfrac{130.10^3}{3\,600}$ en m.s^{-1} et $\tan\alpha = \left(\dfrac{130.10^3}{3\,600}\right)^2 \dfrac{1}{600 \times 9{,}8}$ d'où $\underline{\alpha = 13^\circ}$.

Si le plan de la route était horizontal, c'est la composante horizontale de $\vec{R} + m\vec{g}$, c'est-à-dire la force de frottement exercée par la route sur les pneumatiques qui devrait être égale à $m\vec{a}$. Si les frottements sont insuffisants, le véhicule dérape, ce qui ne peut se produire si la route est inclinée de l'angle α puisqu'alors ils n'interviennent pas.

[exercices]

[1] Même question que pour l'exercice **[3]** p.149, l'ascenseur étant en montée.

[2] Une plate-forme horizontale supportant une masse de 10 kg descend verticalement avec une accélération de 2 m.s^{-2}. Quelle est la réaction exercée par la masse sur la plate-forme ?

[3] Un objet de masse égale à 3 kg repose sur une table et est attaché à un fil inextensible pouvant supporter statiquement une masse maximale de 4,2 kg sans se rompre.

Quelle accélération maximale peut-on communiquer à la main pour soulever verticalement l'objet sans casser le fil ?

[4] La montée d'un ascenseur dont la cabine a une masse totale de 480 kg est constituée de trois phases :

- la vitesse croît linéairement de 0 à 5 m.s^{-1} en 2 s ;
- la vitesse reste constante pendant 15 s ;
- la vitesse décroit linéairement de 5 m.s^{-1} à 0 en 2 s.

Quelles sont, au cours des trois phases, les valeurs a_1, a_2, a_3 de l'accélération ainsi que celles T_1, T_2, T_3 de la tension du câble auquel est suspendue l'ascenseur ?

[5] Une automobile de masse 800 kg se déplaçant à 60 km.h^{-1}, gravit en ligne droite une côte dont la pente est de 8 % (elle s'élève de 8 m après avoir parcouru 100 m). Quelle est l'intensité de la force de résistance à l'avancement si le moteur exerce une force de traction parallèle à la route et d'intensité 1 020 N ?

[6] Un cycliste, de masse totale 90 kg avec sa machine, descend une pente rectiligne de 10 % à vitesse constante et égale à 4 m.s^{-1}. Quelle est la valeur de la résultante des forces de freinage exercée par les patins de frein sur les roues ? On négligera la résistance de l'air.

[réponses]

[1] $T = 2{,}9.10^3$ N.

[2] Calculer la réaction de la plate-forme sur la masse ; la 2e puis la 3e loi de Newton donnent le résultat demandé : la réaction cherchée est verticale descendante et vaut 78 N.

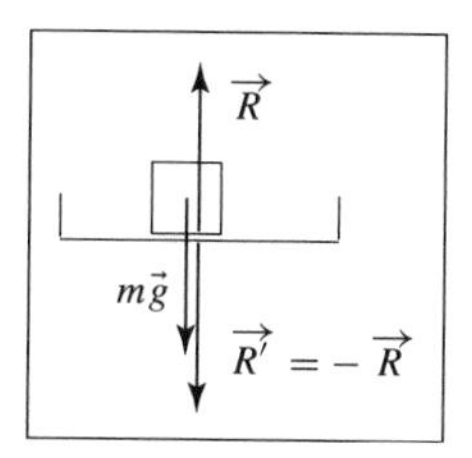

[3] Calculer la tension T_0 de rupture du fil, puis exprimer la tension T du fil en fonction de l'accélération a de l'objet (laquelle est égale à celle de la main). La condition $T < T_0$ conduit à $a < 3{,}9$ m.s^{-2}.

[4] $a_1 = 2{,}5$ m.s^{-2} ; $a_2 = 0$; $a_3 = -2{,}5$ m.s^{-2} ; $T_1 = 5{,}9.10^3$ N ; $T_2 = 4{,}7.10^3$ N ; $T_3 = 3{,}5.10^3$ N.

[5] En projetant la relation (11,4) sur la route, on trouve $f = F - 0{,}08mg$, soit $f = 390$ N.

[6] 88 N.

MOUVEMENTS RECTILIGNES DANS LE CHAMP DE PESANTEUR

CHAPITRE 13

La détermination du mouvement à partir des forces nécessite un outil mathématique plus sophistiqué, car il faudra déduire la position $\overrightarrow{OM}(t)$ du mobile en fonction du temps de l'équation (6,2), au mieux en effectuant deux recherches successives de primitives sur l'expression de l'accélération $\vec{a}(t)$; en général, on aura affaire à une équation entre $\overrightarrow{OM}(t)$ et ses dérivées, c'est-à-dire une équation différentielle plus ou moins commode à résoudre.

[de l'essentiel à la pratique]

Mot-clé

conditions initiales

[1] [a] *Établir l'équation différentielle du mouvement d'un corps sous l'action de la pesanteur lorsque les frottements sont négligeables et montrer que le mouvement est indépendant de la masse m du corps.*

La seule force appliquée est le poids $m\vec{g}$ et l'équation fondamentale (11,3) s'écrit :

$$m\vec{g} = m\frac{d\vec{v}}{dt},$$

soit :

$$\frac{d\vec{v}}{dt} = \vec{g}. \qquad (13, 1)$$

La masse m n'apparaît pas dans (13,1) : les solutions ne peuvent donc dépendre de M. En d'autres termes :

✗ **Le mouvement d'un corps sous l'action de son poids seul est indépendant de sa masse.**

[b] *Étudier le mouvement du corps lorsqu'on l'adandonne sans vitesse initiale à partir du point O (équation du mouvement et trajectoire).*

Il faut donc intégrer l'équation (13,1) : $\vec{g}$ y représente une *constante vctorielle*, de sorte que $\vec{v}$ est une fonction affine du temps :

$$\vec{v} = \vec{g}t + \overrightarrow{A},$$

où $\overrightarrow{A}$ est une constante vectorielle d'intégration qu'il faut déterminer en tenant compte des conditions initiales du mouvement :

$$\begin{cases} \overrightarrow{v(0)} = \overrightarrow{A} & \text{(en faisant } t = 0 \text{ dans } \vec{g}t + \overrightarrow{A}\text{)} \\ \overrightarrow{v(0)} = \overrightarrow{0} & \text{(vitesse initiale nulle par hypothèse).} \end{cases}$$

Donc $\overrightarrow{A} = \overrightarrow{0}$, de sorte que $\vec{v}(t)$ se trouve ainsi parfaitement déterminée :

$$\vec{v} = \vec{g}t.$$

De l'expression de $\vec{v}$ $\left(\text{c'est-à-dire de } \dfrac{\mathrm{d}\overrightarrow{OM}}{\mathrm{d}t}, \textit{cf. } \mathbf{5.[3].[a]}\right)$ en fonction de t, on va déduire la position $\overrightarrow{OM}(t)$: ce sera ici une primitive de $\vec{g}t$. Or, les primitives de $\vec{g}t$ sont les fonctions vectorielles du second degré en t de la forme :

$$\vec{g}\frac{t^2}{2} + \overrightarrow{B},$$

où $\overrightarrow{B}$ est une constante vectorielle d'intégration ; ainsi :

$$\overrightarrow{OM}(t) = \vec{g}\frac{t^2}{2} + \overrightarrow{B}.$$

Là aussi la constante $\overrightarrow{B}$ se détermine en considérant qu'à l'instant initial :

- d'une part $t = 0$, de sorte qu'en faisant $t = 0$ dans l'expression de $\overrightarrow{OM}(t)$, il vient $\overrightarrow{OM}(0) = \overrightarrow{B}$;
- d'autre part M est en O, de sorte que $\overrightarrow{OM}(0) = \overrightarrow{0}$.

Il s'en suit que $\overrightarrow{B} = \overrightarrow{0}$ et, en définitive :

$$\overrightarrow{OM}(t) = \frac{1}{2}\vec{g}t^2.$$

On en déduit en particulier que le *mouvement est rectiligne suivant la verticale de O* (car $\overrightarrow{OM}$ garde la direction de $\vec{g}$ à chaque instant) et *uniformément varié*.

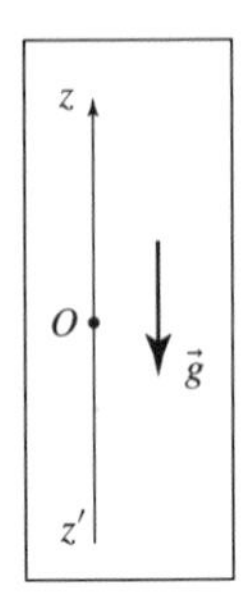

Si l'on projette cette expression sur la verticale ascendante $z'z$ d'origine O, on obtient l'*équation horaire du mouvement* :

$$z = -\frac{1}{2}gt^2. \qquad (13, 2)$$

On tirera donc de cette étude les enseignements suivants :

✘ **L'intégration de l'équation fondamentale de la dynamique fait apparaître deux constantes d'intégration vectorielles inconnues *a priori*.**

✘ **Ces constantes se calculent en exprimant les conditions initales dans les expressions obtenues pour la vitesse $\vec{v}(t)$ et la position $\overrightarrow{OM}(t)$: on y fait $t = t_0$ (l'instant initial) et on égale les résultats obtenus à la vitesse initiale $\vec{v}_0$ et à la position initiale $\overrightarrow{OM_0}$ respectivement.**

[2] *Un obus de masse m quitte le fût horizontal d'un canon avec la vitesse $\vec{v_0}$. La longueur du fût est ℓ et l'on suppose que la résultante $\vec{F}$ des forces exercées sur l'obus par les gaz libérés dans l'explosion et les forces de frottement est constante. On considérera que la vitesse de l'obus est nulle au départ de la culasse.*

[a] *Trouver les expressions en fonction du temps de la vitesse v et de la distance x parcourue par l'obus dans le canon.*

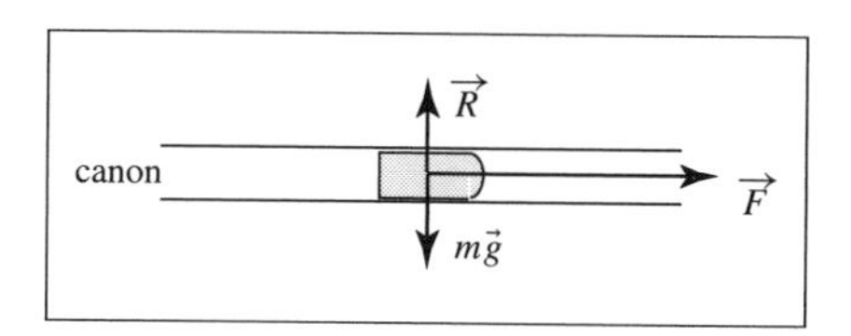

On peut considérer que l'obus est soumis à deux forces verticales (son poids $m\vec{g}$ et la réaction normale $\overrightarrow{R_N}$ du canon) et à une force horizontale (la résultante $\vec{F}$) :

$$\vec{F} + m\vec{g} + \overrightarrow{R_N} = m\vec{a},$$

donne en projection horizontale :

$$F = m\frac{\mathrm{d}v}{\mathrm{d}t},$$

car le mouvement est horizontal et rectiligne. La force F étant constante, on en déduit :

$$v = \frac{F}{m}t + A.$$

Or, à $t = 0$, la vitesse est nulle :

$$0 = A.$$

Donc

$$v = \frac{F}{m}t. \qquad (1)$$

$v = \dfrac{dx}{dt} = \dfrac{F}{m}t$ montre que $x = \dfrac{F}{m}\dfrac{t^2}{2} + B$. La condition initiale $x(0) = 0$ donne enfin :

$$\boxed{x = \frac{F}{2m}t^2.} \qquad (2)$$

[b] *Calculer le temps t_0 mis par l'obus pour sortir du canon et en déduire la valeur de F. Quelle masse M aurait un poids égale à F ?*

On donne : $m = 5{,}5\,\text{kg}$; $v_0 = 620\,\text{m.s}^{-1}$; $\ell = 1{,}80\,\text{m}$.

Le rapport membre à membre des expressions (1) et (2) donne, pour $t = t_0$:

$$t_0 = \frac{2\ell}{v_0}$$
$$F = \frac{mv_0}{t_0}$$
$$M = \frac{F}{g}.$$

On trouve numériquement $\underline{t_0 = 5{,}8\,\text{ms}}$, $\underline{F = 5{,}9.10^5\,\text{N}}$, $\underline{M = 60\,\text{tonnes}}$.

[exercices]

Sauf indication contraire la résistance de l'air sera supposée négligeable.

[1] Un projectile est lancé verticalement vers le haut avec une vitesse initiale v_0. Trouver l'équation horaire $z = f(t)$ sur un axe vertical ascendant : on prendra l'origine à la position initiale et l'origine du temps à l'instant initial. Quelle est la hauteur maximale atteinte ?

[2] Une bille est lancée verticalement vers le bas, du haut d'une tour avec une vitesse initiale de $12\,\text{m.s}^{-1}$. Calculer la vitesse et la distance parcourue après 2 s de chute.

[3] Un objet est lancé vers le haut avec une vitesse initiale $v_0 = 6{,}5\,\text{m.s}^{-1}$ verticale, à partir du niveau $z = 0$. Il se colle au plafond au niveau $h = 2\,\text{m}$ puis se détache spontanément 2,2 s plus tard. Au bout de combien de temps atteint-il le plafond ? Quand repasse-t-il au niveau $z = 0$?

[4] Un solide (S) de masse m est abandonné sans vitesse initiale en un point O d'un plan (P) incliné d'un angle α sur l'horizontale. Les frottements sont négligeables.

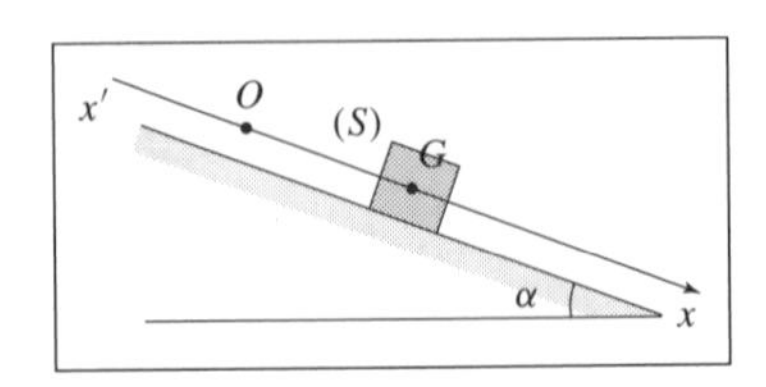

[a] Montrer que la réaction $\vec{R}$ du plan sur (S) est constante.

[b] Déterminer la position $\overrightarrow{OG}$ du centre de masse G du solide en fonction de $\vec{g}$, $\overrightarrow{R}$ et du temps t.

[c] En déduire que le mouvement a lieu suivant la ligne de la plus grande pente $x'x$ du plan incliné et donner son équation horaire.

[5] Un solide supposé ponctuel de masse $m = 0,10\,\text{kg}$ glisse le long de la ligne de plus grande pente AB d'un plan incliné faisant un angle $\alpha = 20°$ avec l'horizontale. Le solide est abandonné en A sans vitesse initiale.

[a] En négligeant les frottements, déterminer la nature du mouvement et la durée du parcours AB si $AB = 2,0\,\text{m}$.

[b] En réalité cette durée est de 1,3 s. En modélisant les frottements par une force $\vec{f}$ constante, calculer la valeur de cette force.

[réponses]

[1] $z = -\dfrac{1}{2}gt^2 + v_0 t$; en écrivant que $v = 0$ pour $z = z_{\text{max}}$, on trouve $z_{\text{max}} = \dfrac{v_0^2}{2g}$.

[2] $31,6\,\text{m.s}^{-1}$; 44 m.

[3] Si $t = 0$ est l'instant où l'objet est lancé, la date t_1 à laquelle l'objet atteint le plafond est solution de :

$$t^2 - \frac{2v_0}{g}t + \frac{2h}{g} = 0.$$

t_1 est la plus petite des deux racines de l'équation : elle correspond au premier passage (à la montée) au niveau $z = h$, alors que l'autre racine correspond au second passage (à la descente) au niveau $z = h$, si bien sûr le plafond n'avait interrompu le mouvement ! On trouve $t_1 = 0,49\,\text{s}$.

On refait ensuite le calcul avec les nouvelles conditions initiales $t_2 = 0,49 + 2,2 = 2,69\,\text{s}$ et $v_2 = 0$. On trouve $h = \dfrac{1}{2}g(t_3 - t_2)^2$ et on en tire :

$$t_3 = t_2 + \sqrt{\frac{2h}{g}},$$

soit $t_3 = 3,33\,\text{s}$; il est commode ici de faire provisoirement un changement d'origine du temps pour faire le calcul : $t_2' = 0$ et calculer $t_3 = t_2 + t_3'$.

[4] **[a]** La projection de l'accélération sur la direction de $\overrightarrow{R}$ est nulle puisque le mouvement a lieu dans le plan (P) ; on en déduit en projetant (11,4) que :

$$R = mg\cos\alpha.$$

[b] En intégrant (11,3), on trouve :

$$\overrightarrow{OG} = \left(\vec{g} + \frac{\overrightarrow{R}}{m}\right)\frac{t^2}{2}.$$

[c] Le mouvement se fait donc dans le plan vertical défini par O, $\vec{g}$ et $\dfrac{\overrightarrow{R}}{m}$ dont l'intersection avec (P) est $x'x$. La projection de $\overrightarrow{OG}(t)$ sur $x'x$ donne :

$$x = \frac{1}{2}(g\sin\alpha)t^2. \qquad \text{(mouvement uniformément varié)}$$

Notez que le mouvement ne dépend pas de la masse m.

[5] [a] $t = \sqrt{\dfrac{2AB}{g\sin\alpha}}$ soit $t = 1{,}09$ s (*cf.* exercice **[4]** p.159).

[b] $x = \dfrac{1}{2}\left(g\sin\alpha - \dfrac{f}{m}\right)t^2$; $f = m\left(g\sin\alpha - \dfrac{2AB}{t'^2}\right)$ soit $f = 0{,}098$ N.

MOUVEMENTS SOUS L'ACTION D'UNE FORCE CONSTANTE

CHAPITRE 14

L'étude du mouvement d'un objet ponctuel sous l'action d'une force constante conduit, quelle que soit la nature de la force (de pesanteur ou électrostatique par exemple), au résultat suivant : le mouvement est uniformément varié et la trajectoire est parabolique ou exceptionnellement rectiligne [1].

[de l'essentiel à la pratique]

[1] *On se propose d'étudier le mouvement d'un projectile de masse m lancé avec une vitesse initiale quelconque $\vec{v_0}$ faisant l'angle α avec l'horizontale (angle de tir). On suppose la resistance de l'air négligeable.*

[a] *Déterminer la position $\overrightarrow{OM}$ du projectile en fonction du temps.*

L'équation fondamentale (11,3) s'écrit :

$$m\vec{g} = m\frac{\mathrm{d}\vec{v}}{\mathrm{d}t},$$

soit :

$$\frac{\mathrm{d}\vec{v}}{\mathrm{d}t} = \vec{g}.$$

C'est évidemment l'équation (13,1) : seules les conditions initiales diffèrent de celle du **13.[1]**. En particulier, rappelons que la masse ne figure pas dans cette équation.

✗ **Les mouvements dans le champ de pesanteur ne dépendent pas de la masse[2].**

[1] Ce cas particulier a déjà été étudié dans l'exemple **[1]** du chapitre **13** p.155.

[2] Cela n'est évidemment plus vrai s'il se superpose au poids une autre force (résistance de l'air, force électrique,. . .).

$\vec{v}$ est de même qu'au **13.[1]** une primitive de la constante $\vec{g}$, soit :

$$\vec{v}(t) = \vec{g}t + \vec{A}.$$

Prenons $t = 0$ comme instant initial :

$$\vec{v}(0) = \vec{A},$$

comme au **13.[1]**, mais la condition initiale $\vec{v}(0) = \vec{v}_0$ est différente ; aussi :

$$\begin{aligned} \vec{A} &= \vec{v_0} \\ \vec{v} &= \vec{g}t + \vec{v_0}. \end{aligned} \qquad (14,1)$$

La position $\overrightarrow{OM}(t)$ est donc une primitive de $\vec{g}t + \vec{v_0}$ car $\vec{v} = \dfrac{\mathrm{d}\overrightarrow{OM}}{\mathrm{d}t}$; ainsi :

$$\overrightarrow{OM}(t) = \vec{g}\frac{t^2}{2} + \vec{v_0}t + \vec{B},$$

où $\vec{B}$ est une constante vectorielle qui dépend du choix de l'origine O et de la position initiale du projectile : choisissons celle-ci comme origine et faisons $t = 0$ dans l'expression de $\overrightarrow{OM}(t)$; il vient :

$$\overrightarrow{OM}(0) = \vec{B}.$$

Mais $\overrightarrow{OM}(0) = \vec{0}$ puisque M est en O à $t = 0$, de sorte que $\vec{B} = \vec{0}$. Par conséquent :

$$\overrightarrow{OM} = \vec{g}\frac{t^2}{2} + \vec{v_0}t. \qquad (14, 2)$$

[b] *Quel est le repère cartésien le plus commode pour étudier le mouvement ?*

Il faut ici distinguer deux cas :

– ou bien $\vec{v_0}$ à la direction de $\vec{g}$, ce qui correspond à $|\alpha| = 90°$, et M se déplace sur la verticale de O : un axe vertical Oz suffit pour étudier le mouvement (*cf.* **13.[1]**) ;

– ou bien $|\alpha| \neq 90°$ et M se déplace dans le plan vertical défini par $O, \vec{g}, \vec{v_0}$: *la trajectoire est plane*. Un repère à deux dimensions suffit donc dans le plan $(O, \vec{g}, \vec{v}_0)$; le plus simple est de prendre Oz vertical ascendant et Ox de sorte que $(Ox, \vec{v}_0) = \alpha$.

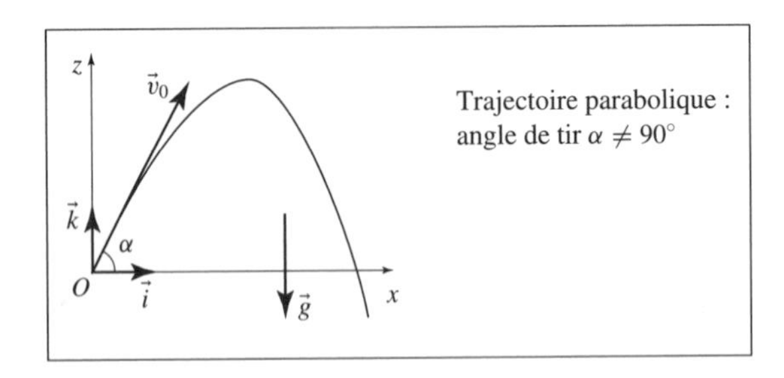

Trajectoire parabolique : angle de tir $\alpha \neq 90°$

[c] *Trouver les coordonnées du mobile en fonction du temps et en déduire l'équation cartésienne de la trajectoire.*

Il faut donc exprimer $\vec{g}$ et $\vec{v_0}$ en fonction des vecteurs unitaires $(\vec{i}, \vec{k})$ du repère choisi :

$$\begin{cases} \vec{v_0} = (v_0 \cos\alpha)\vec{i} + (v_0 \sin\alpha)\vec{k} \\ \vec{g} = -g\vec{k}. \end{cases}$$

On remplace maintenant dans (14,2) :

$$\overrightarrow{OM}(t) = (v_0 t \cos\alpha)\vec{i} + (v_0 t \sin\alpha - \frac{1}{2}gt^2)\vec{k},$$

soit :

$$\begin{cases} x = v_0 t \cos\alpha \\ z = -\frac{1}{2}gt^2 + v_0 t \sin\alpha. \end{cases} \tag{14, 3}$$

L'équation cartésienne s'obtient en tirant t en fonction de x, soit $t = \dfrac{x}{v_0 \cos\alpha}$ puis en reportant dans l'expression de z :

$$z = -\frac{1}{2}g\frac{x^2}{v_0^2 \cos^2\alpha} + x \tan\alpha. \tag{14, 4}$$

Cette équation de la forme $z = ax^2 + bx + c$ est celle d'une parabole d'axe vertical, tangente en O à $\vec{v_0}$.

✘ **La trajectoire d'un projectile lancé avec une vitesse initiale non verticale est une portion de parabole d'axe vertical.**

La forme de la solution (14,2) de l'équation différentielle du mouvement est, comme on l'a vu, due au fait que la force appliquée (le poids $m\vec{g}$) est une constante. On peut donc énoncer l'affirmation générale suivante :

✘ **Un mouvement sous l'action d'une force constante est parabolique ou rectiligne.**

[d] *Donner les coordonnées de la vitesse en fonction du temps.*

Les coordonnées $v_x = \dot{x}$ et $v_z = \dot{z}$ s'obtiennent immédiatememt, soit en projetant (14,1), soit en dérivant (14,3) par rapport au temps :

$$\begin{cases} v_x = v_0 \cos\alpha \\ v_z = -gt + v_0 \sin\alpha. \end{cases} \tag{14, 5}$$

[e] *Calculer le temps t_1 au bout duquel le projectile atteint le point le plus haut et en déduire l'altitude maximale h atteinte au dessus de la position initiale.*

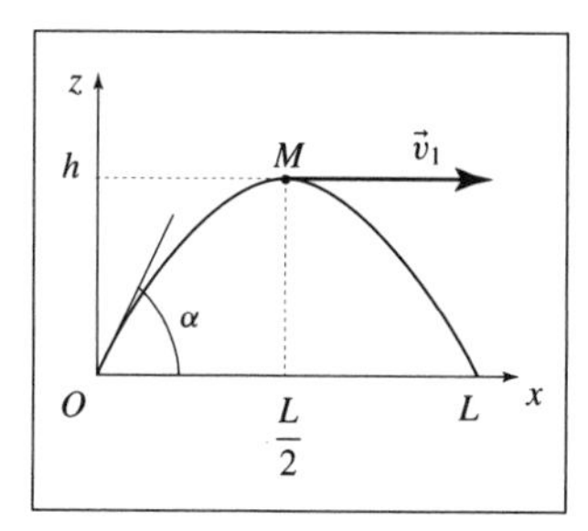

Au point le plus haut, $v_{1z} = 0$, soit d'après (14,5) :

$$-\,gt_1 + v_0 \sin\alpha = 0$$
$$t_1 = \frac{v_0 \sin\alpha}{g}.$$

On obtient h en reportant dans l'expression de z donnée par (14,3) :

$$h = -\frac{1}{2}gt_1^2 + v_0 t_1 \sin\alpha = -\frac{1}{2}\frac{v_0^2 \sin^2\alpha}{g} + \frac{v_0^2 \sin^2\alpha}{g}.$$

Finalement :

$$\boxed{h = \frac{v_0^2 \sin^2\alpha}{2g}.}$$

[f] *Trouver la portée horizontale L (distance du point de chute sur l'horizontale de la position initiale).*

L s'obtient facilement en faisant $x = \dfrac{L}{2}$ et $t = t_1$ dans (14,3) :

$$L = \frac{2v_0^2 \cos\alpha \sin\alpha}{g},$$

soit (*cf.* **E.[1]**) :

$$\boxed{L = \frac{v_0^2 \sin 2\alpha}{g}.}$$

[g] *Le tir est effectué par un obusier et la vitesse initiale v_0 est une constante. Quelle valeur faut-il donner à l'angle de tir α pour que la portée soit maximale ?*

Il faut que $\sin 2\alpha = 1$ (valeur maximale d'un sinus). D'où :

$$2\alpha = 90^\circ$$
$$\boxed{\alpha = 45^\circ,}$$

et

$$\boxed{L_{\max} = \frac{v_0^2}{g}.}$$

[2] *Une particule élémentaire de charge négative q et de masse m entre en O dans le vide, à l'instant $t = 0$, entre deux plaques conductrices planes , parallèles et distantes de d avec une vitesse $\vec{v_0}$ parallèle aux plaques.*

Les plaques sont soumises à une tension U constante et l'on admettra que le champ électrostatique $\vec{E}$ y est uniforme.

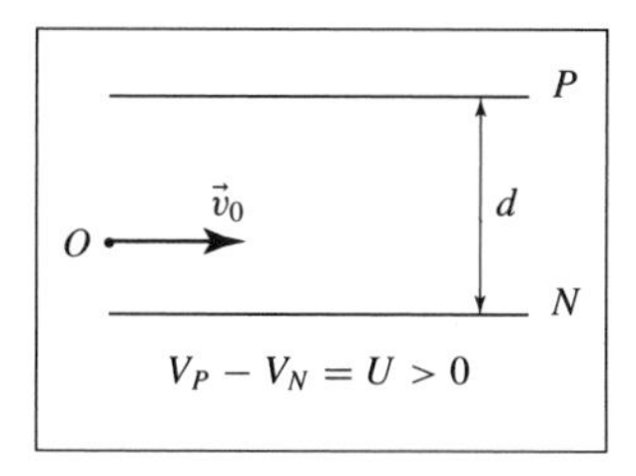

[a] *À quelles forces la particule est-elle soumise ?*

La particule est soumise à son poids $m\vec{g}$ et à la force électrostatique (10,2), soit $q\,\overrightarrow{E}$, de sens opposé à $\overrightarrow{E}$ car $q < 0$. La champ électrostatique $\overrightarrow{E}$ est perpendiculaire aux plaques (*cf.* **10.[3].[a]**) et son intensité donnée par (10,7) est $E = \dfrac{U}{d}$. De plus (*cf.* **10.[5]**), $m\vec{g}$ est négligeable devant $q\,\overrightarrow{E}$.

[b] *Étudier le mouvement de la particule (position fonction du temps et trajectoire).*

La deuxième loi de Newton (11,3) s'écrit dans ces conditions :

$$m\frac{\mathrm{d}\vec{v}}{\mathrm{d}t} = q\,\overrightarrow{E}.$$

$\dfrac{\mathrm{d}\vec{v}}{\mathrm{d}t} = \dfrac{q\,\overrightarrow{E}}{m}$ est une constante vectorielle puisque $\overrightarrow{E}$ est constant et $\vec{v}$ est par conséquent une fonction vectorielle affine du temps :

$$\overrightarrow{v}(t) = \frac{q\,\overrightarrow{E}}{m}t + \overrightarrow{A}.$$

La suite se traite comme au **14.[1]** ; à $t = 0$ on a :

$$\vec{v}(0) = \overrightarrow{v_0} \quad \text{(par hypothèse)}$$
$$\vec{v}(0) = \overrightarrow{A},$$

de sorte que :

$$\vec{v}(t) = \frac{q\,\overrightarrow{E}}{m}t + \overrightarrow{v_0}.$$

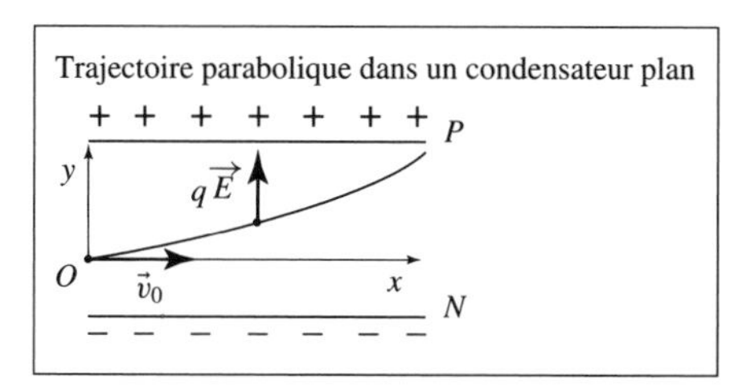

Comme $\vec{v} = \dfrac{\mathrm{d}\overrightarrow{OM}}{\mathrm{d}t}$, la position $\overrightarrow{OM}$ de la particule est une primitive de la forme :

$$\overrightarrow{OM}(t) = \frac{q\,\overrightarrow{E}}{m}\frac{t^2}{2} + \overrightarrow{v_0}t + \overrightarrow{B}.$$

La constante $\vec{B}$ est déterminée par la condition initiale : M est en O à $t = 0$, de sorte que $\vec{B} = \overrightarrow{OM}(0) = \vec{0}$. En définitive :

$$\overrightarrow{OM}(t) = \frac{q\vec{E}}{m}\frac{t^2}{2} + \vec{v_0}t. \qquad (14, 6)$$

La particule se déplace donc dans le plan définit par O, $\vec{v_0}$ et $\vec{E}$: *la trajectoire est plane.* Nous obtiendrons son équation cartésienne en projetant tout d'abord (14,6) sur un axe Ox pris selon $\vec{v_0}$ et un axe Oy pris selon $\vec{E}$:

$$\begin{cases} x = v_0 t \\ y = \dfrac{|q|E}{2m}t^2. \end{cases} \qquad (14, 7)$$

En reportant $t = \dfrac{x}{v_0}$ dans l'expression de y, on obtient l'équation cartésienne :

$$y = \frac{|q|E}{2mv_0^2}x^2. \qquad (14, 8)$$

✗ La trajectoire de la particule est une portion de parabole d'axe parallèle au champ électrostatique.

On notera la similitude de ce mouvement avec celui d'un projectile dans le champ de pesanteur. Tous deux se font avec une accélération *constante* : $\vec{a} = \vec{g}$ et $\vec{a} = \dfrac{q\vec{E}}{m}$.

[c] *Les particules sont des électrons de charge* $-e$ *animés d'une vitesse* $v_0 = 2{,}7.10^7\,\text{m.s}^{-1}$. *Ceux-ci sortent de la région où règne le champ* $\vec{E}$ *et aboutissent ensuite sur un écran fluorescent situé à la distance D de O. Quel est le mouvement des électrons entre les plaques de l'écran ?*

Compte tenu de la vitesse élevée des électrons, on peut négliger l'effet du poids : le mouvement est donc rectiligne et uniforme.

[d] *Calculer l'angle de déviation* α *subi par les électrons en fonction de* e, U, m, d, v_0 *et de la longueur* ℓ *des plaques.*

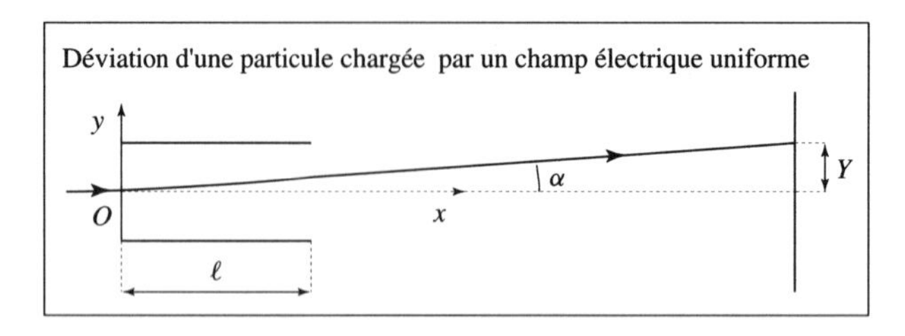

$\tan\alpha$ est le coefficient directeur de la tangente à la trajectoire au point d'abscisse $x = \ell$, autrement dit :

$$\tan\alpha = \frac{dy}{dx} \quad (\text{pour } x = \ell).$$

D'après (14,8) :

$$\frac{\mathrm{d}y}{\mathrm{d}x} = \frac{eE}{mv_0^2}x,$$

soit compte tenu de (10,7) :

$$\boxed{\tan\alpha = \frac{eU\ell}{mv_0^2 d}.}$$

[e] *Montrer que la déviation Y du faisceau sur l'écran, due au champ, est proportionnelle à la tension U entre les plaques. On négligera ℓ devant D. Voyez-vous une application possible à ce résultat ?*

On donne : $\ell = 3\,\text{cm}$; $d = 0{,}5\,\text{cm}$; $U = 50\,\text{V}$; $D = 40\,\text{cm}$; $m = 9{,}1.10^{-31}\,\text{kg}$; $e = 1{,}6.10^{-19}\,\text{C}$.

Comme $\ell \ll D$, on peut écrire[1] $\tan\alpha = \dfrac{Y}{D}$ et par conséquent :

$$Y = \frac{eU\ell}{mv_0^2 d}D. \qquad (14,9)$$

Y est bien proportionnelle à U. Le coefficient de proportionnalité $\dfrac{e\ell D}{mv_0^2 d}$ ne dépend que des caractéristiques géométriques du système et de l'énergie cinétique des électrons à l'entrée (laquelle est obtenue à l'aide d'une tension accélératrice). Ce dispositif est utilisé pour la *mesure des tensions* dans l'*oscillographe électronique*.

Numériquement, on trouve :

$$Y = \frac{1{,}6.10^{-19} \times 50 \times 3.10^{-2} \times 0{,}4}{9{,}1.10^{-31} \times (2{,}7.10^{7})^2 \times 0{,}5.10^{-2}},$$

soit $\underline{Y = 2{,}9\,\text{cm}}$.

---

[1] En toute rigueur, on montre que la partie rectiligne de la trajectoire coupe l'axe Ox en $x = \dfrac{\ell}{2}$: la correction serait ici inférieure à 4 %.

[3] *Un palet est lancé dans le plan d'une table (T) inclinée d'un angle α avec l'horizontale avec une vitesse $\vec{v_0}$ faisant l'angle β avec l'horizontale Ox de ce plan. Les frottements sont négligeables.*

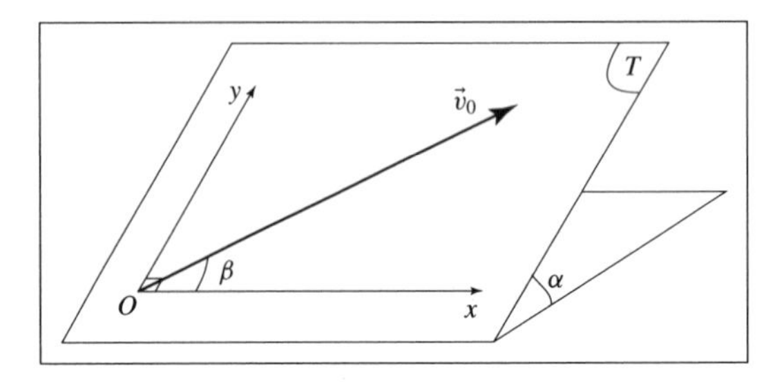

[a] *Établir les équations paramétriques du mouvement du palet $x = x(t)$ et $y = y(t)$ dans le repère orthonormé xOy de la table dont l'origine est O est prise à la position initiale du palet.*

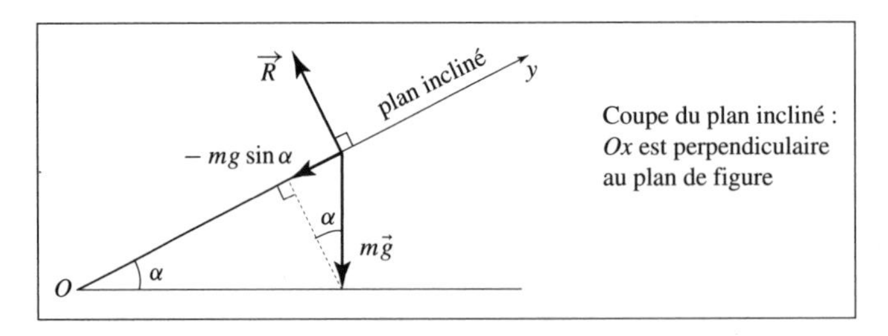

Coupe du plan incliné : Ox est perpendiculaire au plan de figure

Le palet est soumis à deux forces : la réaction $\vec{R}$ normale à la table (il n'y a pas de frottement) et son poids $m\vec{g}$. La loi fondamentale (11,3) s'écrit donc :

$$m\vec{a} = m\vec{g} + \vec{R},$$

soit en projetant sur Ox et Oy :

$$m\frac{\mathrm{d}\vec{v}}{\mathrm{d}t} \begin{cases} m\ddot{x} = 0 \\ m\ddot{y} = -mg\sin\alpha. \end{cases}$$

En simplifiant par m et en intégrant par rapport au temps, il vient :

$$\vec{v}(t) \begin{cases} \dot{x} = A \\ \dot{y} = -(g\sin\alpha)t + B. \end{cases}$$

On sait par ailleurs que $\vec{v}(0) = \vec{v_0} \begin{pmatrix} v_0\cos\beta \\ v_0\sin\beta \end{pmatrix}$ en prenant l'instant initial comme origine $t = 0$.

Par conséquent :

$$\begin{cases} v_0\cos\beta = A \\ v_0\sin\beta = B, \end{cases}$$

d'où :

$$\vec{v}(t) = \frac{\mathrm{d}\overrightarrow{OM}}{\mathrm{d}t} \begin{cases} \dot{x} = v_0\cos\beta \\ \dot{y} = -(g\sin\alpha)t + v_0\sin\beta. \end{cases}$$

Une dernière intégration donne la position du palet :

$$\overrightarrow{OM} \begin{cases} x = (v_0 \cos\beta)t + C \\ y = -(g \sin\alpha)\dfrac{t^2}{2} + (v_0 \sin\beta)t + D. \end{cases}$$

Les constantes C et D sont déterminées par les condition initiales $x(0) = 0$ et $y(0) = 0$, de sorte que $C = D = 0$. En définitive :

$$\begin{cases} x = (v_0 \cos\beta)t \\ y = -(g \sin\alpha)\dfrac{t^2}{2} + (v_0 \sin\beta)t. \end{cases} \qquad (14, 10)$$

[b] *Déterminer l'équation cartésienne de la trajectoire.*

En reportant $t = \dfrac{x}{v_0 \cos\beta}$ dans l'expression de y, on obtient :

$$y = -\frac{g \sin\alpha}{2v_0^2 \cos^2\beta} x^2 + x \tan\beta. \qquad (14, 11)$$

[c] *Le palet recoupe Ox en P à la distance $L = 24$ cm de O. Calculer v_0 si $\alpha = 31°$ et $\beta = 60°$.*

Pour $x = L$, $y = 0$ de sorte que :

$$0 = -\frac{g \sin\alpha}{2v_0^2 \cos^2\beta} L + \tan\beta.$$

$\dfrac{g \sin\alpha}{2v_0^2 \cos^2\beta} L = \dfrac{\sin\beta}{\cos\beta}$ et $(g \sin\alpha)L = 2v_0^2 \cos^2\beta \dfrac{\sin\beta}{\cos\beta} = v_0^2 \sin 2\beta$, en utilisant la relation $2 \sin\beta \cos\beta = \sin 2\beta$. Finalement :

$$\boxed{v_0 = \sqrt{\frac{gL \sin\alpha}{\sin 2\beta}},}$$

soit $\underline{v_0 = 1{,}2\,\text{m.s}^{-1}}$.

[d] *Déterminer la durée τ du parcours OP et la vitesse $\overrightarrow{v_1}$ en P.*

D'après (14,10) :

$$L = (v_0 \cos\beta)\tau \quad \text{et} \quad \tau = \frac{L}{v_0 \cos\beta},$$

soit $\underline{\tau = 0{,}41\,\text{s}}$.

On a :

$$\overrightarrow{v_1} \begin{cases} \dot{x} = v_0 \cos\beta \\ \dot{y} = -(g \sin\alpha)\tau + v_0 \sin\beta = -\dfrac{(g \sin\alpha)L}{v_0 \cos\beta} + v_0 \sin\beta = -\dfrac{v_0^2 \sin 2\beta}{v_0 \cos\beta} + v_0 \sin\beta, \end{cases}$$

soit

$$\dot{y} = -\frac{2v_0^2 \sin\beta \cos\beta}{v_0 \cos\beta} + v_0 \sin\beta = -v_0 \sin\beta.$$

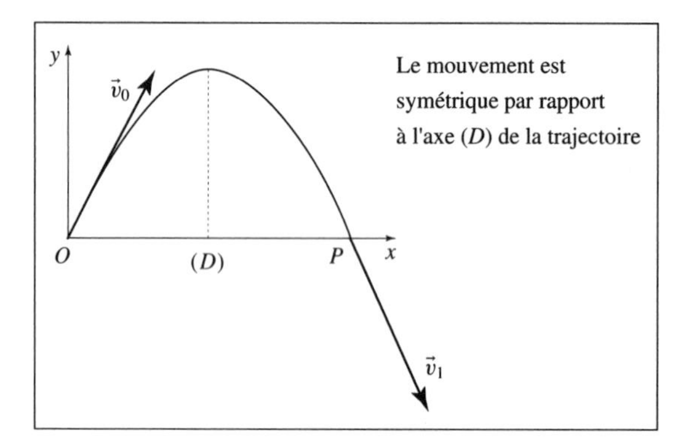

$\vec{v_1}$ est donc symétrique de $\vec{v_0}$ par rapport à l'horizontale. Le résultat était aisément prévisible : la direction de $\vec{v_1}$ est symétrique de celle de $\vec{v_0}$ par rapport à l'axe de la parabole ; de plus, le théorème de l'énergie cinétique montre que $\frac{1}{2}mv_1^2 - \frac{1}{2}mv_0^2 = 0$ (car le travail du poids est nul entre O et P puisque ces points sont au même niveau) et donc que $v_1 = v_0$.

[exercices]

Mouvements sous l'effet du poids

[1] On étudie l'action d'un lanceur de «poids». On peut décrire cette action dans les termes suivants : l'homme projette une masse $M = 7{,}26$ kg ; lorsque la masse quitte la main du lanceur, le centre d'inertie de M se trouve en G_0 à $h = 2{,}30$ m du sol et son vecteur vitesse $\vec{v_0}$ fait un angle $\alpha = 42°$ avec l'horizontale. Lorsque la masse arrive au sol, son centre d'inertie se trouve en G_1 à 21,8 m de la verticale passant par G_0. La résistance de l'air est supposée négligeable. On donne $g = 9{,}8\ \text{m.s}^{-2}$.

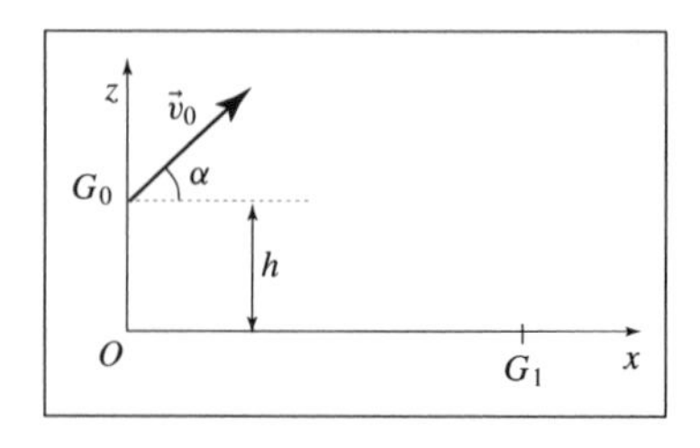

[a] Établir l'équation de la trajectoire du centre d'inertie G de la masse.

[b] En déduire la valeur v_0 en m.s^{-1} et en km.h^{-1}.

[2] Dans tout le problème on négligera l'action de l'air. On raisonnera dans un repère $(O, \vec{i}, \vec{j})$ lié à la Terre. On choisira, comme origine des dates, l'instant où les mobiles quittent le plan horizontal contenant les points O et I.

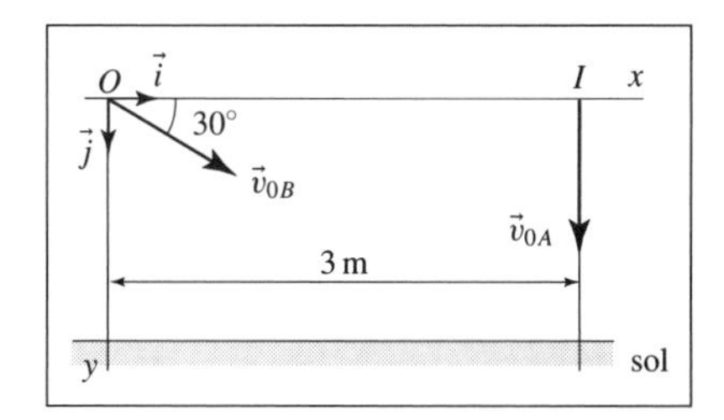

[a] Une bille A assimilable à un point matériel passe en I à l'instant $t = 0$ avec une vitesse verticale, vers le bas, de norme $v_{0A} = 7 \text{m.s}^{-1}$. Établir l'équation horaire du mouvement de la bille.

[b] À l'instant $t = 0$ on lance d'un point O une deuxième bille B, assimilable à un point matériel, dans les conditions précisées sur la figure : $(Ox, \vec{v}_{0B}) = 30°$; $OI = 3\,\text{cm}$.

Établir l'équation horaire du mouvement projeté sur l'axe Ox ainsi que celle du mouvement projeté sur l'axe Oy.

[c] Calculer la norme v_{0B} de la vitesse initiale pour que le choc entre les deux billes se produise. Déterminer l'instant et l'endroit du choc.

[3] **[a]** Deux billes de masses différentes sont lancées successivement d'un même point vers le haut suivant la verticale avec la même vitesse v_0. On néglige la résistance de l'air. Laquelle des deux monte le plus haut ?

[b] On lance maintenant l'une des billes d'un point A situé à 5 m au dessus du sol, vers le haut, dans une direction faisant un angle de 45° avec la verticale et avec une vitesse initiale de $10\,\text{m.s}^{-1}$. Où la bille rencontre-t-elle le sol ? Quel est le temps mis par la bille pour atteindre le sol ? Déterminer entièrement la vitesse de la bille au point où elle touche le sol.

[4] Un obus est tiré avec une vitesse initiale faisant un angle $\alpha = 35°$ avec l'horizontale et dont la valeur est $v_0 = 450\,\text{m.s}^{-1}$. On suppose les frottements négligeables.

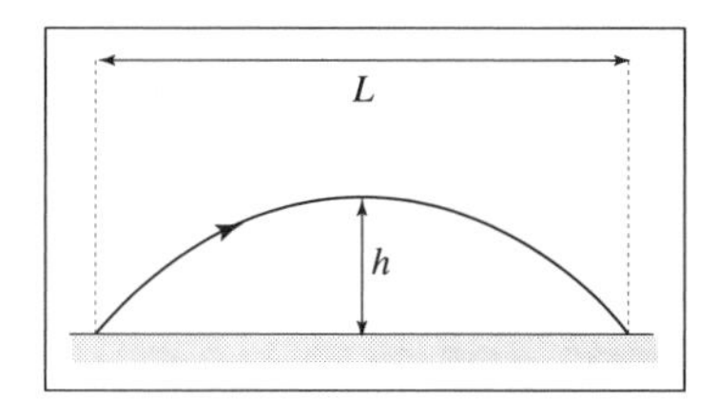

[a] Combien de temps faut-il à l'obus pour atteindre le point le plus haut de sa trajectoire ?

[b] Quelle est l'altitude maximale h atteinte par l'obus ?

[c] Quelle est la portée horizontale L de l'obus ?

[5] Retrouver les expressions de l'altitude maximale h atteinte par un projectile et de la portée maximale L (*cf.* exercice **[1].[e]&[f]** p.163 et 164) directement à partir de l'équation cartésienne (14,4) de la trajectoire.

[6] L'exercice porte sur l'étude théorique de la sortie de bunker (trou de sable près de la surface appelée « green », où se trouve le drapeau) que doit effectuer un joueur de golf. Ce joueur utilise un club de golf et communique à la balle une vitesse initiale $\overrightarrow{v_0}$, appartenant au plan vertical $(\vec{i}, \vec{k})$, telle que $(\vec{i}, \overrightarrow{v_0}) = \alpha$: à la date $t = 0$, la balle (supposée ponctuel et de masse m) part de O, origine du repère orthonormé direct $(O, \vec{i}, \vec{j}, \vec{k})$ lié à la Terre. On néglige les frottements de l'air sur la balle.

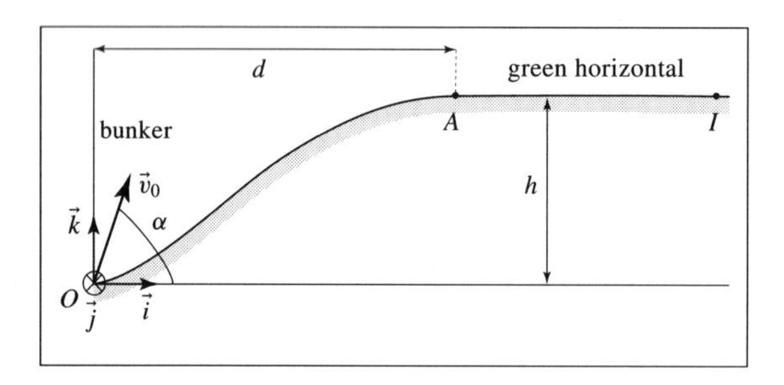

[a] Déterminer l'équation littérale de la trajectoire de la balle ainsi que sa mesure.

[b] Le but de ce coup est de faire tomber la balle en I, point qui se trouve sur le green horizontal près du trou. En utilisant le théorème de l'énergie cinétique, déterminer littéralement la norme v_1 du vecteur vitesse de la balle au point I. Faire ensuite l'application numérique avec $v_0 = 9{,}0\,\text{m.s}^{-1}$; $g = 9{,}8\,\text{m.s}^{-2}$; $h = 1{,}0\,\text{m}$.

[c] On admet que le système (Terre – balle) est mécaniquement isolé. À partir de différentes expressions de l'énergie mécanique de ce système, déterminer l'expression littérale de l'altitude maximale z_s atteinte par la balle au point S sommet de la trajectoire. Faire le calcul numérique avec $\alpha = 70°$.

[d] Déterminer littéralement puis numériquement l'abscisse L du point I. Pour cela, on utilisera l'équation de la trajectoire établie au **[a]**.

Mouvements de solides liés dans le champ de pesanteur

[7] On constitue, à l'aide d'éléments de glissière d'un jeu d'enfant, un tremplin ABC. Les deux portions AB et BC sont rectilignes. L'ensemble est posé sur une table horizontale. AB forme un angle α avec le plan de la table, BC est parallèle à ce plan, C arrive juste au bord de la table. Un palet de masse m, considéré comme ponctuel, est lâché en A sans vitesse initiale. Il glisse le long de ce tremplin. Le frottement est assimilable à une force $\vec{f}$ constamment parallèle au déplacement et de norme constante sur le trajet ABC. On admettra que le passage du palet au point B ne modifie pas la norme de sa vitesse.

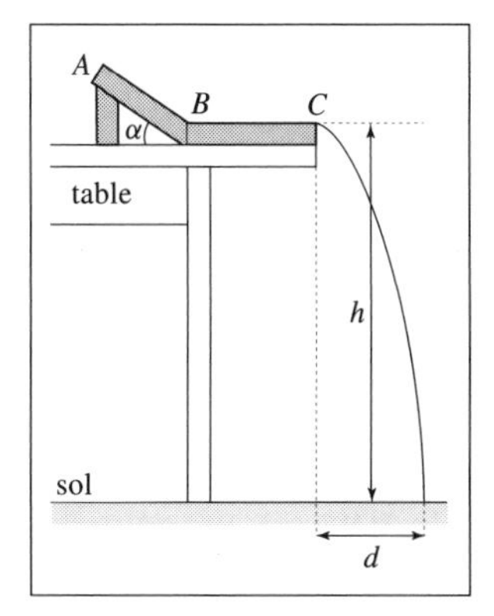

[a] Déterminer l'accélération a_1 du palet entre A et B, son accélération a_2 entre B et C, sa vitesse v_B en B et sa vitesse v_c en C.

On donne : $m = 100\,\text{g}$; $f = 0{,}1\,\text{N}$; $\alpha = 20°$; $AB = BC = 50\,\text{cm}$.

[b] Arrivé en C, le palet tombe d'une hauteur h sur le sol. On néglige la résistance de l'air. Établir l'équation de sa trajectoire et en déduire à quelle distance d du pied de la verticale passant par C il reprendra contact avec le sol. On donne : $h = 80\,\text{cm}$.

[8] Un skieur de masse m aborde une piste rectiligne à l'instant $t = 0$, avec une vitesse v_0. La piste est dans un plan vertical et fait un angle α avec l'horizontale.

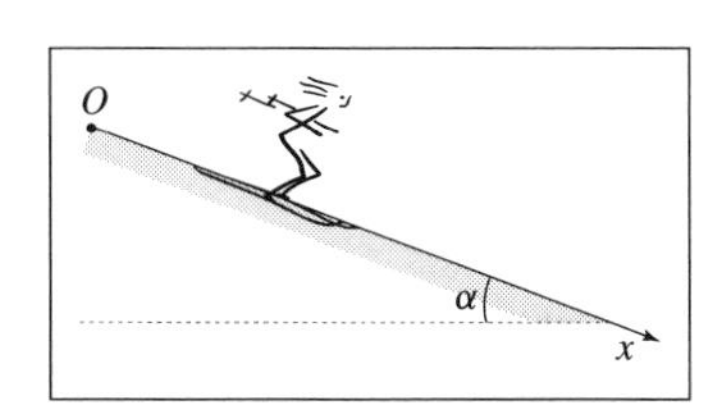

[a] Quelle est l'équation horaire du mouvement du skieur si l'on néglige la résistance à l'avancement ? Quelle est sa vitesse v_1 après un parcours $\ell = 50\,\text{m}$ si $v_0 = 6\,\text{m.s}^{-1}$ et $\alpha = 20°$?

[b] En réalité, v_1 n'est que de $14\,\text{m.s}^{-1}$. Si l'on modélise la résistance à l'avancement par une force constante opposée à la vitesse, exprimer la résultante des forces exercées sur le skieur en fonction de m, v_0, v_1, ℓ.

[c] En déduire le temps mis par le skieur pour descendre de 50 m.

[9] Un palet est lancé en O vers le haut sur une table à coussin d'air inclinée d'un angle $\alpha = 10°$ sur l'horizontale à l'instant $t = 0$, avec la vitesse initiale $\vec{v_0}$ de son centre d'inertie G.

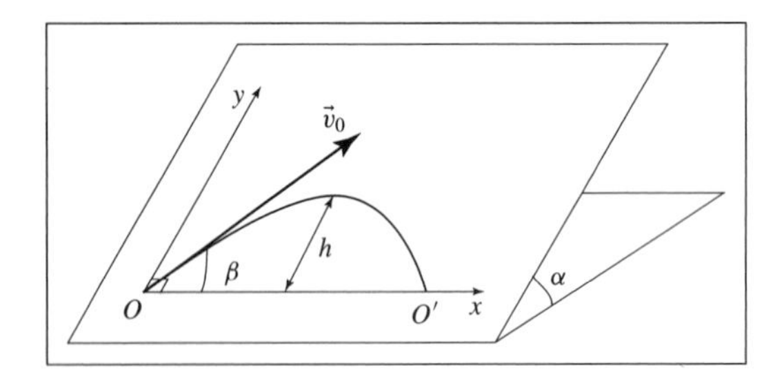

[a] Établir les équations horaires $x = f(t)$ et $y = h(t)$ du mouvement de G (Ox est horizontal et Oy selon la ligne de plus grande pente).

[b] L'enregistrement des positions de G à intervalles réguliers montre que G repasse en O' sur l'horizontale de O à la distance $\ell = 11{,}8\,\text{cm}$; la flèche $h = 11{,}0\,\text{cm}$; $\beta = 75°$. Calculer v_0.

[c] Calculer la vitesse v_1 de G au point le plus haut et le temps mis pour l'atteindre.

[10] Un solide de masse m et de petite dimension peut glisser sur un plan incliné d'un angle α avec l'horizontale. Le solide est maintenu à distance constante ℓ d'un point fixe O du plan par un fil de masse négligeable. Les frottements sont négligeables.

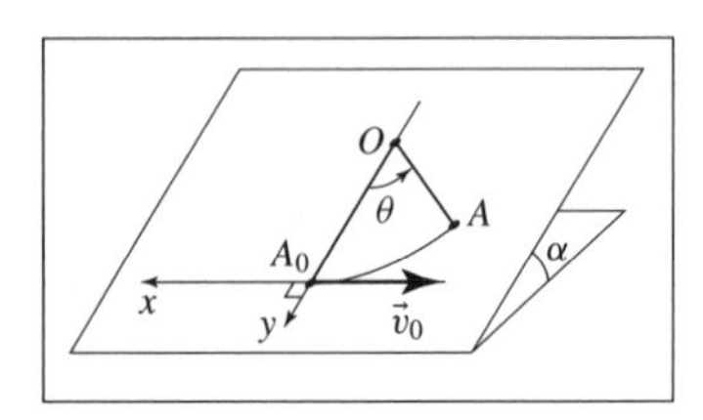

[a] Calculer la tension du fil dans la position d'équilibre A_0 du solide au contact avec le plan incliné.

[b] On lance le solide dans le plan à partir de A_0 avec une vitesse $\vec{v_0}$ perpendiculaire à OA_0. Calculer la valeur maximale θ_1 de l'angle θ du fil avec OA_0.

[c] Le fil casse lorsque le solide repasse par A_0. Déterminer l'équation cartésienne de la trajectoire du solide sur le plan, dans le repère xA_0y.

On donne : $m = 100\,\text{g}$; $\ell = 1{,}00\,\text{m}$; $g = 9{,}8\,\text{m.s}^{-2}$; $\alpha = 20°$; $v_0 = 1{,}65\,\text{m.s}^{-1}$.

Mouvements de particules élémentaires chargées dans un champ électrostatique uniforme

[11] Deux armatures métalliques A et B, planes, parallèles à un axe horizontal $x'Ox$, distantes de d, de longueur ℓ, sont placées dans le vide. Un faisceau homocinétique d'électrons de masse m, de charge $-e$ pénètre en O entre ces armatures avec une vitesse $\vec{v_0}$ parallèle à $x'Ox$. On place à la sortie des armatures une plaque sensible sur laquelle les électrons laissent une trace en P lorsque la différence de potentiel $V_A - V_B = 0$ et en C lorsque $V_A - V_B = +400\,\text{V}$; on mesure $PC = 14\,\text{mm}$. On donne $v_0 = 2{,}50.10^7\,\text{m.s}^{-1}$; $d = 4\,\text{cm}$; $\ell = 10\,\text{cm}$.

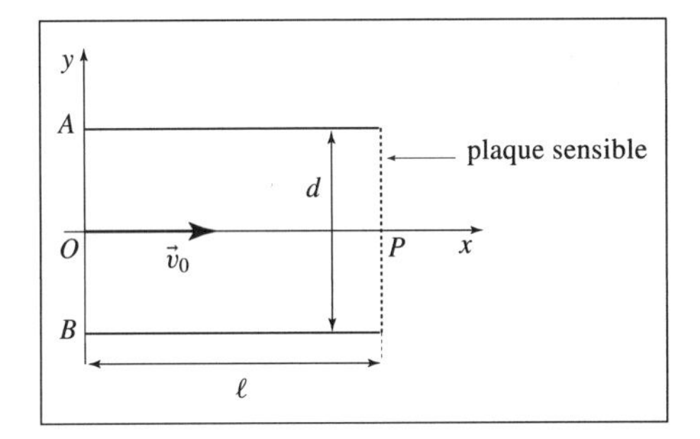

[a] Reproduire la figure en situant le point C.

[b] Établir l'équation de la trajectoire d'un électron entre O et C en négligeant le poids de celui-ci par rapport à la force électrique : on utilisera le repère (Ox, Oy) de la figure. Représenter approximativement cette trajectoire sur la figure.

[c] Calculer la valeur du rapport $\dfrac{e}{m}$. En déduire la masse m de l'électron sachant que la charge élémentaire a pour valeur $e = 1{,}6.10^{-19}$ C.

[12] On se propose de déterminer la vitesse d'éjection de particules α (ou noyaux d'hélium ${}^4_2\text{He}$ de charge $+2e$ et de masse $m = 6{,}6.10^{-27}$ kg) émises par le radium ${}^{226}_{88}\text{Ra}$ lors de sa désintégration. On place la substance radioactive en S au fond d'un cylindre creux en plomb d'axe $x'x$ et on admettra que les particules α émises sortent du cylindre avec un vecteur vitesse $\vec{v_0}$ parallèle à l'axe $x'x$. Le faisceau pénètre en O dans l'espace vide d'air entre deux plaques horizontales P_1 et P_2 d'un condensateur dont la distance est $d = 10$ cm et la longueur $\ell = 15$ cm. En l'absence de champ électrique entre les plaques, on observe sur une plaque photographique disposée perpendiculairement à $x'x$ à une distance $D = 50$ cm du centre des plateaux une tache en A. On crée un champ électrique uniforme en appliquant entre P_1 et P_2 une différence de potentiel constante $U = 6.10^4$ V. On constate que la tache se forme en A'.

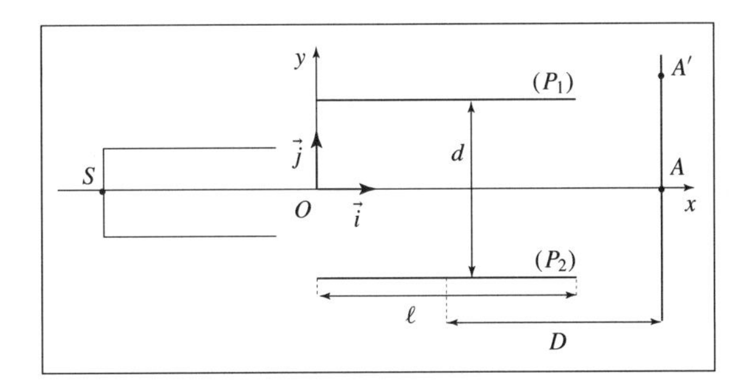

[a] Le champ électrique créé $\vec{E}$ va-t-il de P_1 vers P_2 ou de P_2 vers P_1 ?

[b] Étudier le mouvement d'une particule α entre les plaques du condensateur dans le système d'axes $(O, \vec{i}, \vec{j})$: équation et nature de la trajectoire.

[c] Que devient ce mouvement lorsque la particule α n'est plus soumise au champ électrique $\vec{E}$?

[d] Montrer que la mesure de $AA' = 8{,}5.10^{-3}$ m permet de déterminer la vitesse d'éjection v_0 des particules α.

[13] La cathode C d'un oscillographe électronique est constituée d'un filament de tungstène qui émet des électrons de charge $-e$ et de masse m lorsqu'il est porté à une température élevée. Ces derniers, émis avec une vitesse négligeable, sont fortement accélérés jusqu'à l'anode A, portée au potentiel U_0 par rapport à la cathode. L'anode est munie d'un trou pour permettre aux électrons de la traverser et de pénétrer ensuite en O entre les plaques horizontales du condensateur soumises à une tension U.

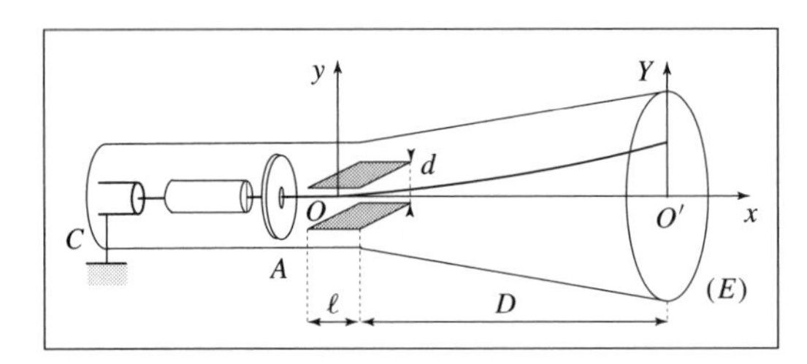

On donne : $U_0 = 1\,500$ V ; $U = 90$ V ; $d = 1{,}2$ cm ; $\ell = 4$ cm ; $D = 30$ cm ; $e = 1{,}6.10^{-19}$ C ; $m = 9{,}1.10^{-31}$ kg.

[a] Quelle est l'énergie cinétique des électrons en A ? en O ?

Faire l'application numérique en électronvolts.

[b] Quelle est l'équation de la trajectoire des électrons entre les plaques ?

[c] Quelle est la valeur maximale que peut prendre U pour que les électrons atteignent l'écran fluorescent (E) ?

[d] Calculer le déplacement Y du spot sur l'écran (E) et en déduire la sensibilité verticale $s = \dfrac{U}{Y}$ en V.cm^{-1}.

[14] Deux grilles conductrices (G_1) et (G_2), planes, parallèles, distantes de d, sont soumises dans le vide à une tension positive $V_2 - V_1 = U$. On considère que le champ électrostatique est uniforme entre les grilles et nul à l'extérieur. Un électron (de masse m, de charge $-e$) arrive en O sur (G_1) sous l'angle d'incidence i_1 avec l'énergie cinétique eU_1 et traverse (G_1). L'électron traverse ensuite (G_2) et sort en A dans une direction faisant l'angle i_2 avec la normale.

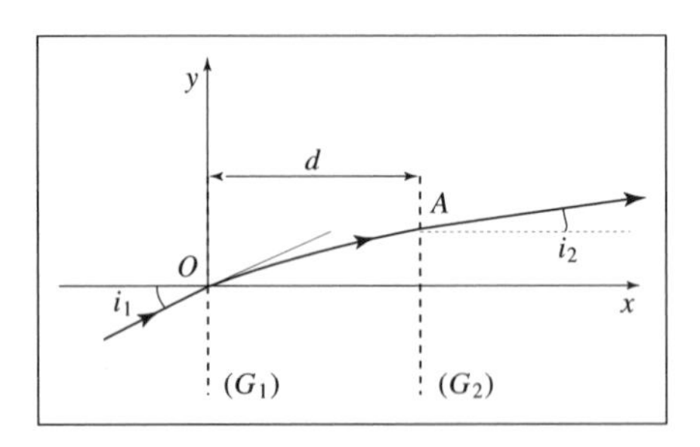

[a] Représenter le champ électrostatique $\vec{E}$ entre les grilles et la force subie par l'électron en O.

[b] En utilisant la deuxième loi de Newton, montrer qu'il y a une relation simple entre i_1, i_2 et les vitesses v_1, v_2 de l'électron en O et en A et montrer que le rapport $n = \dfrac{\sin i_1}{\sin i_2}$ ne dépend que de U_1 et U. Calculer numériquement n et i_2 si $U_1 = 800\,\text{V}$; $U = 1\,800\,\text{V}$; $i_1 = 22°$.

[d] Déterminer l'équation et la nature de la trajectoire de l'électron entre les grilles en fonction des données U, U_1, i_1, d. Calculer l'ordonnée de A avec les données du **[c]** et $d = 1\,\text{cm}$.

Mouvements d'objets pesants électrisés en présence d'un champ électrostatique uniforme

[15] Toutes les expériences suivantes sont supposées être réalisées dans le vide et dans un champ de pesanteur uniforme d'intensité $g = 9{,}8\ \text{m.s}^{-2}$. À l'instant $t = 0$, une sphère S de petite dimension, de masse $m = 2{,}0\,\text{g}$, est lancée à partir d'un point O avec une vitesse $\overrightarrow{v_0}$ de norme $1{,}5\,\text{m.s}^{-1}$ faisant un angle égal à 60° avec l'horizontale Ox.

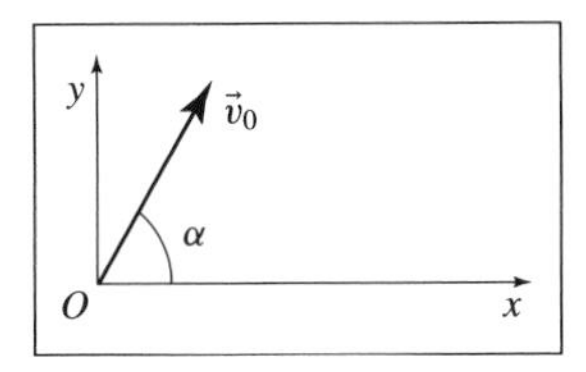

[a] Établir dans le repère (Ox, Oy) l'équation de la trajectoire de la sphère.

[b] À quel instant l'ordonnée y de la sphère est-elle maximale ? Calculer la valeur numérique de cette ordonnée maximale.

[c] Après son lancement, la sphère recoupe l'axe Ox en un point P ; calculer l'abscisse de P et l'instant où la sphère est en P.

[d] On superpose au champ de pesanteur un champ électrostatique uniforme $\overrightarrow{E}$. La sphère S est maintenant électrisée et porte une charge négative $q = -2{,}0.10^{-6}\,\text{C}$.

Lorsqu'on projette la sphère avec une vitesse quelconque $\overrightarrow{v_0}$ son mouvement est rectiligne et uniforme. Donner les caractéristiques du vecteur $\overrightarrow{E}$ (direction, sens et norme).

[e] Le vecteur $\overrightarrow{E}$ ayant même intensité qu'au **[d]** est maintenant parallèle à Ox et de même sens. La sphère S est abandonnée au point O sans vitesse initiale. Déterminer l'équation de la trajectoire de la sphère dans le repère (Ox, Oy) et représenter cette trajectoire.

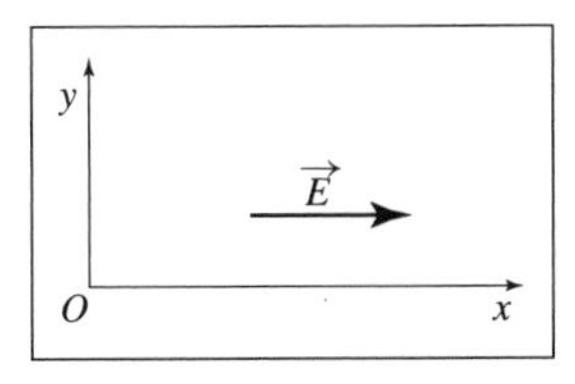

[16] Une petite sphère de masse A porte la charge q. Elle est abandonnée en O sans vitesse initiale dans le vide où règne un champ électrostatique uniforme $\overrightarrow{E}$ horizontal comme l'indique la figure. Après une chute d'une hauteur h, elle arrive en B.

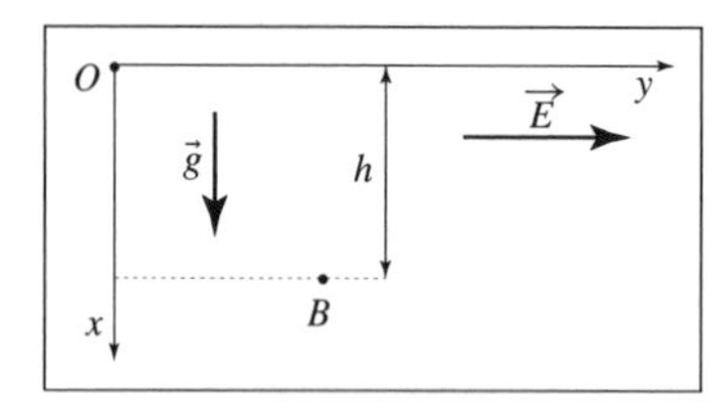

[a] Quel est le signe de la charge q portée par la sphère A ?

[b] Montrer que la somme des forces appliquées à la sphère est constante ; en déduire la nature du mouvement de la sphère.

[c] Trouver les coordonnées du point d'arrivée B de la sphère après une dénivellation verticale h, mesurée à partir de O. On donnera l'expression littérale de ces coordonnées et on calculera leurs valeurs dans le cas où $|q| = 4.10^{-7}\,\text{C}$; $E = 10^4\,\text{V.m}^{-1}$; $h = 0{,}50\,\text{m}$; $m = 5\,\text{g}$.

[17] Une bille M de dimensions négligeables, de masse $m = 2{,}0\,\text{g}$ et portant une charge positive $q = +0{,}20.10^{-6}\,\text{C}$, est suspendue en un point fixe O, par l'intermédiaire d'un fil isolant, inextensible, de masse négligeable et de longueur $\ell = 10\,\text{cm}$. Ce pendule ainsi constitué est placé entre deux armatures métalliques A et B, planes et horizontales, de grandes dimensions, distantes entre elles de $d = 20\,\text{cm}$. Le point de suspension O est situé à 5 cm au dessous de l'armature supérieure A. On applique entre les deux armatures une différence de potentiel $U = V_A - V_B = 2\,000\,\text{V}$.

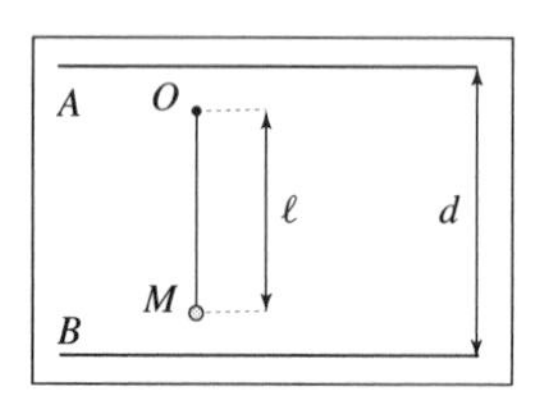

[a] Donner les caractéristiques de la force électrostatique et de la force de pesanteur s'exerçant sur la sphère M.

[b] Le pendule est écarté de sa position d'équilibre d'un angle de 90° et abandonné sans vitesse initiale. Déterminer la vitesse de la sphère M et la tension du fil au passage de la verticale.

[c] Le fil casse au passage de la verticale. Déterminer l'équation et la nature de la trajectoire de M après rupture du fil. Quelle est la durée du mouvement, jusqu'au moment où M touche l'armature B ?

[réponses]

[1] **[a]** $z = -\dfrac{gx^2}{2v_0^2\cos^2\alpha} + x\tan\alpha + h$; **[b]** $v_0 = 13{,}9\,\text{m.s}^{-1} = 50\,\text{km.h}^{-1}$.

[2] **[a]** $y_A = 4{,}9t^2 + 7t$ (unité S.I.) ; **[b]** $\begin{cases} x_B = (v_{0B}\cos\alpha)t \\ y_B = \dfrac{1}{2}gt^2 + (v_{0B}\sin\alpha)t. \end{cases}$

[c] $v_{0B} = \dfrac{v_{0A}}{\sin\alpha}$ soit $v_{0B} = 14\,\text{m.s}^{-1}$; choc : $t_c = \dfrac{x_A\tan\alpha}{v_{0A}}$ soit $t_c = 0{,}25\,\text{s}$; $\begin{cases} x_c = 3\,\text{m} \\ y_c = 2\,\text{m}. \end{cases}$

[3] **[a]** Les deux billes s'élèvent de la même hauteur (*cf.* exercice **14.[1].[b]** p.162).

[b] À 13,9 m de la verticale de A ; 1,96 s ; $14\,\text{m.s}^{-1}$ dans une direction inclinée à $60°$ sous l'horizontale.

[4] **[a]** L'altitude z est maximale quand $\dot{z} = 0$; on trouve $t = v_0\dfrac{\sin\alpha}{g}$ soit $t = 26{,}3\,\text{s}$;

[b] $h = \dfrac{v_0^2\sin^2\alpha}{2g}$ soit $h = 3\,400\,\text{m}$; **[c]** $L = \dfrac{v_0^2\sin 2\alpha}{g}$ soit $L = 19{,}4\,\text{km}$.

[6] **[a]** $z = -\dfrac{gx^2}{2v_0^2\cos^2\alpha} + x\tan\alpha$; **[b]** $v_1 = \sqrt{v_0^2 - 2gh}$ soit $v_1 = 7{,}8\,\text{m.s}^{-1}$.

[c] $z_s = \dfrac{v_0^2}{2g\sin^2\alpha}$ soit $z_s = 3{,}65\,\text{m}$; **[d]** $L = \dfrac{v_0^2\sin\alpha\cos\alpha}{g}\left[1 + \sqrt{1 - \dfrac{2gh}{v_0^2\sin^2\alpha}}\right]$ soit $L = 4{,}93\,\text{m}$.

[7] **[a]** $a_1 = g\sin\alpha - \dfrac{f}{m}$ soit $a_1 = 2{,}35\,\text{m.s}^{-2}$; $a_2 = -\dfrac{f}{m}$ soit $a_2 = -1{,}0\,\text{m.s}^{-2}$; $v_B = \sqrt{2a_1AB}$ soit $v_B = 1{,}53\,\text{m.s}^{-1}$; $v_c = \sqrt{v_B^2 + 2a_2BC}$ soit $v_c = 1{,}16\,\text{m.s}^{-1}$.

[b] $z = -3{,}6x^2$ (origine en C, $z'z$ vertical ascendant, unités S.I.) ; $d = 47\,\text{cm}$.

[8] **[a]** $x = \dfrac{1}{2}gt^2\sin\alpha + v_0t$; le théorème de l'énergie cinétique donne $v_1 = 19{,}3\,\text{m.s}^{-1}$.

[b] $F = m\dfrac{v_1^2 - v_0^2}{2\ell}$; **[c]** $x = \dfrac{v_1^2 - v_0^2}{4\ell}t^2 + v_0t$ et t est la racine positive de $0{,}8t^2 + 6t - 50 = 0$ soit $t = 10\,\text{s}$.

[9] **[a]** *cf.* (14,10) ; **[b]** $v_0 = 1{,}27\,\text{m.s}^{-1}$; **[c]** $v_1 = v_0\cos\beta$, soit $v_1 = 0{,}33\,\text{m.s}^{-1}$; $\Delta t = 0{,}18\,\text{s}$.

[10] **[a]** $T = mg\sin\alpha$ soit $T = 0{,}34\,\text{N}$; **[b]** $\cos\theta_1 = 1 - \dfrac{v_0^2}{2g\ell\sin\alpha}$ soit $\theta_1 = 54°$;

[c] $y = 0{,}62x^2$.

[11] **[b]** $y = PC\dfrac{x^2}{\ell^2}$ soit $y = 1{,}4.10^{-3}x^2$ (en mm) ; **[c]** $\dfrac{e}{m} = \dfrac{2v_0^2dPC}{U\ell^2}$ soit $\dfrac{e}{m} = 1{,}75.10^{11}\,\text{C.kg}^{-1}$; $m = 9{,}1.10^{-31}\,\text{kg}$.

[12] **[a]** de P_2 vers P_1 ; **[b]** $y = \left(\dfrac{eU}{mdv_0^2}\right)x^2$; **[c]** rectiligne uniforme.

[d] $v_0 = \sqrt{\dfrac{2eU}{m}\dfrac{\ell}{d}\dfrac{D}{AA'}}$ soit $v_0 = 1{,}6.10^7\,\text{m.s}^{-1}$.

[13] **[a]** $eU = 1\,500\,e\text{V}$, constante entre A et O ; **[b]** $y = \dfrac{Ux^2}{4U_0d}$; **[c]** $U_{\text{max}} = 2U_0\left(\dfrac{d}{\ell}\right)^2$ soit $U_{\text{max}} = 270\,\text{V}$.

[d] $Y = \dfrac{1}{2}\dfrac{U}{U_O}\dfrac{\ell}{d}D$ et $s = 30\,\text{V.cm}^{-1}$.

[14] **[b]** $v_1 \sin i_1 = v_2 \sin i_2$; **[c]** $eU_1 + eU$; $n = \sqrt{1 + \dfrac{U}{U_1}}$ soit $n = 1{,}8$; $i_2 = 12°$;

[d] $x = \dfrac{U}{4U_1 \sin^2 i_1}\dfrac{y^2}{d} + \dfrac{y}{\tan i_1}$ (parabole) ; $y_A = 2{,}8\,\text{mm}$.

[15] **[a]** *cf.* (14,4) ; **[b]** (*cf.* exercice **[1].[e]** p.163) 0,13 s ; 8,6 cm ; **[c]** 20 cm ; 0,26 s ; **[d]** $\vec{E} = -9{,}8\vec{j}$ (en kV.m^{-1}) ; **[e]** $y = -\dfrac{mg}{qE}x$ soit $y = x$.

[16] **[a]** positif ; **[b]** $\overrightarrow{OM} = \dfrac{1}{2}\vec{a}t^2$ où $\vec{a} = \vec{g} + \dfrac{q\vec{E}}{m}$ (mouvement rectiligne uniformément varié) ; **[c]** $y_B = \dfrac{qE}{mg}h$ soit $y_B = 41\,\text{mm}$.

[17] **[b]** $v = 2g\ell\sqrt{1 + \dfrac{qU}{mgd}}$ soit $v = 1{,}5\,\text{m.s}^{-1}$; $T = \dfrac{mv^2}{\ell} + mg + \dfrac{qU}{d}$ soit $T = 6{,}6.10^{-2}\,\text{N}$; **[c]** 95 ms.

MOUVEMENTS KEPLERIENS CIRCULAIRES

CHAPITRE 15

On appelle « mouvements kepleriens » les mouvements des planètes du système solaire. Kepler a établi au début du XVIIIe siècle les trois « lois » suivantes :

[i] les planètes décrivent des ellipses dont le Soleil occupe l'un des foyers ;

[ii] les aires balayées par les rayons vecteurs joignant le Soleil aux planètes sont proportionnelles au temps ;

[iii] les carrés des périodes de révolution des planètes sont proportionnels aux cubes des grands axes des orbites.

Ces résultats peuvent être déduits de la loi de la gravitation universelle de Newton. Nous nous bornerons ici au cas particulier des trajectoires circulaires, correspondant à des ellipses dont les deux foyers sont confondus : c'est le cas de satellites artificiels de la Terre et c'est aussi à peu près réalisé pour plusieurs planètes. Bien entendu tout ceci est applicable au mouvement d'une charge ponctuelle dans le champ d'une autre charge ponctuelle, en raison de la similitude entre la loi de la gravitation et la loi de Coulomb (cf. chapitre 10).

[1] *Montrer que le mouvement keplerien circulaire est nécessairement uniforme.*

Considérons une masse ponctuelle m décrivant une orbite circulaire de rayon r dans le champ de gravitation d'une masse M ponctuelle ou à symétrie sphérique (planète, Soleil). La force de gravitation $\overrightarrow{F}$ exercée par M sur m est centripète (*cf.* **9.[1]**) ; elle reste constamment perpendiculaire au déplacement et ne travaille donc pas. D'après le théorème de l'énergie cinétique (*cf.* **8.[1]**), l'énergie cinétique ne varie pas, de sorte que le mouvement est uniforme.

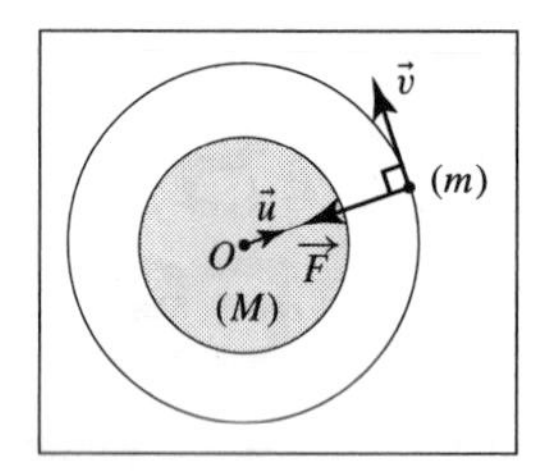

[2] *Trouver la relation entre la période de révolution T et le rayon r de l'orbite.*

$\vec{F}$ est donnée par (9,2) :

$$\vec{F} = m\,\vec{\mathcal{G}}.$$

(9,3) s'écrit ici :

$$\vec{\mathcal{G}} = -G\frac{M}{r^2}\vec{u}.$$

La 2e loi de Newton (11,3) montre qu'en l'absence d'autres forces :

✗ **l'accélération $\vec{a}$ d'une masse ponctuelle m est égale au champ de gravitation et son mouvement ne dépend pas de la valeur de la masse[1] m :**

$$\vec{a} = \vec{\mathcal{G}}.$$

Or l'accélération est ici *normale*, donc compte tenu de (5,16) puis de (5,17) :

$$\omega^2 r = G\frac{M}{r^2}$$

$$\frac{4\pi^2}{T^2}r = G\frac{M}{r^2}$$

$$T^2 = \frac{4\pi^2}{GM}r^3. \qquad (15,1)$$

Nous venons donc de démontrer la 2e loi de Kepler, c'est-à-dire $\frac{T^2}{r^3} = \text{cte}$, dans le cas d'une orbite circulaire et de préciser la constante de proportionnalité de Kepler.

[3] *Trouver la relation entre la période de révolution T d'un satellite artificiel de la Terre, le rayon R de celle-ci, l'altitude z du satellite et l'accélération g_0 de la pesanteur à la surface du globe.*

La 3e loi de Kepler s'écrit, en remplaçant[2] GM par g_0R^2 (*cf.* exemple **9.[2]** p.118) et r par $R + z$:

$$T^2 = \frac{4\pi^2}{g_0R^2}(R+z)^3,$$

---

[1] Cette propriété remarquable ne se rencontre dans aucun autre type de mouvement. Elle est spécifique des mouvements dans un champ gravitationnel.

[2] $g \simeq \mathcal{G}$.

soit :

$$T = \frac{2\pi}{R\sqrt{g_0}}(R+z)^{\frac{3}{2}}. \qquad (15,2)$$

[4] Satellite géostationnaire

Un satellite est dit géostationnaire s'il reste immobile dans le référentiel terrestre (satellites de télécommunications). À quelles conditions un satellite peut-il être géostationnaire ? Calculer son altitude.

On donne : la période de révolution de la Terre sur elle-même $T = 18\,164$ s, $R = 6\,378$ km.

Les calculs précédents ne sont valables que dans le référentiel géocentrique (*cf.* chapitre **11**). Il faut donc, pour que le satellite soit géostationnaire, qu'il suive la Terre dans sa révolution diurne :

- le mouvement du satellite doit s'effectuer autour de l'axe des pôles, donc dans le plan équatorial ;
- le sens de rotation doit être celui de la Terre, d'Ouest en Est ;
- sa période de révolution T doit être celle de la Terre.

La connaissance de T permet, en utilisant (15,2), de trouver l'altitude :

$$z = \left[\frac{g_0 R^2 T^2}{4\pi^2}\right]^{\frac{1}{3}} - R,$$

soit :

$$z = \left[\frac{9{,}8 \times (6{,}378.10^6)^2 \times 86\,164^2}{4\pi^2}\right]^{\frac{1}{3}} - 6{,}378.10^6,$$

soit

$$\underline{z = 35\,800\,\text{km}}.$$

[exercices]

[1] Le télescope spatial Hubble gravite autour de la Terre à une altitude constante z de 600 km. Déterminer sa vitesse v dans le référentiel géocentrique en fonction de g_0, z et du rayon terrestre R. Calculer numériquement v et la période de révolution T de Hubble.

[2] Vénus décrit une orbite pratiquement circulaire autour du Soleil en 224,7 jours solaires (1 jour solaire = 24 h). Calculer le rayon de l'orbite et la vitesse de la planète. On donne le produit $GM = 1{,}31.10^{20}\,\text{m}^3.\text{s}^{-2}$ pour le Soleil.

[3] Janus est un satellite de Saturne en orbite circulaire de rayon $r = 159\,000$ km. Sa période de révolution est $T = 0{,}749$ jours solaires. Calculer la masse de Saturne.

[4] Montrer que le rayon de l'orbite circulaire d'un satellite qui passe une fois par jour à la verticale de Paris, à la même heure, est de la forme :

$$r = \frac{r_1}{n^{\frac{2}{3}}},$$

où n est un entier naturel et r_1 une constante que l'on exprimera en fonction de g_0, du rayon R et de la période de révolution T_0 de la Terre sur elle-même.

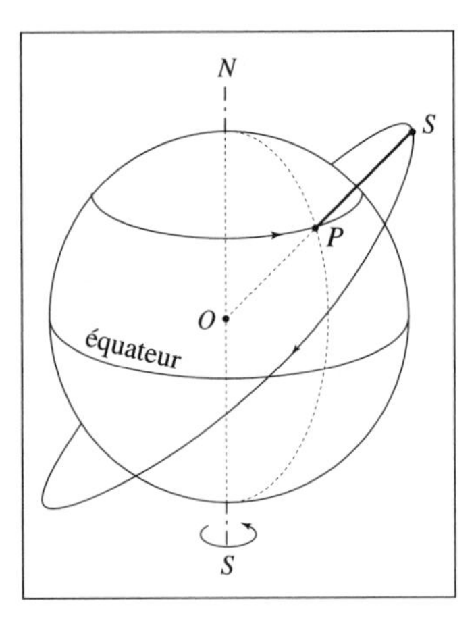

Calculer l'altitude h du satellite de sorte qu'elle soit comprise entre 1 000 et 1 400 km. On prendra $R = 6\,380$ km.

[réponses]

[1] $v = R\sqrt{\dfrac{g_0}{R+z}}$ soit $v = 7{,}6\,\text{km.s}^{-1}$; $T = \dfrac{2\pi(R+z)}{v}$ soit $T = 5\,800\,\text{s}$.

[2] $r = 1{,}08.10^{11}$ m ; $v = 35\,\text{km.s}^{-1}$.

[3] $M = 5{,}68.10^{26}$ kg.

[4] Pendant que la Terre fait un tour le satellite doit en effectuer n, c'est-à-dire que sa fréquence de rotation doit être $N = nN_0$. Si T est la période du satellite, on doit avoir $T_0 = nT$.

On trouve $r_1 = \left[\dfrac{g_0 R^2 T_0^2}{4\pi^2}\right]^{\frac{1}{3}}$ et $h = 1\,248$ km ($n = 13$).

OSCILLATEURS LINÉAIRES LIBRES

CHAPITRE

Un oscillateur mécanique est aussi appelé un « pendule ».

Les oscillateurs sans frottement sont conservatifs : l'énergie mécanique se conserve et il n'y a pas d'amortissement des oscillations.

Au contraire, s'il y a frottement, l'énergie mécanique de l'oscillateur diminue au cours du temps et l'on observe un amortissement des oscillations.
Il est conseillé de se reporter à le chapitre D pour l'étude de ce chapitre.

[l'essentiel]

[1] Pendule élastique sans frottement

[a] Oscillateur horizontal

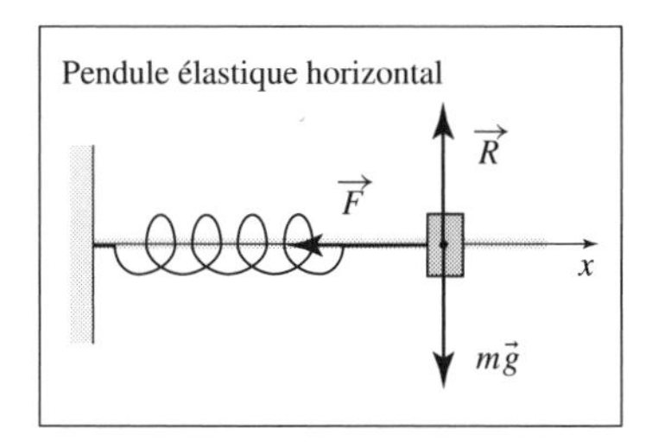

Une masse m est fixée à l'extrémité libre d'un ressort de raideur k pouvant coulisser sans frottement sur une tige horizontale. La masse est repérée par son abscisse x sur la tige, par rapport à sa position d'équilibre.

[i] Quelle est l'énergie mécanique du système (Terre – masse – ressort) ? Que peut-on en dire ?

La masse est soumise à la tension $\overrightarrow{F}$ du ressort (horizontale), à son poids $m\vec{g}$ (vertical) et à la réaction $\overrightarrow{R}$ de la tige (normale à celle-ci s'il n'y a pas de frottement et donc verticale).

L'énergie potentielle de pesanteur reste constante puisque la masse se déplace dans un plan horizontal (*cf.* **7.[3]**). Il est naturel de choisir celui-ci comme référence, de sorte que l'énergie potentielle de pesanteur est alors nulle.

[ii] En déduire l'équation différentielle du mouvement puis la forme de son équation horaire.

L'équation différentielle du mouvement s'obtient en dérivant par rapport au temps l'expression (16,1) de l'énergie mécanique qui est, rappelons-le, une constante :

$$0 = \frac{1}{2}m\,2v\frac{\mathrm{d}v}{\mathrm{d}t} + \frac{1}{2}k\,2x\dot{x},$$

soit :

$$0 = m\dot{x}\ddot{x} + kx\dot{x}.$$

En divisant les deux membres par $m\dot{x}$, il vient en définitive :

$$\boxed{\ddot{x} + \frac{k}{m}x = 0.} \qquad (16,2)$$

C'est l'équation différentielle d'un *oscillateur harmonique* de pulsation (*cf.* **D.[3]**) :

$$\omega = \sqrt{\frac{k}{m}}. \qquad (16,3)$$

Selon (D,3), sa période est $T = \dfrac{2\pi}{\omega}$, soit :

$$\boxed{T = 2\pi\sqrt{\frac{m}{k}},} \qquad (16,4)$$

et x est de la forme :

$$x = A\cos\left(\sqrt{\frac{k}{m}}t + \varphi\right).$$

[iii] Retrouver l'équation différentielle (16,2) directement en appliquant la deuxième loi de Newton.

La relation (11,3) s'écrit ici :

$$m\frac{\mathrm{d}\vec{v}}{\mathrm{d}t} = \overrightarrow{F} + m\vec{g} + \overrightarrow{R},$$

soit en projetant sur $x'x$:

$$m\ddot{x} = -kx, \qquad (16,5)$$

d'où :

$$\ddot{x} + \frac{k}{m}x = 0.$$

[b] Oscillateur vertical

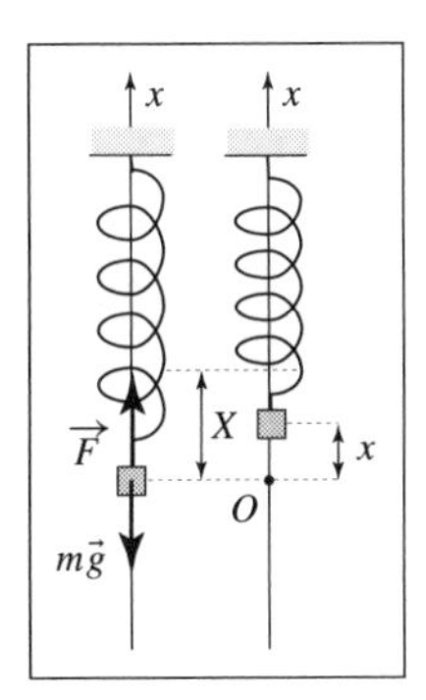

Une masse m, suspendue à l'extrémité libre d'un ressort vertical, est soumise à deux forces : son poids $m\vec{g}$ et la tension du ressort $\vec{F}$. Il est naturel ici de repérer la masse par son abscisse x relativement à sa position d'équilibre, sur la verticale ascendante.

[i] Déterminer l'énergie mécanique du système (masse – ressort – Terre) en fonction de x.

À l'équilibre, $x = 0$ et l'allongement X du ressort est tel que :

$$\vec{F} + m\vec{g} = \vec{0},$$

soit :

$$kX - mg = 0. \qquad (16, 6)$$

Si $x \neq 0$, l'allongement est $X - x$ et l'énergie potentielle élastique (7,3) s'écrit $\frac{1}{2}k(X - x)^2$, tandis que l'énergie potentielle de pesanteur (7,8) est mgx à une constante près. L'énergie potentielle totale est :

$$E_p = \frac{1}{2}k(X - x)^2 + mgx + \text{cte} = \frac{1}{2}kX^2 + \frac{1}{2}kx^2 - kXx + mgx + \text{cte},$$

soit compte tenu de (16,6) :

$$E_p = \frac{1}{2}kx^2 + \frac{1}{2}kX^2 + \text{cte},$$

soit :

$$E_p = \frac{1}{2}kx^2 + \text{cte}.$$

Il est toujours commode de choisir l'origine de l'énergie potentielle à la position d'équilibre[1] (ici $x = 0$), soit :

$$E_p = \frac{1}{2}kx^2.$$

On retrouve pour E la même expression que (7,3).

---

1 Cela revient à prendre $mgx - \frac{1}{2}kX^2$ pour l'énergie potentielle de pesanteur.

[ii] Quelle est la nature du mouvement ?

En dérivant cette expression, on arrive donc aux mêmes résultats qu'en **16.[1].[a]**, en particulier aux expressions (16,2) à (16,4) : le mouvement est sinusoïdal.

[c] Expression de l'énergie mécanique

L'énergie mécanique $E = \frac{1}{2}kx^2 + \frac{1}{2}mv^2$ oscille entre la forme potentielle et la forme cinétique. En particulier, quand cette dernière s'annule, l'autre est maximale :

$$\boxed{E = \frac{1}{2}kA^2.} \quad (16,7)$$

✘ **L'énergie mécanique est proportionnelle au carré de l'amplitude des oscillations.**

Ce résultat, valable aussi bien dans le cas de **16.[1].[a]** et **16.[1].[b]**, apparaît donc comme *général*.

[2] Pendule de torsion et pendule spiral sans frottement

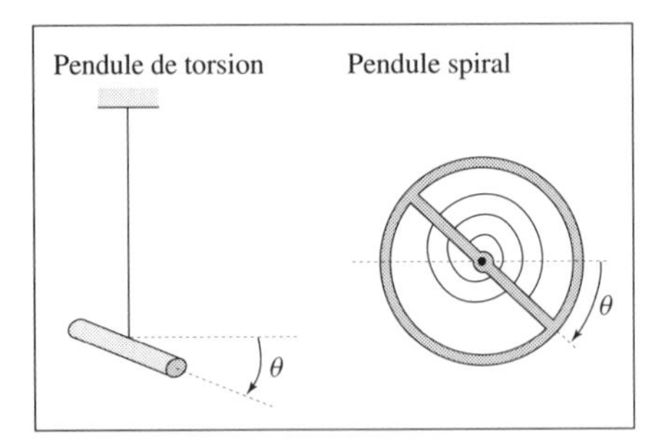

Un pendule de torsion est constitué par un solide soit suspendu à un fil métallique, soit fixé à l'extrémité d'un ressort spiral (balancier d'une montre) : le solide peut osciller autour d'un axe fixe, par rapport auquel il possède un moment d'inertie J. On suppose les frottements négligeables.

Quelle est, en fonction de l'angle θ dont le fil ou le ressort est écarté de sa position de repos, l'équation différentielle du mouvement ?

L'énergie potentielle du pendule (*cf.* **7.[2]**) est :

$$E_p = \frac{1}{2}C\theta^2,$$

et son énergie cinétique (*cf.* **8.[2]**) est :

$$E_c = \frac{1}{2}J\omega^2.$$

Son énergie mécanique est donc :

$$E = \frac{1}{2}C\theta^2 + \frac{1}{2}J\omega^2. \qquad (16,8)$$

Elle reste constante puisqu'il n'y a pas de frottement. On obtient l'équation différentielle satisfaite par θ en dérivant par rapport au temps les deux membres de (16,8), tout comme en **16.[1]** :

$$0 = C\theta\dot{\theta} + J\omega\dot{\omega}.$$

Or, $\omega = \dot{\theta}$ et $\dot{\omega} = \ddot{\theta}$, de sorte que :

$$0 = C\theta\dot{\theta} + J\dot{\theta}\ddot{\theta}.$$

Après division des deux membres par $J\dot{\theta}$, on obtient l'équation d'un oscillateur harmonique :

$$\ddot{\theta} + \frac{C}{J}\theta = 0. \qquad (16,9)$$

Le solide effectue donc des oscillations sinusoïdales de période :

$$\boxed{T = 2\pi\sqrt{\frac{J}{C}}.} \qquad (16,10)$$

On exprime T en **s**, J en **kg.m²** et C en **N.m.rad⁻¹**.

[3] Pendule pesant sans frottement

[a] Pendule simple

Un pendule simple est constitué par un solide de petite dimension de masse m, fixé à l'extrémité libre d'un fil inextensible de longueur ℓ, dont l'autre extrémité A est fixe. On appelle θ l'angle que fait le pendule avec sa position d'équilibre dans le champ de la pesanteur.

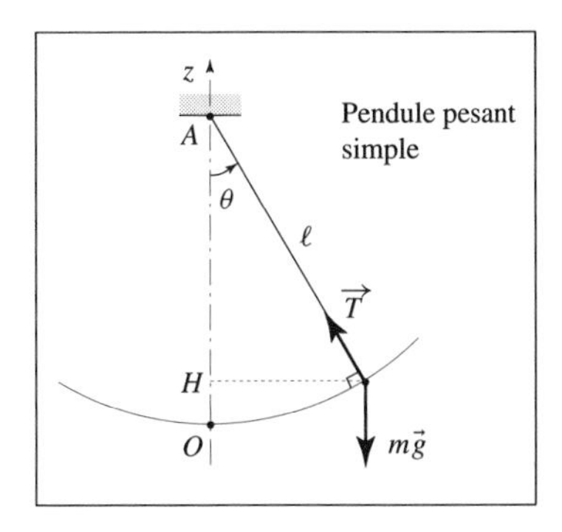

[i] Quelle est l'énergie mécanique du pendule en fonction de θ ?

Deux forces s'exercent sur le solide ponctuel : la tension $\overrightarrow{T}$ du fil, dont le travail est constamment nul puisqu'elle est perpendicualire au déplacement, son poids $m\vec{g}$. L'énergie potentielle est donc uniquement due à la pesanteur. Il faut donc choisir arbitrairement son origine : nous prendrons comme toujours $E_p = 0$ à la position d'équilibre O et nous allons d'abord l'exprimer en fonction de son altitude z au dessus de O ; ainsi :

$$E_p = mgz, \qquad (16, 11)$$

où $z = \overline{OH} = OA - OH = \ell - \ell\cos\theta$, d'où :

$$E_p = mg\ell(1 - \cos\theta). \qquad (16, 12)$$

Le solide ponctuel est animé d'un mouvement circulaire de rayon ℓ, sa vitesse linéaire $v = \ell\omega = \ell\dot{\theta}$ et son énergie cinétique est donc $E_c = \frac{1}{2}m\ell^2\dot{\theta}^2$. L'énergie mécanique du pendule est donc :

$$E = mg\ell(1 - \cos\theta) + \frac{1}{2}m\ell^2\dot{\theta}^2. \qquad (16, 13)$$

[ii] Montrer que les oscillations sont sinusoïdales si leur amplitude est faible.

On obtient l'équation différentielle du mouvement en dérivant les deux membres de (16,13). Compte tenu de ce que E reste constante en l'absence de frottement, il vient :

$$0 = mg\ell\dot{\theta}\sin\theta + m\ell^2\dot{\theta}\ddot{\theta},$$

puis, en divisant les deux membres par $m\ell^2\dot{\theta}$:

$$\ddot{\theta} + \frac{g}{\ell}\sin\theta = 0.$$

On ne sait pas résoudre cette équation, excepté si θ reste suffisamment petit pour que $\sin\theta \simeq \theta$. On obtient alors l'équation différentielle d'un oscillateur harmonique :

$$\ddot{\theta} + \frac{g}{\ell}\theta = 0. \qquad (16, 14)$$

Les oscillations sont donc sinusoïdales de période :

$$\boxed{T = 2\pi\sqrt{\frac{\ell}{g}}.} \qquad (16, 15)$$

[b] Pendule composé

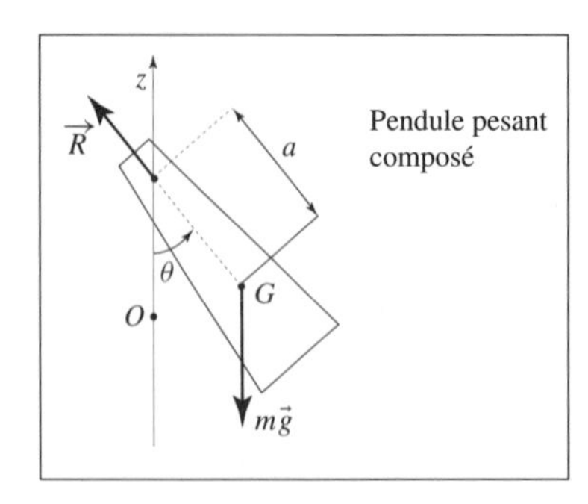

Pendule pesant composé

Un pendule composé est un solide pesant quelconque pouvant osciller autour d'un axe horizontal fixe. Nous appellerons J son moment d'inertie et a la distance de son centre de masse à l'axe.

Quelle est la période des petites oscillations ?

Le problème se traite exactement de la même façon qu'au **16.[3].[a]**. Le solide est soumis à la réaction d'axe $\vec{R}$, qui ne travaille pas en l'absence de frottement, et à son poids $m\vec{g}$. L'énergie potentielle se compose uniquement du terme de pesanteur, soit $mga(1 - \cos\theta)$ (*cf.* **16.[3].[a]**) et son énergie mécanique se conserve :

$$mga(1 - \cos\theta) + \frac{1}{2}J\omega^2 = E = \text{cte}.$$

En dérivant, on obtient :

$$mga\dot{\theta}\sin\theta + J\omega\dot{\omega} = 0,$$

où $\omega = \dot{\theta}$ et $\dot{\omega} = \ddot{\theta}$. Il vient ainsi, à l'approximation où $\sin\theta \simeq \theta$ pour les petites oscillations :

$$\ddot{\theta} + \frac{mga}{J}\theta = 0. \quad (16, 16)$$

Les petites oscillations sont donc sinusoïdales de période :

$$\boxed{T = 2\pi\sqrt{\frac{J}{mga}}}. \quad (16, 17)$$

✘ **Les oscillations des pendules pesants sont dues aux seules forces de pesanteur et ne doivent donc pas dépendre de la masse.**

De fait, (16,15) n'en dépend pas, et (16,17) non plus car J est proportionnel à m (*cf.* **8.[2]**), de sorte que (16,17) ne dépend que de g et des caractéristiques géométriques du pendule.

[4] Oscillateur réel

Dans la réalité, il est impossible d'éliminer totalement les frottements ou la résistance de l'air : un pendule réel n'oscille pas indéfiniment, l'amplitude des oscillations diminue progressivement jusqu'à l'arrêt, conformément aux remarques générales de **8.[2]** : l'énergie mécanique, proportionnelle au carré de l'amplitude (*cf.* **16.[1].[c]**), est progressivement transformée en travail des forces de frottements et, au bout du compte, en chaleur. Lorsque les frottements sont essentiellement dus au fluide dans lequel baigne l'oscillateur (frottements visqueux), il peut se faire que le système revienne à sa position d'équilibre sans pouvoir osciller si ces frottements sont importants. Le régime non oscillatoire est dit *régime critique*.

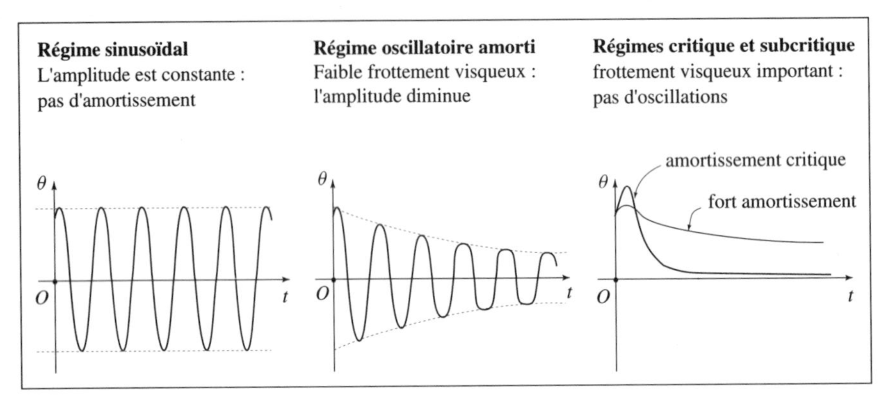

L'étude complète du mouvement est plus délicate au le plan mathématique. La résistance du fluide est correctement représentée par une force proportionnelle à la vitesse et de sens opposé, soit $-f\dot{x}$ sur $x'x$ (f est une constante positive) et qu'il faut ajouter dans le second membre de (16,15), ce qui conduit sans peine à l'équation différentielle linéaire :

$$\ddot{x} + \frac{f}{m}\dot{x} + \frac{k}{m}x = 0.$$

L'étude des solutions de cette équation est donnée au **D.[4]**.

[de l'essentiel à la pratique]

Mots-clés

- oscillations harmoniques
- régimes amortis : oscillatoire, critique, sous-critique

[1] *Un solide de masse* $m = 0{,}15\,\text{kg}$ *est fixé à l'extrémité libre d'un ressort horizontal de raideur* $k = 10\,\text{N.m}^{-1}$. *Le centre d'inertie du solide est repéré par son abscisse x relativement à sa position d'équilibre. Les frottements sont négligeables.*

[a] *Rappeler l'équation différentielle caractéristique du pendule et vérifier qu'elle admet une solution de la forme* $x(t) = a\sin(\omega t + \varphi)$.

L'équation différentielle (16,2) s'écrit :

$$\ddot{x} + \frac{k}{m}x = 0.$$

Calculons d'abord $\ddot{x}$:

$$\begin{aligned}\dot{x} &= \omega a\cos(\omega t + \varphi)\\ \ddot{x} &= -\,\omega^2 a\sin(\omega t + \varphi).\end{aligned}$$

Remplaçons dans l'équation différentielle :

$$-\,\omega^2 a\sin(\omega t + \varphi) + \frac{k}{m}a\sin(\omega t + \varphi) = O$$

$$\left[-\omega^2 + \frac{k}{m}\right]a\sin(\omega t + \varphi) = 0,$$

relation qui est vérifiée pour $\omega = \sqrt{\frac{k}{m}}$. La solution cherchée est donc de la forme :

$$x(t) = a \sin\left(\sqrt{\frac{k}{m}}t + \varphi\right). \qquad (1)$$

Cela signifie que le mouvement de la masse est sinusoïdal.

[b] *On écarte la masse de $a = 5\,\text{cm}$ de sa position d'équilibre et on la libère. On choisit comme origine des temps ($t = 0$) un instant où la masse passe par la position d'équilibre dans le sens positif de l'axe ($v(0) > 0$).*

Écrire l'équation horaire numérique en remplaçant $a\omega$ et φ par leur valeur numérique.

Nous savons que $a = 5\,\text{cm}$ et que $\omega = \sqrt{\frac{10}{0,15}} = 8,2\,\text{rad.s}^{-1}$. Reste à déterminer φ dont la valeur dépend *des conditions initiales*, c'est-à-dire $x(0) = 0$ et $v(0) > 0$. Or d'après (1), $x(0) = a \sin\varphi$ de sorte que $a \sin\varphi = 0$. Il y a donc deux valeurs possibles de φ :

$$\varphi = 0 \quad \text{et} \quad \varphi = \pi.$$

Exprimons maintenant que la vitesse à $t = 0$ est positive :

$$v(t) = \dot{x} = \omega a \cos(\omega t + \varphi)$$
$$v(0) = \omega a \cos\varphi > 0,$$

donc $\varphi = 0$ est la seule valeur qui convient et l'équation horaire s'écrit :

$$x = a \sin \omega t$$
$$x_{(m)} = 0,05 \sin 8,2t.$$

L'amplitude est donc $a = 5\,\text{cm}$ et la période $T = \frac{2\pi}{\omega} = 0,77\,\text{s}$.

[c] *Donner les expressions numériques de l'énergie cinétique et de l'énergie potentielle du pendule en fonction du temps et calculer leurs valeurs numériques à l'instant $t_1 = 0,096\,\text{s}$.*

$$v = \dot{x} = 0,41 \cos 8,2t$$
$$E_c(t) = \frac{1}{2}mv^2 = 0,013 \cos^2 8,2t \quad \text{(en joule)}$$
$$E_p(t) = \frac{1}{2}kx^2 = 0,013 \sin^2 8,2t.$$

$E_c(t) = 6,5\,\text{mJ}$ et $E_p(t) = 6,5\,\text{mJ}$ sont égales (attention car l'angle est exprimé en radians).

[d] *Calculer l'énergie mécanique $E = E_c(t) + E_p(t)$. Conclure.*

$$E = 0,013(\cos^2 8,2t + \sin^2 8,2t) = 0,013\,J.$$

L'énergie mécanique se conserve au cours du temps, ainsi que l'on pouvait s'y attendre.

[2] *Une tige rigide, homogène, est suspendue en son milieu à un fil verticale dont la constante de torsion est C. Le moment d'inertie de la tige par rapport à l'axe du fil est $J = 3,20\,\text{kg.m}^2$ et les frottements sont négligeables.*

[a] *On écarte la tige de sa position d'équilibre d'un angle α dans un plan horizontal puis on l'abandonne sans vitesse. Donner l'expression de l'énergie potentielle de torsion en fonction de l'écart angulaire θ et déterminer l'équation différentielle du mouvement.*

$$E_p = \frac{1}{2}C\theta^2 \quad \text{et} \quad \ddot{\theta} + \frac{C}{J}\theta = 0. \qquad (cf.\ \mathbf{16.[2]})$$

[b] *La tige oscille avec une période $T = 4{,}20\,\text{s}$. Calculer C.*

Les solutions de l'équation différentielle obtenues sont sinusoïdales de pulsation :

$$\omega = \frac{2\pi}{T} = \sqrt{\frac{C}{J}},$$

d'où :

$$\frac{4\pi^2}{T^2} = \frac{C}{J} \quad \text{et} \quad C = \frac{4\pi^2}{T^2}J,$$

soit $\underline{C = 7{,}16\,\text{N.rad}^{-1}}$.

[c] *Écrire l'équation horaire $\theta = \theta(t)$ sachant que $\alpha = \frac{2\pi}{3}$ rad et en prenant $t = 0$ à l'instant initial.*

$$\theta(t) = A\cos(\omega t + \varphi) \quad \text{et} \quad \theta(0) = A\cos\varphi,$$

de sorte que la première condition initiale s'écrit :

$$A\cos\varphi = \alpha. \qquad (1)$$

La deuxième condition initiale s'obtient en écrivant que la vitesse angulaire $\dot{\theta}(0)$ est nulle :

$$\dot{\theta}(t) = -\,\omega A\sin(\omega t + \varphi)$$
$$\dot{\theta}(0) = -\,\omega A\sin\varphi,$$

de sorte que :

$$\omega A\sin\varphi = 0. \qquad (2)$$

Donc $\varphi = 0$ ou $\varphi = \pi$ et d'après (1), $A = \alpha$ ou $A = -\alpha$ selon la valeur de φ. Les deux possibilités ($\varphi = 0$; $A = \alpha$ ou $\varphi = \pi$; $A = -\alpha$) donnent la même expression $\left(\text{avec } \omega = \frac{2\pi}{T}\right)$:

$$\theta(t) = \alpha\cos 2\pi\frac{t}{T},$$

soit $\underline{\theta = \frac{2\pi}{3}\cos 1{,}50t}$.

[d] *Calculer l'énergie mécanique du pendule.*

L'énergie mécanique se conserve car les frottements sont négligeables :

$$E = E_c + E_p = E_{p\max} \quad \text{(ce qui correspond à } E_c = 0)$$
$$E = \frac{1}{2}C\theta_{\max}^2,$$

soit :

$$E = \frac{1}{2}C\alpha^2 = \frac{1}{2} \times 7{,}16 \times \left(\frac{2\pi}{3}\right)^2 = 15{,}7\,\text{J}.$$

[3] *Une bille de petite dimension est suspendue à un fil inextensible de longueur ℓ en un lieu où $g = 9{,}81\,\text{m.s}^{-2}$.*

[a] *Quelle est l'équation différentielle des petites oscillations de l'écart angulaire θ du pendule par rapport à la verticale ?*

C'est l'équation (16,14) :

$$\ddot{\theta} + \frac{g}{\ell}\theta = 0.$$

[b] *Quelle longueur doit avoir le pendule pour que sa période d'oscillation soit 2 s ?*

$T = \dfrac{2\pi}{\omega} = 2\pi\sqrt{\dfrac{\ell}{g}}$; d'où $\ell = g\dfrac{T^2}{4\pi^2}$ soit $\underline{\ell = 0{,}994\,\text{m}}$.

[c] *La bille homogène a un rayon $r = 1\,\text{cm}$ et son moment d'inertie par rapport à l'axe de rotation est donné par :*

$$J = m\left[\ell^2 + \frac{2r^2}{5}\right],$$

où m est la masse de la bille. Quelle est la longueur ℓ_0 du pendule simple qui a la même période ?

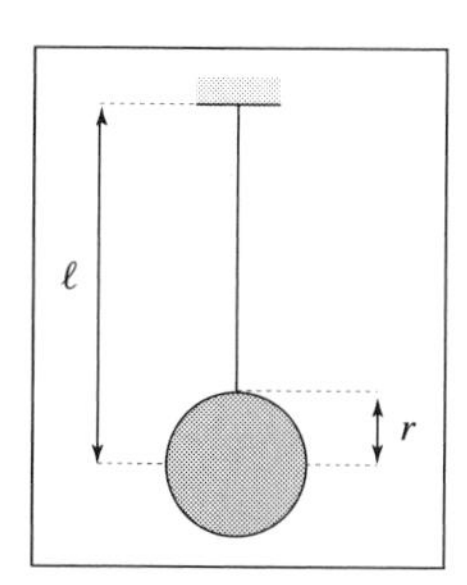

La relation (16,17) s'écrit ici, en remplaçant J par son expression :

$$T = 2\pi\sqrt{\frac{1}{g\ell}\left[\ell^2 + \frac{2r^2}{5}\right]} = 2\pi\sqrt{\frac{\ell_0}{g}},$$

donc $\ell_0 = \ell + \dfrac{2r^2}{5\ell}$ et on trouve $\underline{\ell_0 - \ell = 4.10^{-2}\,\text{mm}}$: la différence est infime.

Oscillations libres sans frottement

[1] On comprime un ressort horizontal, à l'extrémité duquel est fixé une masse $m = 40\,\text{g}$, d'une quantité $a = 2\,\text{cm}$ et on le libère. On mesure une période $T = 0{,}65\,\text{s}$. Quelles sont la raideur k du ressort, l'énergie mécanique du système, la vitesse de la masse au passage par la position d'équilibre ?

[2] Un solide de masse $M = 0{,}80\,\text{kg}$ est fixé à l'extrémité libre d'un ressort horizontal de raideur $k = 1\,000\,\text{N.m}^{-1}$. Le centre d'inertie du solide est repéré par son abscisse x relativement à sa position d'équilibre. À l'instant $t = 0$ on communique au solide une vitesse $v_0 = 0{,}53\,\text{m.s}^{-1}$ vers les x croissants à partir de la position d'équilibre.

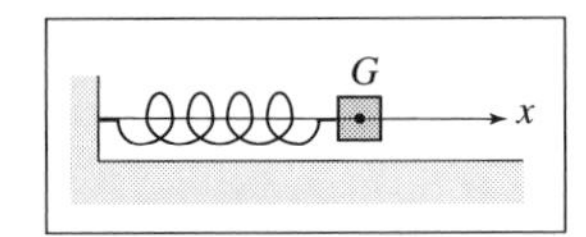

Déterminer l'équation différentielle du mouvement et en déduire la pulsation propre ω de l'oscillateur. Trouver x en fonction du temps t.

[3] On accroche une masse de 100 g à l'extrémité B d'un ressort AB non déformé et on l'abandonne aussitôt sans vitesse intiale (instant $t = 0$). La raideur du ressort est $20\,\text{N.m}^{-1}$. Déterminer l'équation horaire du mouvement de la masse sur la verticale descendante, l'origine étant prise à la position d'équilibre de la masse et préciser l'amplitude et la période.

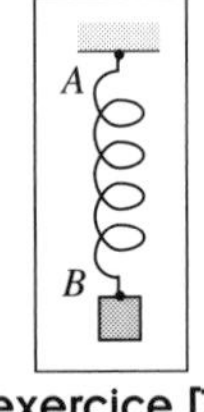

exercice [3]

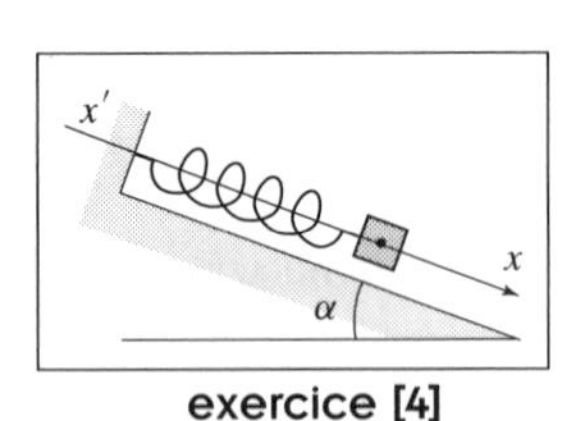

exercice [4]

[4] Un ressort de raideur $k = 20\,\text{N.m}^{-1}$ est attaché au sommet d'un rail incliné faisant un angle α avec l'horizontale. Un corps de masse $m = 0{,}1\,\text{kg}$ est attaché à l'autre extrémité et repéré par son abscisse x relativement à sa position d'équilibre, comme l'indique la figure.

[a] Exprimer l'énergie potentielle de pesanteur en fonction de x.

[b] Exprimer l'énergie mécanique en fonction de x, en prenant la référence de l'énergie potentielle à la position d'équilibre, et en déduire la pulsation propre de l'oscillateur.

[5] Un solide de masse m, attaché à l'extrémité libre d'un ressort de longueur à vide ℓ_0, est astreint à se déplacer sur un banc lisse incliné d'un angle α sur l'horizontale. À l'équilibre la longueur du ressort est ℓ_1 (*cf.* figure exercice **16.[4]** ci-dessus).

[a] Calculer la raideur k du ressort en fonction de $m, \ell_0, \ell_1, \alpha, g$. On donne $m = 0{,}20\,\text{kg}$; $\ell_0 = 10\,\text{cm}$; $\ell_1 = 14\,\text{cm}$; $\alpha = 30°$.

[b] On écarte le solide vers le bas à partir de l'équilibre de $\Delta\ell = 2{,}0\,\text{cm}$ et on l'abandonne à l'instant $t = 0$ sans vitesse initale. Trouver l'équation horaire.

[c] Le solide est lancé vers le bas avec une vitesse $v_0 = 0{,}30\,\text{m.s}^{-1}$ à partir de l'équilibre. Quelle est l'amplitude des oscillations ?

[6] Une masselotte M fixée à une extrémité d'un ressort horizontal peut coulisser sans frottement sur une tige horizontale $x'x$. La masselotte est écartée de sa position d'équilibre O d'une distance $a = 2\,\text{cm}$ puis abandonnée sans vitesse initiale.

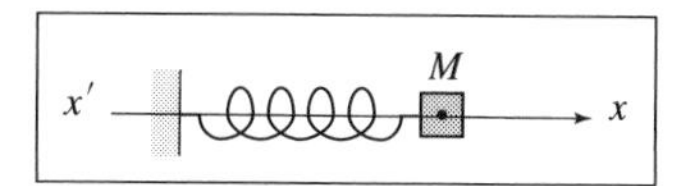

Quelles sont l'énergie cinétique et la vitesse de la masselotte lors de son passage en O ? La raideur du ressort est $k = 200\,\text{N.m}^{-1}$ et la masse $m = 0{,}1\,\text{kg}$.

[7] Le fil vertical de la figure a pour constante de torsion $C = 4{,}50.10^{-4}\,\text{N.m.rad}^{-1}$. Le moment d'inertie du disque horizontal (S) par rapport à l'axe Δ du fil est $J = 3{,}8.10^{-3}\,\text{kg.m}^2$. À l'instant $t = 0$, le disque passe par sa position angulaire d'équilibre $\theta = 0$ avec la vitesse angulaire $\dot{\theta}_0 = 0{,}35\,\text{rad.s}^{-1}$ (dans le sens positif choisi). On néglige les frottements.

[a] Établir l'équation différentielle du mouvement et en déduire l'équation horaire.

[b] Trouver la vitesse angulaire après une rotation de $30°$ après l'instant $t = 0$.

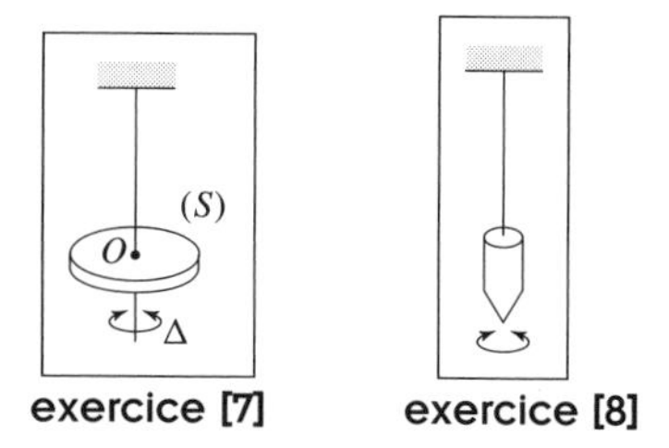

exercice [7] exercice [8]

[8] Une masselotte est suspendue à un fil de torsion de constante $C = 3{,}3.10^{-5}\,\text{N.m.rad}^{-1}$. La période des oscillations libres autour de l'axe du fil est $T = 10{,}8\,\text{s}$.

[a] Calculer le moment d'inertie J de la masselotte par rapport à l'axe du fil.

[b] On abandonne la masselotte sans vitesse après lui avoir fait subir 10 tours. Quelle est sa vitesse angulaire maximale ?

[9] Une horloge, exactement réglée, effectue une oscillation par seconde. Une seconde horloge, dont le balancier est un peu plus long, est mise à l'heure à midi précise. À 12 h 01 les balanciers passent simultanément par la verticale dans le même sens et on constate que cette coïncidence se produit toutes les 150 s.

[a] Quel sera le retard de la seconde horloge le lendemain matin à 8 heures ?

[b] En assimilant son balancier à un pendule simple, de combien faut-il le raccourcir pour que sa marche soit exactement réglée ?

[réponses]

[1] $k = \dfrac{4\pi^2}{T^2} m$ soit $k = 3{,}7\,\text{N.m}^{-1}$; $E = \dfrac{1}{2} k a^2$ soit $E = 7{,}5.10^{-4}$ J (à l'instant initial, l'énergie cinétique est nulle) ; $v = \sqrt{\dfrac{2E}{m}}$ soit $v = 0{,}19\,\text{m.s}^{-1}$.

[2] $\ddot{x} + \dfrac{k}{M} x = 0$; $x = A\cos(\omega t + \varphi)$; à $t = 0$, $x(0) = A\cos\varphi$ et $\dot{x}(0) = -\omega A \sin\varphi$: on obtient $x = 1{,}5 \sin 35t$ (en cm). On peut aussi calculer A en utilisant la conservation de l'énergie : $\dfrac{1}{2} m v_0^2 = \dfrac{1}{2} k A^2$.

[3] $x = -4{,}9 \cos 14t$ (en cm) ; $A = 4{,}9$ cm ; $T = 0{,}45$ s (exprimer qu'à $t = 0$, $x = 0$ et $\dot{x} = 0$, et en déduire que $\varphi = 0$).

[4] **[a]** $-mgx \sin\alpha + \text{cte}$.

[b] L'allongement est $x + \dfrac{mg \sin\alpha}{k}$ (et non pas x !).

$$E_p = -mgx \sin\alpha + \frac{1}{2} k \left(x + \frac{mg \sin\alpha}{k} \right)^2 + \text{cte} = \frac{1}{2} k x^2,$$

et $E = \dfrac{1}{2} m \dot{x}^2 + \dfrac{1}{2} k x^2$; $\omega = \sqrt{\dfrac{k}{m}}$, soit $\omega = 14\,\text{rad.s}^{-1}$.

[5] **[a]** $k = \dfrac{mg \sin\alpha}{\ell_1 - \ell_0}$ soit $k = 0{,}245\,\text{N.cm}^{-1}$.

[b] $x_{\text{cm}} = \Delta\ell \cos \sqrt{\dfrac{k}{m}} t$ $\left(\dfrac{k}{m} \text{ en unité S.I.} \right)$ soit $x_{\text{cm}} = 2 \cos 11{,}1t$.

[c] Utiliser la conservation de l'énergie mécanique : $A = 2{,}7$ cm.

[6] Il y a conservation de l'énergie mécanique du système (masse – ressort) :

$$E = \frac{1}{2} m v^2 + \frac{1}{2} k x^2.$$

On ne tient pas compte de l'énergie potentielle de pesanteur qui ne varie pas ici. À l'instant initial, $v = 0$ et $x = a$, donc $E = \dfrac{1}{2} k a^2$. Lorsque la masselotte passe en O, $x = 0$ et $v = V$, donc $E = \dfrac{1}{2} m V^2$. Donc $\dfrac{1}{2} m V^2 = \dfrac{1}{2} k a^2 = \dfrac{1}{2} \times 200 \times (0{,}02)^2$ soit $E = 0{,}04$ J, et $V = a\sqrt{\dfrac{k}{m}}$, d'où $V = 0{,}02\sqrt{\dfrac{200}{0{,}1}}$ soit $V = 0{,}89\,\text{m.s}^{-1}$.

[7] $\theta = 1{,}02 \sin 0{,}34t$ en radian ; $\dot{\theta} = \theta_{\text{max}} \omega \cos \omega t$ soit, en utilisant $\sin^2 \omega t + \cos^2 \omega t = 1$, $\dot{\theta} = \omega \sqrt{\theta_{\text{max}}^2 - \theta^2}$ soit enfin, avec $\theta = \dfrac{\pi}{6}$ rad, $\dot{\theta} = 0{,}30\,\text{rad.s}^{-1}$.

[8] **[a]** $J = 9{,}7.10^{-5}\,\text{kg.m}^2$; **[b]** Utiliser la conservation de l'énergie : $37\,\text{rad.s}^{-1}$.

[9] **[a]** L'horloge retarde d'une seconde toutes les 150 s : elle indiquera 7 h 52 min 0 s.

[b] 3,3 mm.

OSCILLATIONS ENTRETENUES OU FORCÉES

CHAPITRE 17

Pour compenser l'énergie perdue dans l'amortissement et obtenir des oscillations véritablement périodiques, d'amplitude constante, deux solutions sont possibles et vous sont présentées dans le présent chapitre.

[l'essentiel]

[1] Entretien des oscillations

Un dispositif auxilliaire jouant le rôle de réservoir d'énergie fournit, à intervalles de temps réguliers, à l'oscillation l'énergie dissipée par frottements. Chaque fois que l'oscillateur atteint dans un sens donné (soit donc en pratique deux fois par oscillation) une certaine élongation[1] θ_0, il déclenche à l'aide d'un mécanisme que l'on ne décrira pas ici une impulsion[2] qui lui communique l'énergie nécessaire pour maintenir constante l'amplitude : on obtient ainsi des *oscillations autoentretenues*.

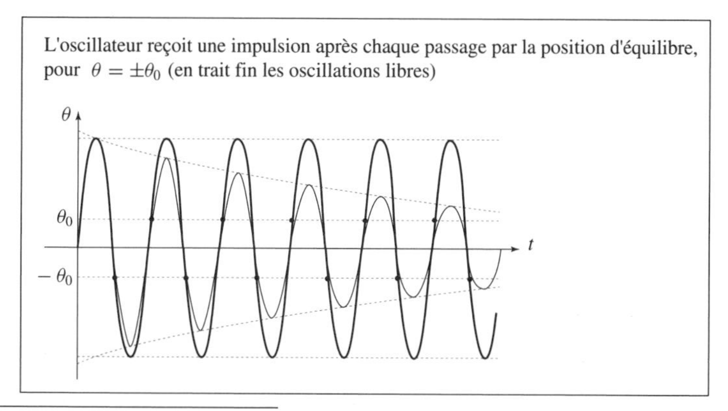

1 Cette élongation est choisie dans la pratique voisine de la position d'équilibre.

2 De ce fait l'oscillateur entretenu ne peut plus être considéré comme linéaire.

Ainsi, le contrepoids d'une horloge ou le ressort d'une pendulette restituent de l'énergie emmagasinnée sous forme potentielle (de pesanteur pour le premier, de torsion pour le second) ; dans une montre à quartz l'oscillateur est un cristal de quartz dont les vibrations sont entretenues par l'énergie électrique fournie par une pile.

Cependant, la fréquence des oscillations varie faiblement avec l'importance de l'amortissement et avec le choix de θ_0 : cette pertubation peut être négligée et l'on considère qu'*un oscillateur entretenu vibre à la fréquence de l'oscillateur libre non amorti.*

[2] Oscillations forcées. Résonance

Les oscillations libres d'un système sont aussi nommées **modes propres** de l'oscillateur. La fréquence et la période correspondantes sont dites **fréquence propre** et **période propre** de cet oscillateur.

Cependant, un pendule peut être mis puis maintenu en oscillations par un dispositif extérieur, *l'excitateur* ; le pendule prend alors le nom de *résonateur*. L'excitateur peut être un autre pendule (entretenu ou non) ou bien un système tournant (moteur, volant,. . .).

Contrairement au cas des oscillations entretenues, le transfert d'énergie se fait en permanence de l'extérieur vers le résonateur[1] : on dit qu'il y a *couplage*. L'énergie transférée dépend entre autre de la nature du couplage, c'est-à-dire du lien entre le résonateur et l'excitateur.

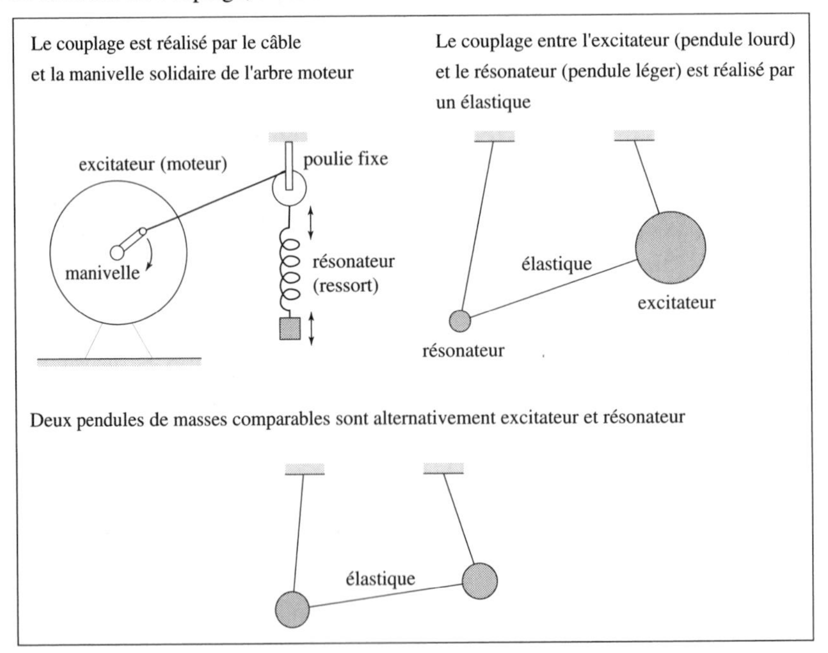

On constate expérimentalement que :

– **l'excitateur impose sa fréquence propre aux oscillations du résonateur[2]** : noter la

[1] Il peut se faire que l'énergie passe alternativement de l'un à l'autre : dans ce cas il y a échange entre les rôles d'excitateur et de résonateur.

[2] Lorsque celui-ci est défini sans ambiguïté : ce n'est pas le cas avec deux pendules de masses comparables.

différence avec les oscillations entretenues :

– le transfert d'énergie au résonateur dépend de la nature du couplage, du rapport des fréquences propres N_0 du résonateur et N de l'excitateur, ainsi que de l'amortissement du résonateur ; la **réponse du résonateur** en fonction de la fréquence propre N de l'excitateur, c'est-à-dire la courbe donnant l'amplitude A de ses oscillations en fonction de N, présente un maximum pour une valeur voisine de N_0 si le résonateur est faiblement amorti : c'est la *résonance*.

✗ **Il y a résonance lorsque l'amplitude des oscillations du résonateur est maximale ; les fréquence propres de l'excitateur et du résonateur sont alors extrêmement voisines[1] et les oscillations ont lieu en phase.**

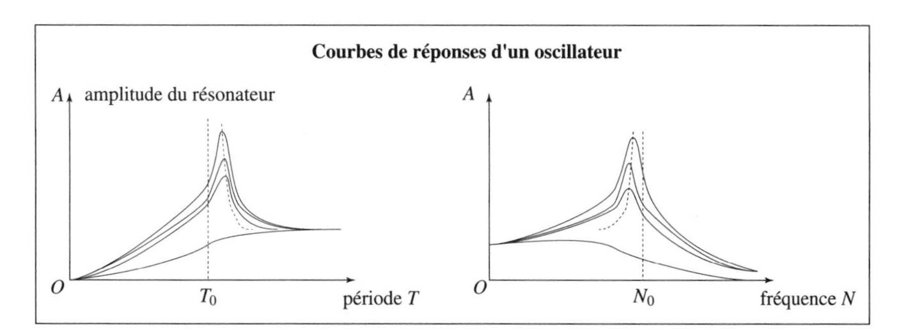

Noter enfin que le déphasage entre l'excitateur et le résonateur croît lorsqu'on s'écarte de la résonance.

Le phénomène de résonance est très fréquent en mécanique ; il peut se montrer destructeur ou tout du moins gênant dans certains cas :

– résonance du bâti supportant un moteur pour une fréquence critique de rotation de celui-ci ;

– résonance de la colonne de direction (le *shimmy*), d'un véhicule ou de la carrosserie pour une certaine fréquence de rotation des roues ;

– on doit éviter que la fréquence propre des ressorts de suspension des wagons d'un train soit voisine de la fréquence de passage sur les éclisses des rails ;

– la fréquence propre du roulis d'un navire doit être aussi éloignée que possibles de celles des houles ;

– en acoustique, où le résonateur est l'air contenu dans la caisse de résonance d'un tambour, d'un violon, *etc*.

Mais les phénomènes de résonance, dont la caractéristiques essentielle est un transfert d'énergie maximal sur le résonateur pour une fréquence d'excitation critique, ne se limitent pas à la mécanique ; on les rencontre avec toutes les formes d'énergie, dans tous les domaines de la physique : en électricité, en optique, en physique atomique ou nucléaire.

---

1 Mais le résonateur oscille *toujours* avec la fréquence de l'excitateur.

[de l'essentiel à la pratique]

Mots-clés

oscillations : entretenues, forcées

résonance

modes propres

courbe de réponse

[1] Entretien des oscillations

La période du balancier d'une horloge est $T = 1$ s. Ses oscillations sont entretenues par la descente d'un poids de masse $M = 10$ kg, poids qu'il faut remonter de $h = 2$ m une fois par semaine.

[a] *Quelle énergie δW le poids transmet-il au pendule pendant une oscillation ?*

On négligera l'énergie perdue en frottements dans le mécanisme de transmission.

$$\Delta t = 1 \text{ semaine} = 7 \times 24 \times 3\,600 = 6{,}0.10^5\ s.$$

$$\delta W = \frac{Mgh}{\Delta t} T = \frac{10 \times 9{,}8 \times 2}{6{,}0.10^5} = 3{,}3.10^{-4}\ \text{J} = 0{,}33\ \text{mJ}.$$

[b] *La masse du balancier est $m = 0{,}8$ kg. Quelle serait la perte δh sur l'altitude maximale atteinte par le centre de masse du balancier (au dessus de sa position d'équilibre) à chacune des oscillations, si celles-ci n'étaient pas entretenues ?*

L'énergie mécanique du balancier, avec les notations de (7,8) est :

$$E = E_c + mgz = mgh,$$

puisque la vitesse (et donc l'énergie cinétique) s'annule quand le balancier atteint l'altitude maximale.

La perte d'énergie mécanique au cours d'une oscillation, soit $\delta E = mg\delta h$, est compensée par l'apport δW du dispositif d'entretien :

$$mg\delta h = \delta W$$

$$\delta h = \frac{\delta W}{mg},$$

soit $\delta h = \dfrac{3{,}3.10^{-4}}{0{,}8 \times 9{,}8}$ soit $\underline{\delta h = 4{,}2.10^{-5}\ \text{m} = 0{,}042\ \text{mm}}$.

[2] Résonance

Les ressorts de suspension d'un wagon chargé se trouvent comprimés au repos de $X = 5$ cm. Le wagon se déplace sur des rails longs de $L = 12$ m. Aux joints des rails il reçoit des secousses provenant des oscillations forcées sur les ressorts. Déterminer la vitesse critique V du wagon pour laquelle il aura tendance à effectuer des oscillations de grande amplitude.

Il s'agit ici typiquement d'une résonance lorsque la fréquence N des secousses est voisine de la fréquence propre N_0 des ressorts.

$N = \dfrac{1}{T}$, où T est l'intervalle de temps s'écoulant entre deux secousses, soit $T = \dfrac{L}{V}$ et donc $N = \dfrac{V}{L}$.

Si m est la masse répartie sur un ressort, (16,4) s'écrit :

$$T_0 = 2\pi\sqrt{\frac{m}{k}} \quad \text{et} \quad N_0 = \frac{1}{2\pi}\sqrt{\frac{k}{m}}.$$

Donc, si $N = N_0$:

$$\frac{V}{L} = \frac{1}{2\pi}\sqrt{\frac{k}{m}},$$

et donc :

$$V = \frac{L}{2\pi}\sqrt{\frac{k}{m}}.$$

Or, à l'équilibre $mg = kX$, de sorte que $\dfrac{k}{m} = \dfrac{g}{X}$, et :

$$V = \frac{L}{2\pi}\sqrt{\frac{g}{X}},$$

d'où $V = \dfrac{12}{2\pi}\sqrt{\dfrac{9{,}8}{0{,}05}}$ soit $\underline{V = 27\,\text{m.s}^{-1}}$ ou $V = 27 \times \dfrac{3\,600}{1\,000}$ soit $\underline{V = 96\,\text{km.h}^{-1}}$.

[3] Oscillations forcées

Un pendule simple de longueur $L = 1$ m, de masse $M = 1$ kg, entraîne en oscillations forcées, par un élastique, un autre pendule simple de longueur $\ell = 50$ cm et de masse $m = 100$ g. Ce dernier étant au repos, on écarte le premier d'un angle $\theta = 40°$ et on l'abandonne sans vitesse initiale. Quelle est l'amplitude α du pendule excitateur lorsque l'amplitude du résonateur est $\beta = \theta_0$? On supposera l'amortissement négligeable.

Si l'amortissement est négligeable, le système des deux pendules couplés n'échange pas d'énergie avec l'extérieur (pas de frottement) : il est isolé et son énergie E reste donc constante. Si l'on considère qu'à l'instant initial l'énergie mécanique du résonateur immobile est nulle, E est alors égale à l'énergie mécanique de l'excitateur. Celle-ci est à cet instant sous forme exclusivement potentielle ($v_0 = 0$) :

$$\begin{aligned} E &= Mgh = Mg(L - L\cos\theta_0) \\ E &= MgL(1 - \cos\theta_0). \end{aligned}$$

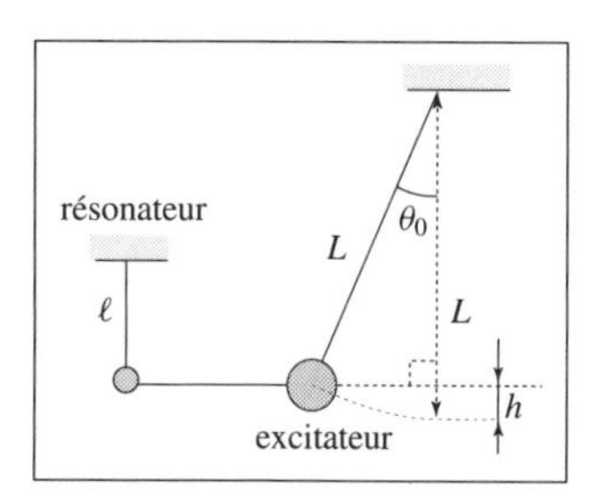

Donc par la suite $E = E_1 + E_2$, où $E_1 = MgL(1 - \cos\alpha)$ est l'énergie mécanique de l'excitateur (qui oscille avec l'amplitude α) et $E_2 = mg\ell(1 - \cos\beta)$ celle du résonateur (qui oscille avec l'amplitude β). Par conséquent :

$$MgL(1 - \cos\theta_0) = MgL(1 - \cos\alpha) + mg\ell(1 - \cos\beta).$$

Compte tenu de $\beta = \theta_0$, il vient après simplification :

$$m\ell + (ML - m\ell)\cos\theta_0 - ML\cos\alpha = 0$$

$$\cos\alpha = \left(1 - \frac{m\ell}{ML}\right)\cos\theta_0 + \frac{m\ell}{ML},$$

soit $\cos\alpha = 0{,}778$ et $\underline{\alpha = 38{,}9^\circ}$.

NOTION DE PRESSION

CHAPITRE 18

[l'essentiel]

[1] Les états physiques de la matière

Selon les conditions extérieures, la matière peut se présenter sous trois formes physiques différentes : l'**état solide**, l'**état liquide** et l'**état gazeux** (aussi appelé **état de vapeur**).

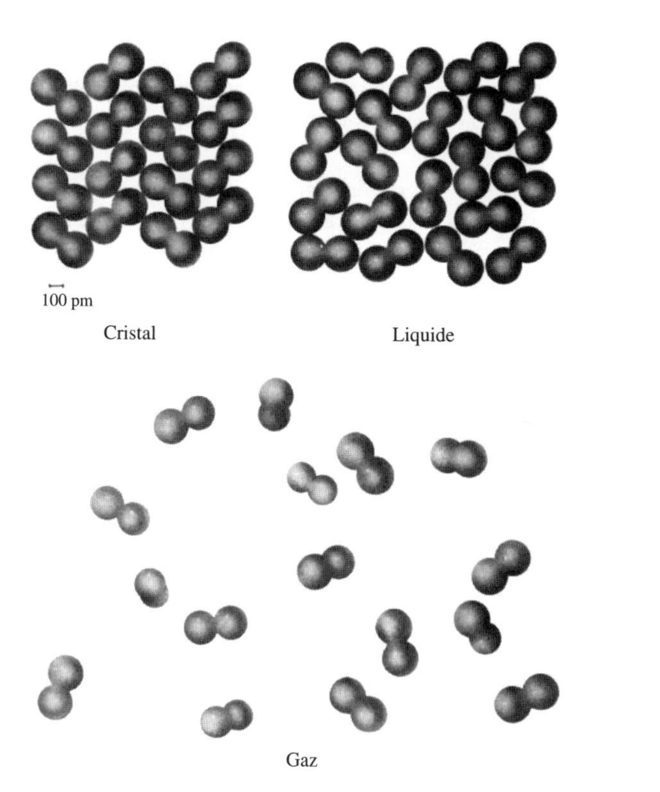

Linus et Peter PAULING, *Chemistry*, W. H. Freeman & Cie, San Francisco, 1947/1975

Les états solides et liquide sont dits *condensés* car les distances qui séparent les molécules y sont très petites et a peu près constantes, ce qui les rend à peu près imcompressibles. L'état solide est le plus ordonné : dans les cristaux, molécules et atomes sont rangés en édifices réguliers (les *réseaux cristallins*). Dans l'état liquide les molécules s'orientent de manière arbitraire et les distances intermoléculaires y sont moins régulières que dans l'état solide. C'est à l'état gazeux où les mouvements des molécules sont les plus libres que l'on peut considérer le désordre comme le plus grand : un liquide épouse la forme de son récipient mais n'en n'occupe qu'une partie dans laquelle il se *range*, alors qu'un gaz occupe toujours le récipient entier.

Les gaz sont très compressibles contrairement aux solides et aux liquides ; il se déplacent et se mélangent très facilement. Cela s'explique aisément par le fait qu'un gaz se compose de molécules éloignées les unes des autres alors que les solides ou les liquides sont constitués des mêmes molécules serrées les unes contre les autres ; dans un gaz pris dans les conditions ordinaires, la densité y est un millier de fois plus faible que dans l'état solide ou liquide et la distance moyenne entre les molécules s'y trouve de l'ordre d'une dizaine de fois leur dimension. Voilà qui explique bien pourquoi les gaz sont compressibles mais ne dit par pourquoi ils peuvent se mélanger *spontanément* (une odeur de cuisine se répand dans toute la maison, même en l'absence de courant d'air) : en réalité *les molécules ne sont pas immobiles mais se déplacent constamment dans toutes les directions* (à des vitesses de plusieurs centaines de mètres par seconde dans les conditions ambiantes), rebondissent soit les unes sur les autres, soit sur les parois du récipient. Cette agitation existe aussi à l'état liquide mais à niveau moindre (les molécules glissent les unes sur les autres), et à l'état solide (les molécules ou les atomes oscillent alors autour de sites fixes).

Ainsi la matière possède toujours de l'énergie cinétique « microscopique », due aux mouvements des atomes et des molécules. Elle possède aussi de l'énergie potentielle d'origine électrostatique, traduisant les interactions des électrons et noyaux des différents atomes ou molécules : une partie de cette énergie potentielle est libérée (sous forme cinétique) lorsque la matière passe de l'état liquide à l'état gazeux par exemple.

L'énergie mécanique totale d'un système matériel globalement au repos (c'est-à-dire dont le centre de masse est immobile) s'appelle son **énergie interne** U. Il est très difficile de calculer cette énergie interne, cependant celle-ci est susceptible de varier quand le système interagit avec l'extérieur et nous verrons que l'on peut alors facilement déterminer ses variations.

[2] Pression dans un gaz

Les molécules de gaz venant de toutes les directions, en rebondissant sans cesse sur les parois, exercent une poussée sur celles-ci. La poussée exercée par une molécule **1** (disons vers le haut) sera compenser en moyenne par celle qui est exercée (vers le bas) par une molécule **2**. Par contre, toutes les molécules poussent perpendiculairement à la paroi, dans le même sens, vers l'extérieur : *la poussée exercée contre une paroi par le gaz est perpendiculaire à la paroi* ; elle sera la même partout si la densité moléculaire est uniforme dans le gaz.

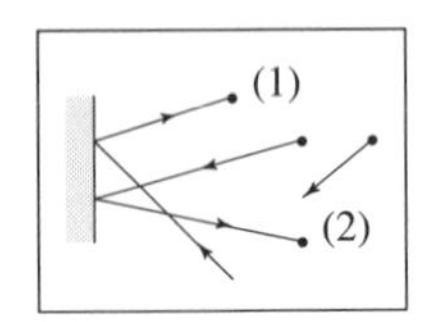

✗ **On appelle pression du gaz sur la paroi l'intensité de la force exercée par unité d'aire.**

L'unité S.I. de pression est le **pascal** (**Pa**). Elle correspond à une force de 1 newton exercée perpendiculairement à une paroi de 1 m^2, c'est-à-dire que 1 Pa = 1 $N.m^{-2}$. On utilise fréquemment deux multiples décimaux du pascal, le **bar** et l'**hectopascal** : 1 bar $= 10^5$ Pa et 1 hPa = 100 Pa $= 10^{-3}$ bar.

Imaginons maintenant que l'on introduise un disque rigide (D) au milieu du gaz. Les molécules du gaz vont exercer une poussée sur chaque face du disque (ces poussées vont du reste s'équilibrer) qui traduit l'effet de la pression *dans* le gaz.

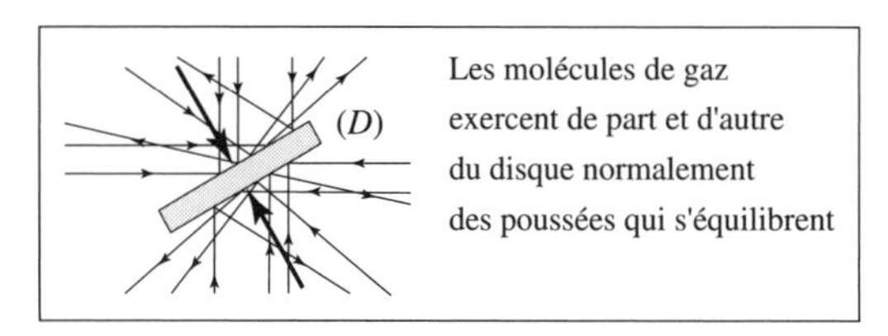

Les molécules de gaz exercent de part et d'autre du disque normalement des poussées qui s'équilibrent

Il n'y a aucune raison *a priori* de penser que les mouvements aléatoires des molécules se font de manière préférentielle dans certaines directions, de sorte que la pression exercée sur le disque ne doit pas dépendre de l'orientation de celui-ci. *La pression*, contrairement à la force qu'elle produit sur un objet, *ne dépend pas de la direction considérée* ; elle ne dépend que du point où est l'objet : c'est un *champ scalaire* (*cf.* **C.[2]**).

[3] Pression au contact entre solides

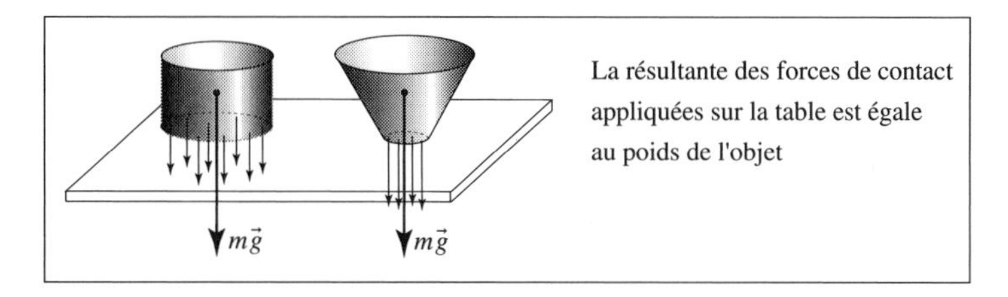

La résultante des forces de contact appliquées sur la table est égale au poids de l'objet

Deux objets pesants de même poids $m\vec{g}$, posés sur une table, exercent chacun sur celle-ci une réaction qui est égale au poids de l'objet (*cf.* **3.[2]** et **3.[4]**) . En pratique le contact n'est pas ponctuel et cette réaction est en fait la résultante d'un système de forces réparties sur la surface de contact ; la déformation de la table qui en résulte dépend de l'aire de cette surface : des talons à aiguille produisent davantage de dégats sur un plancher que des talons plats. Ce qui est déterminant, c'est l'*intensité de la force par unité de surface*, c'est-à-dire la pression exercée au contact.

[4] Loi fondamentale de l'hydrostatique

L'agitation des molécules n'est pas la seule cause de la pression dans un fluide. Considérons une éprouvette de section S emplie d'un liquide de masse volumique ρ sur une hauteur h.

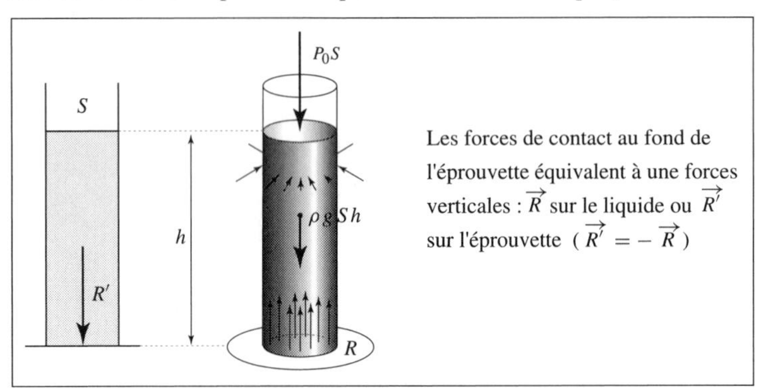

Le volume du liquide est Sh, sa masse ρSh et son poids $\rho g Sh$. Le liquide est soumis à trois forces verticales : la force pressante $P_0 S$ exercée par l'air à la pression P_0 sur sa surface libre, le poids $\rho g Sh$ et la réaction du fond R ; il est soumis également aux réactions horizontales exercée par la paroi latérale. La force de contact résultante R' exercée sur le fond de l'éprouvette par le liquide[1], et qui est verticale, est donc égale à la résultante du poids $\rho g Sh$ et de la force pressante $P_0 S$; la pression au fond est par conséquent :

$$P = \frac{R'}{S} = P_0 + \rho g h,$$

les forces de contact latérales, qui sont horizontales, devant se compenser.

La pression se compose donc de la somme de deux termes : l'un P_0 est dû à la pression atmosphérique, l'autre $\rho g h$ est dû au liquide.

Comment est modifiée cette pression si l'on considère un récipient tronconique (verre à pied) ?

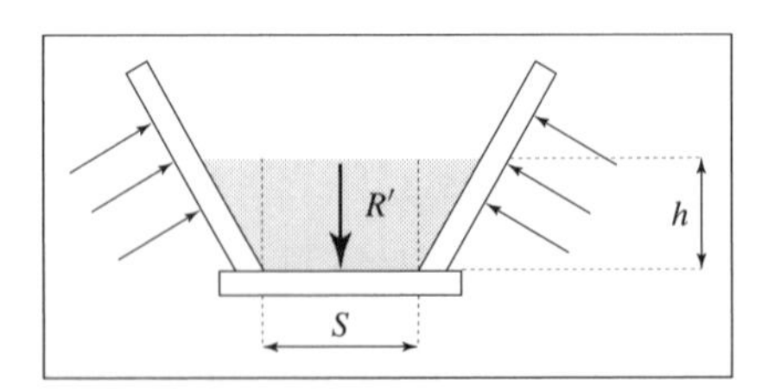

Les forces de contact latérales ne sont plus horizontales et ne peuvent plus se compenser : le raisonnement précédent ne tient plus. Cependant, si l'on étudie l'équilibre de la colonne de liquide dont la base est le fond du récipient, d'aire S, on est conduit au même résultat que précédemment :

$$P = P_0 + \rho g h.$$

✘ **La pression exercée par un liquide sur le fond est indépendante de la forme du récipient et du poids du liquide ; elle ne dépend que de la hauteur h du liquide et vaut $\rho g h$.**

1 $\overrightarrow{R'} = -\overrightarrow{R}$ d'après **3.[2]**.

Plus généralement, la différence de pression entre deux points A et B d'un même liquide séparés par un dénivelé h est :

$$\boxed{P_A - P_B = \rho g h.} \quad (18, 1)$$

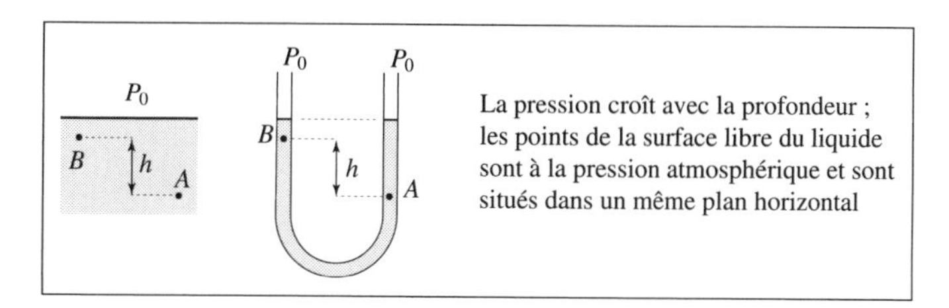

La pression croît avec la profondeur ; les points de la surface libre du liquide sont à la pression atmosphérique et sont situés dans un même plan horizontal

✘ **En particulier, deux points situés dans un même plan horizontal, au sein d'un même liquide sont à la même pression, quelle que soit la forme du récipient.**

✘ **Les résultats précédents sont théoriquement appliquables à un gaz, mais l'effet de la pesanteur y est négligeable car la masse volumique d'un gaz est beaucoup plus faible que celle d'un liquide, de sorte que l'on considère que la pression y est uniforme.**

[5] La poussée d'Archimède

La résultante $\vec{A}$ des forces pressantes est verticale vers le haut

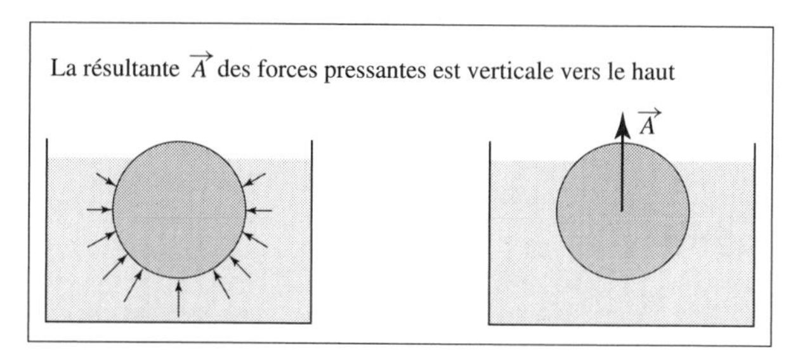

Un solide immergé dans un liquide est soumis à des forces pressantes. Du fait que la pression est plus élevée dans la partie inférieure, les forces qui s'exercent sur la partie basse l'emportent sur celles qui s'exercent sur la partie supérieure immergée et la résultante $\vec{A}$ des forces pressantes est verticale, orientée vers le haut : c'est la poussée d'Archimède. On démontre que sa valeur est égale au poids du liquide dont le solide occupe la place ; si V est le volume du liquide déplacé et ρ la masse volumique du liquide :

$$\boxed{\vec{A} = -\rho V \vec{g}.} \quad (18, 2)$$

[6] Mesure des pressions

La mesure des pressions s'effectue avec un *manomètre*.

[a] Manomètres à liquide

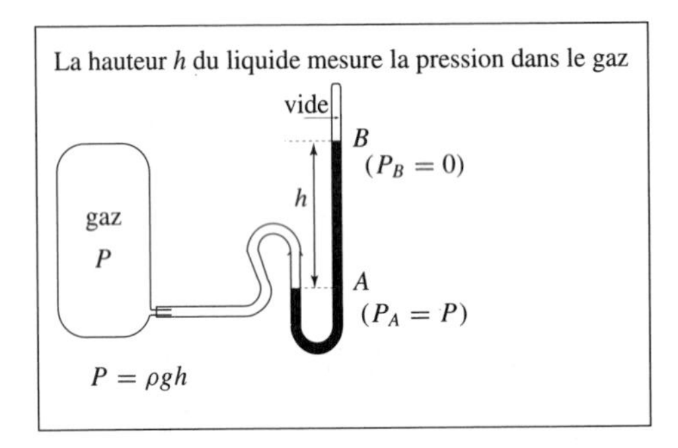

Ces manomètres, constitués d'un tube en U qui peut être fermé à une extrémité et contenant un liquide de masse volumique ρ (mercure en général) servent à mesurer la pression dans un gaz. La partie fermée est surmontée par le vide, où la pression est nulle, la branche ouverte étant connectée au récipient contenant le gaz par une canalisation. La pression dans le gaz est donnée par la relation (18,1) :

$$P = \rho g h.$$

Ainsi, pour un liquide manométrique donné, on peut dire que h mesure la pression dans le gaz.

Si la deuxième branche du tube est ouverte sur l'atmosphère, le manomètre permet de comparer la pression du gaz à la pression atmosphérique P_0. On peut utiliser dans ce cas de l'eau, moins dense que le mercure, pour une meilleure précision ; on a alors :

$$P - P_0 = \rho g h.$$

[b] Baromètres

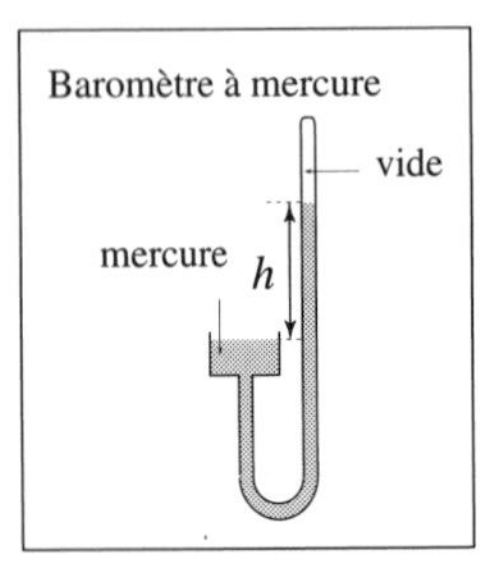

Un baromètre est un manomètre destiné à la mesure de la pression atmosphérique. Un baromètre à mercure est un manomètre à mercure dont la branche ouverte est à l'air libre. La pression atmosphérique est mesurée grâce à une hauteur de mercure qui varie entre 73 cm et 79 cm environ. On appelle *atmosphère* (**atm**) une unité de pression correspondant à 76 cm de mercure.

[c] Manomètres divers

Moins fiables que les manomètres à liquide mais plus pratiques, les manomètres à membrane métallique sont fondés sur la déformation d'une membrane métallique, transmise soit directement à l'aiguille d'un cadran, soit par l'intermédiaire d'un signal électrique. Pour mesurer la pression au sein d'un liquide on peut utiliser une *capsule manométrique*, capteur constitué d'une petite boîte munie d'une membrane déformable et reliée à un dispositif de mesure.

[de l'essentiel à la pratique]

Mots-clés

énergie interne

pression

poussée d'Archimède

manomètre

baromètre

[1] *Convertir* 1 mm *de mercure (symbole chimique* Hg*) en unité S.I. sachant que la masse volumique du mercure est de* $13{,}6\,\text{g.cm}^{-3}$.

D'après la relation (18,1), où l'on exprime ρ en kg.m^{-3} et $h = 1\text{ mm} = 10^{-3}\text{ m}$:

$$1\text{ mm Hg} = \left[13{,}6.10^{-3} \div (10^{-2})^{-3}\right] \times 9{,}8 \times 10^{-3}$$
$$1\text{ mm Hg} = 133\text{ Pa}.$$

[2] *En supposant la pression au niveau de la mer égale à 1 atmosphère, calculer en atmosphère la pression à une profondeur de* 100 m. *La densité*[1] *de l'eau de mer par rapport à l'eau pure est de* 1,03. *On rappelle que la masse volumique de l'eau pure est* $10^3\,\text{kg.m}^{-3}$.

Si A est à $h = 100$ m sous la surface et B à la surface, (18,1) s'écrit :

$$P_A = P_B + \rho g h.$$

Il faut exprimer ici $P_B = 1$ atm en pascal :

$$P_B = 760\text{ mm Hg} = 760 \times 133 = 1{,}013.10^5\text{ Pa}.$$

De plus $\rho = 1{,}03 \times 10^3\,\text{kg.m}^{-3}$ et :

$$P_A = 1{,}013.10^5 + 1{,}03.10^3 \times 9{,}8 \times 100 = 1{,}11.10^6\text{ Pa}.$$

Le résultat exprimé en atmosphère est :

$$P_A = 1{,}11.10^6 \div 1{,}013.10^5 = 11{,}0\text{ atm}.$$

[3] *On verse* 10 cm *d'eau* ($\rho_0 = 1\,\text{g.cm}^{-3}$) *dans une des branches d'un tube en U contenant du mercure* $\left(\rho = 13{,}6\,\text{g.cm}^{-3}\right)$. *De combien le mercure s'élève-t-il dans l'autre branche ?*

[1] La densité est ici le rapport de la masse volumique de l'eau de mer à celle de l'eau pure.

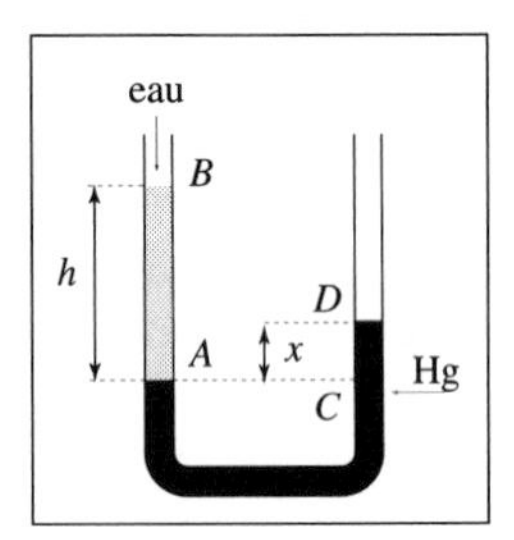

À la surface libre la pression est la pression atmosphérique P_0, considérée, rappelons-le, comme uniforme : $P_B = P_D = P_0$. Ainsi (18,1) s'écrit :

$$\begin{aligned} P_A - P_0 &= \rho_0 g h \\ P_C - P_0 &= \rho g x \\ P_A - P_C &= \rho_0 g h - \rho g x. \end{aligned}$$

Or, A et C étant au même niveau *dans le même liquide*, le mercure, $P_A - P_C = 0$ de sorte que :

$$\begin{aligned} \rho_0 g h &= \rho g x \\ x &= \frac{\rho_0}{\rho} h, \end{aligned}$$

soit $x = \dfrac{1}{13{,}6} \times 10$, soit $\underline{x = 0{,}74\,\text{cm}}$. Par rapport au niveau initial, le mercure s'est élevé de $\dfrac{x}{2} = 0{,}37\,\text{cm}$.

Il est important de noter que la relation (18,1) n'est appliquable qu'entre des points situés dans un *même* liquide : nous nous en sommes servi pour affirmer que $P_A = P_C$, mais elle ne saurait s'appliquer à B et D qui sont à la même pression P_0 sans être pourtant au même niveau !

[4] Étude d'un pèse-acide

Un densimètre destiné à la mesure de la densité par rapport à l'eau $\left(\rho_0 = 1\,\text{g.cm}^{-3}\right)$ *d'un électrolyte de batterie est constitué d'une ampoule lestée de masse totale m surmontée d'un tube de verre, de section extérieure* $s = 28\,\text{mm}^2$, *sur lequel on a fait deux repères distants de* $h = 3{,}0\,\text{cm}$.

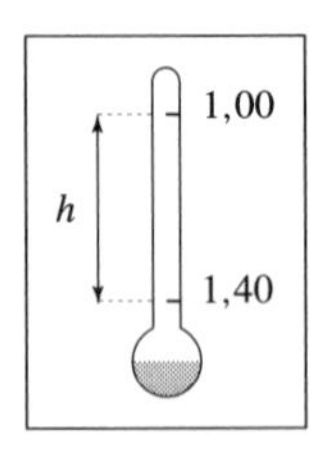

[a] *On veut que le densimètre affleure à la graduation inférieure lorsqu'il est plongé dans un liquide de densité* 1,40. *Quelle relation doit-on avoir entre m et le volume immergé* V_0 *?*

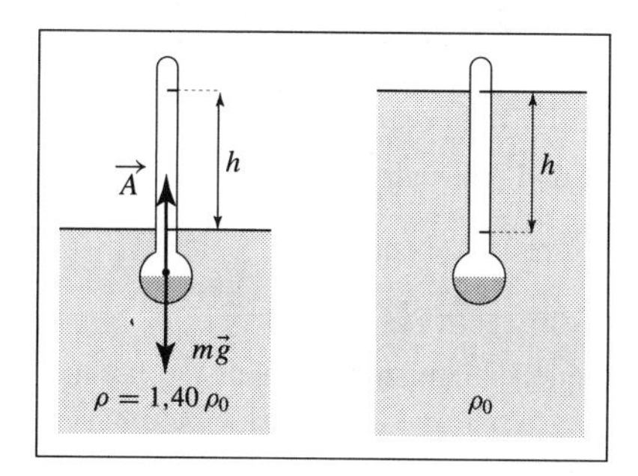

Le densimètre est en équilibre sous l'action de son poids $m\vec{g}$ et de la poussée d'Archimède (18,2), donc :

$$m\vec{g} + \vec{A} = \vec{0}$$
$$m\vec{g} - 1{,}40\rho_0 V_0\vec{g} = \vec{0},$$

d'où $\underline{m = 1{,}40\rho_0 V_0}$.

[b] *Calculer m pour que le densimètre affleure au repère supérieur quand on le plonge dans l'eau.*

Le volume immergé est maintenant $V_0 + Sh$ et la densité du liquide ρ_0. La condition d'équilibre s'écrit donc :

$$m\vec{g} - \rho_0(V_0 + Sh)\vec{g} = \vec{0}$$
$$m = \rho_0(V_0 + Sh) = \rho_0 V_0 + \rho_0 Sh.$$

Soit, compte tenu de l'expression de m trouvée en **[a]** :

$$m = \frac{m}{1{,}40} + \rho_0 Sh$$
$$m\left(1 - \frac{1}{1{,}40}\right) = \rho_0 Sh,$$

d'où l'on tire aisément :

$$m = \frac{7}{2}\rho_0 Sh.$$

Avec $\rho_0 = 1\,\text{g.cm}^{-3}$, $S = 28\,\text{mm}^2$, $h = 3{,}0\,\text{cm}$, il vient $m = \frac{7}{2} \times 1 \times 0{,}28 \times 3\,\text{g}$ soit $\underline{m = 2{,}94\,\text{g}}$.

[exercices]

[1] Comparer la variation de pression lorsqu'on s'élève de 1 m dans l'air et dans l'eau. Les masses volumiques de l'air et de l'eau sont respectivement égales à $1,3\,\text{kg.m}^{-3}$ et $10^3\,\text{kg.m}^{-3}$.

[2] Quelle hauteur d'eau mesure 1 atmosphère ?
On donne $\rho_{\text{eau}} = 1\,\text{g.cm}^{-3}$ et $\rho_{\text{Hg}} = 13,6\,\text{g.cm}^{-3}$.

[3] Dans une presse hydraulique, deux pistons peuvent coulisser dans deux cylindres verticaux contenant de l'huile et connectés par une canalisation. L'un est de petite section s, l'autre de section beaucoup plus grande S.

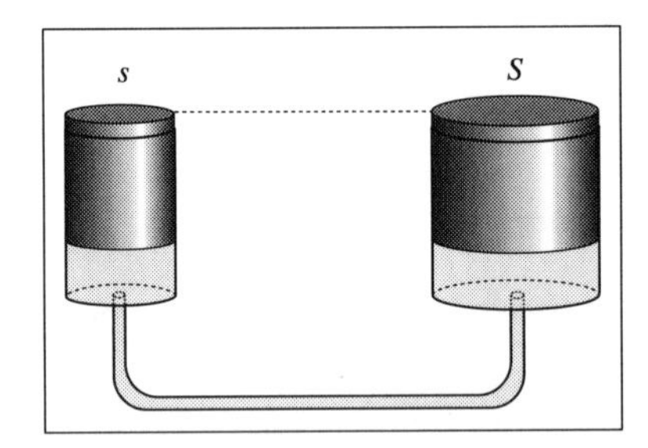

Quelle masse m sur le petit piston équilibrera une masse $M = 2$ tonnes sur le grand si le petit piston à un diamètre de 2 cm et le grand un diamètre de 80 cm ? Négliger la différence de niveau du liquide au contact des pistons.

[4] Quelle proportion d'un cube de glace flottant dans l'eau se trouve immergée ? La densité de la glace par rapport à l'eau est 0,92.

[5] Les trois quarts du volume d'un tronçon de poutre sont immergés quand celui-ci flotte dans l'eau tandis que 85 % sont immergés dans de l'huile. Quelles sont les densités du bois et de l'huile par rapport à l'eau ?

[6] Un sphère creuse en acier ($\rho = 7,6\,\text{g.cm}^{-3}$) de diamètre extérieur 80 cm flotte dans de l'eau de mer ($\rho_0 = 1,03\,\text{g.cm}^{-3}$) en étant presque totalement immergée. Quel est son diamètre intérieur ?

[7] Quelle erreur relative commet-on sur la mesure du poids d'un objet de masse volumique $800\,\text{kg.m}^{-3}$ à l'aide d'un dynamomètre en négligeant la poussée d'Archimède due à l'air de masse volumique $1,2\,\text{kg.m}^{-3}$?

[8] Un cinquième du volume d'un échantillon métallique flottant sur du mercure est immergé. Quelle est la proportion immergée lorsqu'on le recouvre d'eau ? La densité du mercure par rapport à l'eau est $d = 13,6$.

[réponses]

[1] 12,5 Pa et 9 800 Pa.

[2] 10,3 m.

[3] $m = M\dfrac{s}{S}$ soit $m = 1{,}25$ kg.

[4] 92 %.

[5] 0,75 et 0,88.

[6] 76,2 cm.

[7] 0,15 % par défaut.

[8] $\dfrac{0{,}2d - 1}{d - 1} = 14\,\%$.

LES GAZ PARFAITS

CHAPITRE 19

[l'essentiel]

[1] L'échelle Celsius de température

La notion de température tire son origine de la sensation de chaud et de froid. Les thermomètres à liquide (alcool ou mercure en général) permette de repérer la température en utilisant la propriété des liquides de se dilater quand on les chauffe et de se contracter en refroidissant. Les changements d'état de certain corps purs servent de point de repère : dans l'*échelle Celsius* la température de la glace fondante est 0°C et celle de l'ébullition de l'eau est 100°C, sous la pression atmosphérique.

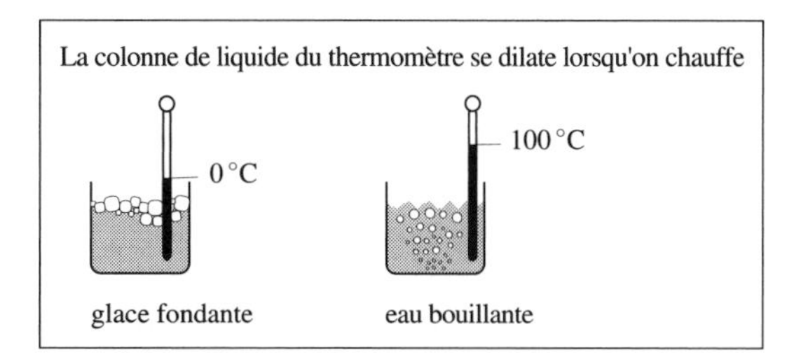

Il existe d'autres thermomètres : les thermomètres à lame d'acier dont la déformation commande une aiguille sur un cadran, ainsi que les thermomètres fondés sur des phénomènes électriques, par exemple.

[2] La loi de Boyle - Mariotte

Boyle et Mariotte ont constaté au XVIIe siècle que tous les gaz vérifient la loi suivante, à condition toutefois que la pression ne soit pas trop grande :

✗ **Le produit PV d'une masse donnée de gaz reste constant lorsqu'on fait varier le volume V et la pression P du gaz en maintenant la température constante.**

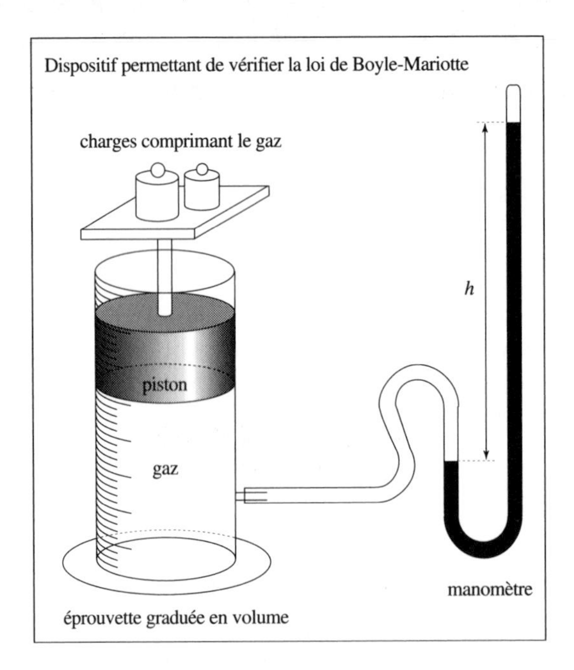

Un gaz qui suit exactement la loi de Boyle – Mariotte est appelé un *gaz parfait.*

[3] L'échelle absolue de température

La loi de Boyle – Mariotte montre que PV ne dépend que de la température. Cela suggère de définir une nouvelle échelle de température, appelée *température absolue* T. Par définition :

$$PV = T \times \text{cte.}$$

[a] La mole et le nombre d'Avogadro

La constante est proportionnelle à la quantité de gaz, c'est-à-dire au nombre de molécules de gaz. Ce nombre étant en général très grand, on convient de dénombrer les molécules par paquets appelés moles : une **mole** (symbole **mol**) est la quantité de matière[1] représentée par le nombre $\mathcal{N}$ d'atomes contenus dans *exactement* 12 g de l'isotope 12 du carbone (^{12}C) :

$$\mathcal{N} = 6{,}02.10^{23} \text{ particules par mole.}$$

$\mathcal{N}$ s'appelle le *nombre d'Avogadro.*

Une grandeur ramenée à une mole est dite *molaire* : le **volume molaire** (exprimé usuellement en $L.mol^{-1}$), la **masse molaire** (exprimée usuellement en $g.mol^{-1}$).

[1] On peut dénombrer en moles des atomes, des molécules, des ions, des électrons, et d'une manière générale toute sorte de particules.

[b] L'équation des gaz parfait

Ainsi N molécules de gaz représentent $n = \frac{N}{\mathcal{N}}$ moles du gaz considéré et l'on définit donc la température absolue par la relation :

$$\boxed{PV = nRT.} \qquad (19,1)$$

L'unité de température absolue est le **kelvin** (symbole **K**). Ainsi les gaz parfaits vérifient la relation (19,1) : les gaz réels vérifient d'autant mieux (19,1) que la pression est plus faible, c'est-à-dire que le gaz est raréfié.

La constante R est indépendante du gaz ; elle s'appelle la *constante des gaz parfaits*. Sa valeur est conditionnée par la définition du kelvin et la relation (19,1) montre qu'il suffit d'un seul point de repère pour définir l'échelle absolue. On a donc choisi le *point triple de l'eau*[1] et l'on a posé par définition que sa température est :

$$T_t = 273{,}16\,\text{K}.$$

La raison de ce choix en apparence bizarre est (nous l'admettrons) de pouvoir passer de l'échelle Celsius θ, la plus couramment utilisée, à l'échelle absolue T par un simple changement d'origine ($\theta_t = 0{,}01°\text{C}$) :

$$\boxed{T \simeq \theta + 273,} \qquad (19,2)$$

avec T exprimée en K et θ en °C.

Dans ces conditions la constante des gaz parfaits, exprimée en joule par kelvin et par mole, vaut :

$$R = 8{,}314\,\text{J.K}^{-1}.\text{mol}^{-1}.$$

✗ **L'eau gèle à 0°C ou 273 K, mais un *accroissement* de température est exprimé par le même nombre en degré Celsius et en kelvins : 100°C ou 100 K séparent la glace fondante de l'eau bouillante.**

La relation (19,1) peut s'écrire sous la forme équivalente suivante, très utilisée dans la pratique :

$$\frac{PV}{T} = nR = \text{cte},$$

pour une quantité donnée de gaz, soit encore si P_0, V_0, T_0 caractérisent un état donné quelconque du gaz :

$$\boxed{\frac{PV}{T} = \frac{P_0 V_0}{T_0}.} \qquad (19,3)$$

[1] On désigne ainsi les conditions dans lesquelles on peut obtenir simultanément le solide (la glace), le liquide et le gaz (vapeur d'eau). Il se trouve que ces conditions correspondent à un jeu unique de valeurs de P et θ, et sont aisées à réaliser : 611 Pa et 0,01°C pour l'eau.

[de l'essentiel à la pratique]

Mots-clés

échelle Celsius

--- absolue

mole, molaire

nombre d'Avogadro

gaz parfait

[1] Le zéro absolu

Montrer que la température ne peut diminuer indéfiniment. Calculer sa valeur minimale en kelvin et en degré Celsius.

Dans la relation (19,1), P, V, n, R sont des quantités positives : T est donc positive, c'est-à-dire que la température la plus petite que l'on puisse immaginer est 0 K, soit d'après (19,2), $-273°$C. On l'appelle le *zéro absolu*. En fait on peut approcher le zéro absolu mais il est impossible de l'atteindre (on a obtenu expérimentalement 10^{-6} K).

[2] Volume molaire normal

On appelle conditions normales de température et de pression[1] 0°C *et* 1 bar. *Calculer en litres le volume V_M occupé par une mole de gaz parfait dans ces conditions.*

La relation (19,1) va permettre de calculer directement le volume molaire V_M. Cependant pour appliquer (19,1), il faut exprimer P, V, R, T dans un système cohérent d'unités, en pratique dans le système international : P en pascal, R en J.K^{-1}.mol^{-1}, T en kelvin, ce qui fournira V_M en m^3. On a donc $P = 1$ bar $= 10^5$ Pa, $R = 8{,}314$ J.K^{-1}.mol^{-1}, $T = 273$ K, $n = 1$ mol :

$$V_M = \frac{nRT}{P} = \frac{8{,}314 \times 273}{10^5} = 22,7.10^{-3}\ \text{m}^3.\text{mol}^{-1},$$

soit $\underline{V_M = 22{,}7\ \text{L.mol}^{-1}}$.

[3] *On chauffe un récipient de* 0,5 L *contenant de l'hélium initialement à* 20°C *et sous* 0,1 bar. *Le récipient est relié à un manomètre qui permet de contrôler la pression. La masse molaire de l'hélium est $M = 4$ g.mol^{-1}.*

[a] *La pression dans le récipient monte puis se stabilise à* 0,25 bar. *Quelle est la température du gaz ?*

Posons $P_0 = 0{,}1$ bar, $V_0 = 0{,}5$ L, $T_0 = 293$ K pour l'état initial du gaz et désignons par $P_1 = 2{,}4$ bar, $V_1 = V_0 = 0{,}5$ L et T_1 les paramètres correspondant à l'état final ; (19,3) s'écrit :

$$\frac{P_0 V_0}{T_0} = \frac{P_1 V_1}{T_1}$$

$$T_1 = T_0 \frac{P_1}{P_0}.$$

Dans cette relation, la température doit *toujours* être exprimée en kelvin mais dans le rapport $\frac{P_1}{P_0}$, qui est sans dimension (*cf.* C.**[4]**.**[b]**), on peut exprimer les pressions en bar :

$$T_1 = 293 \times \frac{0{,}25}{0{,}1} = 733\,K,$$

soit une température Celsius $\underline{\theta_1 = 460°\text{C}}$.

---

1 On a longtemps employé la norme 1 atm. Aujourd'hui la norme 1 bar, de plus en plus utilisée, est en passe d'être adoptée officiellement.

[b] *Quelle est la masse d'hélium contenu dans le récipient ?*

D'après (19,1), il y a $n = \dfrac{P_0 V_0}{RT_0}$ moles d'hélium :

$$n = \frac{10^4 \times 0{,}5.10^{-3}}{8{,}31 \times 293} = 2{,}05.10^{-3}\,\text{mol}.$$

(Attention ! P_0 est en Pa, V_0 en m^3.)

La masse de l'hélium est donc :

$$m = nM = 2{,}05.10^{-3} \times 4 = 8{,}2.10^{-3}\,\text{g}$$

soit $\underline{m = 8{,}2\,\text{mg}}$.

[4] Réseaux d'isothermes

Un gaz parfait occupe dans un cylindre fermé par un piston mobile un volume V_1, sous la pression P_1, à la température ambiante T_0. On déplace le piston de façon suffisamment lente pour que la température dans le gaz reste constamment égale à la température extérieure T_0 (transformation isotherme) ; le gaz se dilate ainsi du volume V_1 au volume V_2.

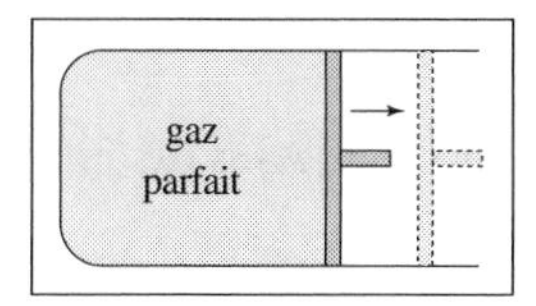

[a] *Représenter la pression P du gaz en fonction de la température absolue T au cours de cette transformation.*

D'après (19,1), la pression du gaz s'écrit :

$$P = \frac{a}{V},$$

où $a = nRT_0$ reste constante pendant la transformation : P est donc une fonction homographique positive de V dont le graphe est une branche d'hyperbole qui a pour asymptotes les axes de coordonnées.

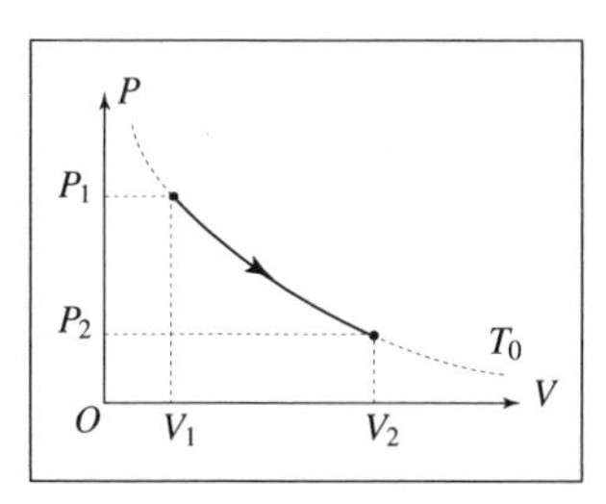

[b] *Quelle est la position relative des deux isothermes (T_0) et (T_0') (courbes représentant P en fonction de V à température constante) correspondant à $T = T_0$ et $T = T_0' > T_0$?*

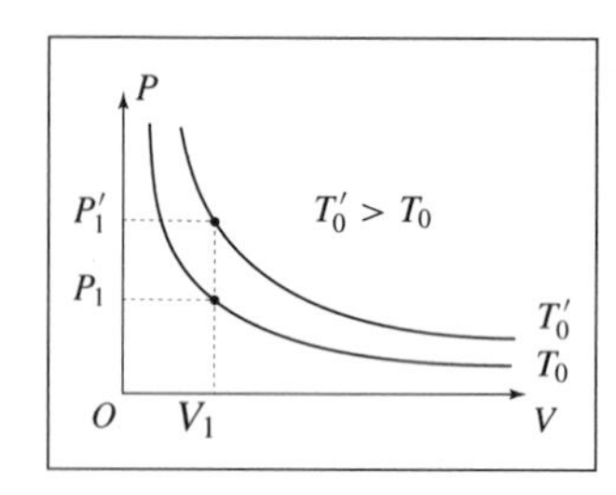

Pour une valeur donnée $V = V_1$, la pression est :

$$P_1 = \frac{nRT_0}{V_1} \quad \text{pour } T = T_O$$
$$P'_1 = \frac{nRT'_0}{V_1} \quad \text{pour } T = T'_O.$$

Donc :

$$\frac{P_1}{P'_1} = \frac{nRT_0}{nRT'_0}\frac{V_1}{V_1} = \frac{T_0}{T'_0}.$$

Par conséquent $P_1 < P'_1$ puisque $T_0 < T'_0$: l'isotherme (T'_0) est donc au dessus de l'isotherme (T_0).

✗ **Les isothermes s'étagent les unes au dessus des autres par températures croissantes.**

[exercices]

[1] Calculer le volume molaire des gaz à 0°C sous 1 atmosphère, à 20°C sous 1 bar.

[2] Un ballon gonflé à l'hélium occupe un volume de 10 L sous la pression atmosphérique à 20°C. Quel volume occupe-t-il si la température croît de 20°C, la pression restant inchangée ?

[3] À quelle température Celsius le volume molaire d'un gaz est-il égal à 25 L.mol^{-1} sous une pression de 1 bar ?

[4] Quel est l'ordre de grandeur du nombre de molécules par cm^3 à 20°C sous 1 bar ? sous 10^{-9} bar (vide poussé obtenu au laboratoire) ?

[5] La pression dans une ampoule contenant de l'hélium à 0°C est amenée à 2,00.10^{-2} cm de mercure.

[a] Quel est le nombre de molécules par unité de volume dans l'ampoule ?

[b] On plonge l'ampoule dans de l'azote liquide. La jauge de pression indique alors une pression de 5,86.10^{-3} cm de mercure. Quelle est la température de l'ampoule ?

[6] Quelle indication donne un baromètre à mercure ($\rho = 13{,}6\,\text{g.cm}^{-3}$) si la pression atmosphérique est de 992 mbar ? Que devient cette indication à une altitude où le nombre de molécules par unité de volume a diminué d'un tiers ?

[7] Un flacon ouvert contient de l'air à 20°C. À quelle température faut-il porter le flacon pour que la moitié des molécules initialement présentes s'en échappent ?

[8] Dans un moteur à explosion, le mélange air-essence est admis à 25°C sous 1 bar. Le rapport entre les volumes maximal et minimal dans un cylindre est 8,5. La mesure de la pression maximale dans le cylindre (sans enflammer le mélange) est de 14 bar. En admettant que le mélange se comporte comme un gaz parfait, quelle est la température maximale atteinte dans un cylindre dans ces conditions ?

[9] On ajuste la pression des pneumatiques d'un véhicule à 1,9 bar, avant de se servir de ce véhicule, la température ambiante étant de 16°C. Après avoir roulé pendant plusieurs heures sur l'autoroute, le conducteur contrôle la pression des pneus et trouve 2,3 bar. Quelle est la température de l'air à l'intérieur du pneumatique ?

[10] On comprime un gaz parfait dans le cylindre d'une pompe à vélo reliée à un manomètre. L'air dans le corps de pompe est initialement à la pression $P_0 = 1{,}02$ bar. Le déplacement du piston dans le corps de pompe est égal au trois quarts de la hauteur initiale du cylindre. La température extérieure est de 18°C.

On note que la pression en fin de compression est $P_1 = 7{,}1$ bar. Quelle est alors la température de l'air dans le corps de pompe ?

[réponses]

[1] 22,4 L.mol^{-1} ; 24,7 L.mol^{-1}.

[2] 10,7 L.

[3] 27,7°C.

[4] 10^{19} ; 10^{10}.

[5] **[a]** 7,08.10^{21} m^{-3} ; **[b]** 80 K.

[6] 74,4 cm ; 49,6 cm (utiliser (19,1) : n est multiplié par 2/3, $V = 1$ m^3).

[7] 313°C.

[8] 218°C.

[9] Au départ, le véhicule n'ayant pas roulé, la température dans le pneu est la même qu'à l'extérieur, mais le pneu s'échauffe en roulant et la pression s'accroît. On trouve 77°C.

[10] Le volume du gaz est divisé par 4. On trouve 233°C.

ÉCHANGES THERMIQUES

CHAPITRE 20

[l'essentiel]

[1] La nature de l'énergie thermique

On a vu au **18.[1]** que les molécules sont animées de mouvements désordonnés. Ces mouvements s'accroissent avec la température et inversement, atomes et molécules tendent à s'immobiliser au zéro absolu, soit la température de 0 K. C'est pourquoi on qualifie ces mouvements aléatoires d'**agitation thermique** et l'on peut dire que l'**énergie cinétique correspondante des molécules constitue ce que l'on appelle habituellement de l'énergie thermique**. Si l'on met en contact deux corps dont les températures sont différentes, on constate que les températures des deux corps évoluent vers une valeur commune intermédiaire entre les températures initiales : l'énergie cinétique de l'ensemble des molécules a diminué dans le corps chaud et augmenté dans le corps froid : il y a eu échange d'énergie thermique entre les deux corps[1].

Notons bien que ce transfert s'effectue toujours spontanément du corps chaud vers le corps froid. Lorsque les deux corps ont atteint la même température, le transfert de chaleur cesse et l'on dit que les corps sont à l'*équilibre thermique*.

[2] Les transferts de chaleur

Il y a trois types de transfert de chaleur.

– La **conduction** : l'écoulement de la chaleur se fait de proche en proche dans la matière. Les métaux sont bons conducteurs de la chaleur, les verres, les plastiques conduisent mal la chaleur. Le vide ne conduit pas la chaleur.

– La **convection** : dans un fluide (liquide ou gaz) les couches chaudes s'élèvent tandis que les couches froides, plus denses, descendent et il en résulte une accélération des échanges thermiques.

– Le **rayonnement** : le transport de la chaleur peut se faire même dans le vide par

[1] On dit aussi *énergie calorifique* ou *chaleur*.

rayonnement. Ce mode de transfert dépend uniquement du corps émetteur : les corps noircis rayonnent davantage que les corps clairs ou réfléchissants.

[3] Conventions de signe

Il est commode de compter *algébriquement* la quantité de chaleur Q que *reçoit* un corps quand sa température varie, de sorte que *Q soit l'accroissement de son énergie interne U*[1] (lorsqu'il ne reçoit d'énergie que sous forme thermique). Dans ces conditions :

– si $Q > 0$, le corps a reçu effectivement de la chaleur (U augmente) ;

– si $Q < 0$, le corps a cédé effectivement de la chaleur à l'extérieur (U diminue).

Mais dans les deux cas on dira qu'il a *reçu* (au sens algébrique) la quantité de chaleur Q.

[4] Échanges thermiques avec variation de température

[a] Capacités thermiques

La *capacité thermique* C d'un corps est la quantité de chaleur nécessaire pour augmenter sa température de un degré. Pour faire passer la température de θ_i à θ_f :

$$Q = C(\theta_f - \theta_i). \qquad (20, 1)$$

L'unité de capacité thermique est le **joule par degré** (**J.°C^{-1}** ou **J.K^{-1}**). L'accroissement de température s'exprime par le même nombre que la température, soit en °C ou en K : ainsi en est-il de C en J.°C^{-1} ou en J.K^{-1}.

[b] Chaleurs massiques

Pour un corps homogène de masse m, on définit la capacité thermique c de l'unité de masse ou *chaleur massique*, qui ne dépend que de la substance : les chaleurs massiques des différentes substances ont ainsi pu être tabulées. On a donc :

$$C = mc, \qquad (20, 2)$$

avec c exprimé en **J.°C^{-1}.kg^{-1}** ou en **J.K^{-1}.kg^{-1}** dans le système international.

(20,1) s'écrit dans ces conditions :

$$\boxed{Q = mc(\theta_f - \theta_i).} \qquad (20, 3)$$

✗ **La chaleur reçue Q par le corps est positive si la température augmente, négative si la température diminue.**

[1] Ceci est conforme à la convention énoncée au **6.[6].[b]**.

[5] Échanges thermiques à température constante

À la pression atmosphérique on constate, contrairement à une idée très répandue, que **les changements d'état physique d'un corps pur se font à température constante** : pendant la fusion de la glace, la température du mélange reste constamment égale[1] à 0°C. On dit que l'échange thermique est *latent*. Cette propriété reste vraie si l'on impose une pression extérieure différente : la température de changement d'état est alors différente.

En pratique, il faut fournir une quantité de chaleur (positive) L pour détruire l'ordre de la matière (*cf.* **18.[1]**). On appelle cette énergie la *chaleur latente* du changement d'état et *on donne toujours L pour l'unité de masse du corps pur* (en $\mathbf{J.kg^{-1}}$ dans le système international). Il y a donc pour un corps pur, trois chaleurs latentes :

- la **chaleur latente de fusion** L_f : solide $\xrightarrow{L_f}$ liquide
- la **chaleur latente de vaporisation** L_v : liquide $\xrightarrow{L_v}$ vapeur
- la **chaleur latente de sublimation** L_s : solide $\xrightarrow{L_s}$ vapeur

Tous les changements d'état sont réversibles, dans les mêmes conditions : ainsi, l'eau gèle à température constante 0°C sous la pression atmosphérique. Dans un changement d'état correspondant à une augmentation de l'ordre de la matière, l'énergie interne du corps pur diminue d'une quantité opposée exactement à celle dont elle augmente dans le changement d'état inverse :

- la **solidification** (inverse de la fusion) : liquide $\xrightarrow{-L_f}$ solide
- la **liquéfaction** (inverse de la vaporisation) : vapeur $\xrightarrow{-L_v}$ liquide
- la **condensation** (inverse de la sublimation) : vapeur $\xrightarrow{-L_s}$ solide

La quantité de chaleur reçue dans un changement d'état par un corps pur de masse m est donc :

$$\boxed{Q = \pm mL.} \qquad (20, 4)$$

[6] La mesure des quantités de chaleur

[a] Principe des mesures

La mesure des quantités de chaleur se fait dans un récipient calorifugé : le *calorimètre*. Elle permet de connaître les quantités de chaleur mises en jeu dans des réactions chimiques ou encore de mesurer des chaleurs massiques.

[1] La chaleur fournie à la glace sert à la *transformer* en eau liquide et non à l'échauffer.

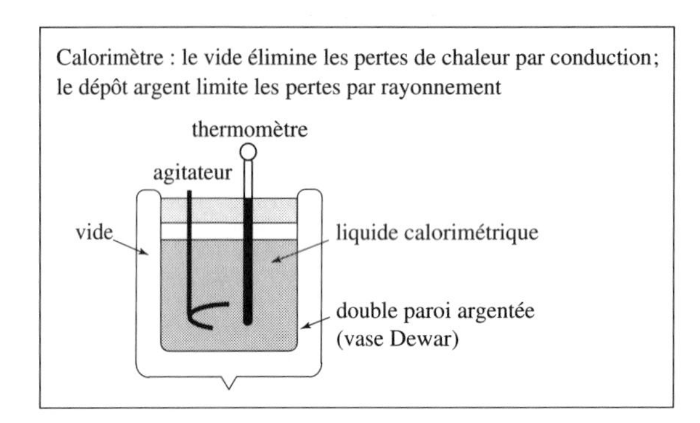

Les échanges de chaleur se font entre un corps (A), solide ou liquide, que l'on introduit dans le calorimètre et le liquide calorimétrique. Le calorimètre reçoit la quantité de chaleur algébrique Q de (A) tandis que (A) reçoit Q' du calorimètre, avec $Q = -Q'$. En d'autres termes, l'ensemble reçoit la quantité de chaleur $Q + Q'$, laquelle est nécessairement globalement nulle puisque l'énergie de l'ensemble, qui est isolé, se conserve (*cf.* **6.[5].[c]**) :

$$\boxed{Q + Q' = 0.} \qquad (20, 5)$$

La mesure des températures initiale et finale permet de déterminer ainsi Q et Q'.

[b] Valeur en eau

La détermination précédente nécessite la connaissance de la capacité thermique C_0 du calorimètre. Le liquide calorimétrique, de masse m_0, est le plus souvent de l'eau, de chaleur massique c_0. Il est de ce fait commode de remplacer C_0 par μc_0 ce qui simplifie l'écriture, la capacité du calorimètre avec le liquide calorimétrique étant :

$$C_0 + m_0 c_0 = (m_0 + \mu)c_0,$$

μ représentant la masse d'eau qui a même capacité thermique que le calorimètre : on appelle *valeur en eau* du calorimètre.

Mots-clés

- capacité thermique
- chaleur massique
- chaleur latente
- fusion
- vaporisation
- sublimation
- solidification
- liquéfaction
- condensation
- calorimètre
- valeur en eau

[de l'essentiel à la pratique]

[1] Quantités de chaleurs

[a] *Quelle énergie faut-il fournir à l'eau d'un chauffe-eau électrique d'une capacité de* 200 L *pour élever sa température de* 20 °C *à* 70 °C *? On donne la chaleur massique de l'eau :* $c = 4\,186\,\text{J.kg}^{-1}.^\circ\text{C}^{-1}$.

La masse de 200 L d'eau est $m = 200\,\text{kg}$. En posant $\theta_1 = 20\,^\circ\text{C}$, $\theta_2 = 70\,^\circ\text{C}$, $c = 4\,186\text{J.kg}^{-1}.^\circ\text{C}^{-1}$, la chaleur reçue par l'eau est selon (20,3) :

$$\boxed{Q = mc(\theta_2 - \theta_1).}$$

Numériquement $Q = 200 \times 4\,186 \times 50\,\text{J}$ soit $\underline{Q = 4,19.10^7\,\text{J}}$.

[b] *À la suite d'une panne de courant, la température de l'eau tombe à 45 °C. Quelle est l'énergie perdue par l'eau ?*

Avec $\theta_3 = 45\,°\text{C}$, la chaleur reçue par l'eau en passant de 70 °C à 45 °C est toujours selon (20,3) :

$$\boxed{Q' = mc(\theta_3 - \theta_2) < 0.}$$

Numériquement $Q' = 200 \times 4\,186 \times (-25)$ soit $\underline{Q' = -2,09.10^7\,\text{J}}$. Le signe moins indique que l'eau a *perdu* $2,09.10^7$ J.

[2] Calorimétrie

Un calorimètre contient 100 g *d'eau à* 20 °C *; on ajoute* 80 g *d'eau à* 50 °C.

[a] *Quelle serait la température d'équilibre θ_1 si l'on pouvait négliger la capacité thermique K du calorimètre ? On donne la chaleur massique de l'eau : $c = 4,2\,\text{J.g}^{-1}.°\text{C}^{-1}$.*

Posons $m = 100\,\text{g}$, $\theta_0 = 20\,°\text{C}$, $m' = 80\,\text{g}$ et $\theta'_0 = 50\,°\text{C}$.

La masse m' d'eau, en refroidissant de θ'_0 à θ_1, cède de l'énergie calorifique (positive) Q à la masse m d'eau du calorimètre, faisant passer celle-ci de θ_0 à d'une part :

$$Q = mc(\theta_1 - \theta_0), \qquad \text{(reçue par } m_0\text{)}$$

d'autre part :

$$Q' = m'c(\theta_1 - \theta'_0). \qquad \text{(«reçue» par } m'_0\text{)}$$

Donc, en ajoutant membre à membre ($Q + Q' = 0$) et en développant (20,5) :

$$0 = mc\theta_1 - mc\theta_0 + m'c\theta_1 - m'c\theta'_0.$$

On regroupe les termes en θ_1 dans un membre :

$$\begin{aligned} mc\theta_0 + m'c\theta'_0 &= mc\theta_1 + m'c\theta_1 \\ mc\theta_0 + m'c\theta'_0 &= (m + m')c\theta_1. \end{aligned}$$

Après simplification par c, en facteur dans les deux membres :

$$\boxed{\theta_1 = \frac{m\theta_0 + m'\theta'_0}{m + m'}.}$$

Numériquement $\theta_1 = \dfrac{100 \times 20 + 80 \times 50}{180}$ soit $\underline{\theta_1 = 33,3\,°\text{C}}$.

[b] *La température d'équilibre observée est en réalité $\theta = 32,0\,°\text{C}$. Déterminer K et la valeur en eau du calorimètre.*

En réalité Q a été cédée à l'ensemble (calorimètre – eau). On a donc :

$$\begin{aligned} Q &= c(\theta_2 - \theta_0) + K(\theta_2 - \theta_0) \\ Q' &= m'c(\theta_2 - \theta'_0), \end{aligned}$$

et, en additionnant membre à membre :

$$\begin{aligned} 0 &= m'c(\theta_2 - \theta_0') + mc(\theta_2 - \theta_0) + K(\theta_2 - \theta_0) \\ K(\theta_2 - \theta_0) &= -m'c(\theta_2 - \theta_0') - mc(\theta_2 - \theta_0), \end{aligned}$$

soit :

$$\boxed{K = -\frac{m'c(\theta_2 - \theta_0')}{\theta_2 - \theta_0} - mc.}$$

Numériquement $K = \dfrac{80 \times 4{,}2 \times (-18)}{12} - 100 \times 4{,}2$ soit $\underline{K = 84\,\text{J.}^\circ\text{C}^{-1}}$.

La valeur en eau est $\underline{\mu = \dfrac{K}{c} = 20\,\text{g}}$.

[c] *Le même calorimètre contient à présent* 100 g *d'eau à* 20 °C. *On y plonge un échantillon en aluminium de masse* $M = 50$ g, *sortant d'une étuve à* 90 °C. *La température d'équilibre étant* $\theta_3 = 26\,^\circ\text{C}$, *calculer la chaleur massique de l'aluminium.*

Posons maintenant $\theta_0' = 90\,^\circ\text{C}$.

Le calorimètre reçoit la chaleur $\mu c(\theta_3 - \theta_0)$ et l'eau reçoit $mc(\theta_3 - \theta_0)$, soit au total :

$$Q = mc(\theta_3 - \theta_0) + \mu c(\theta_3 - \theta_0) = (m + \mu)c(\theta_3 - \theta_0) > 0.$$

L'aluminium a « reçu » la chaleur Q' (négative) en passant de θ_0' à θ_3 :

$$Q' = Mc_{\text{Al}}(\theta_3 - \theta_0'),$$

avec c_{Al} la chaleur massique de l'aluminium. En exprimant $Q + Q' = 0$, on a :

$$Mc_{\text{Al}}(\theta_3 - \theta_0') + (m + \mu)(\theta_3 - \theta_0) = 0.$$

On obtient :

$$\boxed{c_{\text{Al}} = -\frac{(m + \mu)(\theta_3 - \theta_0)}{M(\theta_3 - \theta_0')}c.}$$

Numériquement $c_{\text{Al}} = \dfrac{120 \times 6 \times 4{,}2}{50 \times (-64)}$ soit $\underline{c_{\text{Al}} = 0{,}945\,\text{J.}^\circ\text{C}^{-1}.\text{g}^{-1}}$.

[3] Changement d'état

Quelle est la quantité de chaleur totale nécessaire pour faire fondre 500 g *de glace à* 0 °C *et amener l'eau à* 80 °C *? On donne la chaleur latente de fusion de la glace et la chaleur massique de l'eau liquide respectivement égales à* $3{,}35.10^5$ J.kg^{-1} *et* 4 186 J.kg^{-1}.°C^{-1}.

La quantité de chaleur Q nécessaire pour réaliser cette opération se compose de la chaleur Q_1, nécessaire pour transformer la glace en eau à 0 °C (la température reste alors constante) et de la chaleur Q_2, nécessaire pour échauffer l'eau liquide de la température $\theta_1 = 0\,^\circ\text{C}$ à la température $\theta_2 = 80\,^\circ\text{C}$.

Posons $m = 0{,}500$ kg, $L_f = 3{,}35.10^5$ J.°kg^{-1} et $c = 4\,186$J.kg^{-1}.°C^{-1}.

On a :

$$Q_1 = mL_f \qquad \text{selon (20,4)}$$
$$Q_2 = mc(\theta_2 - \theta_1). \qquad \text{selon (20,3)}$$

Numériquement $\begin{cases} Q_1 = 0{,}500 \times 3{,}35.10^5 & \text{soit} \quad \underline{Q_1 = 1{,}68.10^5\,\text{J} = 168\,\text{kJ}} \\ Q_2 = 0{,}500 \times 4\,186 \times 80 & \text{soit} \quad \underline{Q_2 = 1{,}67.10^5\,\text{J} = 167\,\text{kJ}.} \end{cases}$

Enfin $\underline{Q = Q_1 + Q_2 = 335\,\text{kJ}.}$

[exercices]

Calculs de quantités de chaleur

[1] Un thermomètre contient 250 mg d'alcool. Quelle est la quantité de chaleur qu'a reçu l'alcool lorsque le thermomètre passe de l'indication 18 °C à l'indication 24 °C ? On donne la chaleur massique de l'alcool : $2\,420\,\text{J.°C}^{-1}.\text{kg}^{-1}$.

[2] Une résistance chauffante fournit 120 watts à un mélange de 200 g d'alcool et d'eau contenu dans un récipient isolant. Il faut 30 secondes pour élever le température du mélange de 5 °C. Quelles sont la capacité calorifique du mélange et sa chaleur massique ? On négligera la chaleur absorbée par le récipient.

[3] Quelle quantité de chaleur faut-il extraire d'un cube de glace de masse $m = 9$ g pour abaisser sa température de -5 °C à -30 °C ? On donne la chaleur massique de la glace : $2\,090\,\text{J.°C}^{-1}.\text{kg}^{-1}$.

[4] Quelle est, en kilojoules, la chaleur perdue par un demi-litre d'eau en refroidissant de 98 °C à 18 °C ? On donne la chaleur massique de l'eau : $4\,186\,\text{J.°C}^{-1}.\text{kg}^{-1}$.

[5] L'eau pénètre dans un chauffe-eau solaire à la température $\theta = 15$ °C. On désire disposer d'un débit de 10 L d'eau chaude par minute à la température $\theta' = 60$ °C.

[a] Quelle est, par minute, la quantité de chaleur Q nécessaire ?

[b] L'eau circule derrière une vitre orientée face au Soleil. La vitre reçoit en moyenne 500 joules par minutes et par centimètre carré.

Quelle doit être sa surface S, sachant qu'elle absorbe l'énergie solaire avec un rendement de 30 % ? On donne la masse volumique de l'eau liquide et la chaleur massique de l'eau liquide respectivement égales à : $1\,\text{kg.L}^{-1}$ et $4\,186\,\text{J.°C}^{-1}.\text{kg}^{-1}$.

Calculs de températures d'équilibre

[6] Dans un calorimètre de capacité calorifique $C_0 = 80\,\text{J.K}^{-1}$, on introduit une masse d'eau $m = 0{,}50$ kg, de chaleur massique $c = 4\,186\,\text{J.K}^{-1}.\text{kg}^{-1}$. La température initiale est $\theta = 15$ °C. On introduit alors un morceau de fer de masse $m_{\text{Fe}} = 0{,}10$ kg et de chaleur massique $c_{\text{Fe}} = 460\,\text{J.K}^{-1}.\text{kg}^{-1}$ à la température $\theta_{\text{Fe}} = 80$ °C. Quelle est la température d'équilibre θ' ?

[7] On verse 200 mL d'eau prise à 26,2 °C dans un calorimètre de valeur en eau $\mu = 20$ g, contenant 300 mL d'eau à 18,4 °C. Quelle est la température finale de l'eau ?

[8] Dans un calorimètre de valeur en eau 80 g contenant $500\,\text{cm}^3$ d'eau à 20,6 °C, on plonge un bloc de cuivre de 720 g pris à la température de 54,6 °C. La capacité calorifique massique du cuivre est $390\,\text{J.°C}^{-1}.\text{kg}^{-1}$, celle de l'eau $4\,186\,\text{J.K}^{-1}.\text{kg}^{-1}$. Quelle est la température finale de l'eau ?

Mesures calorimétriques

[9] On verse 50 mL d'acide chlorhydrique de concentration 1 mole par litre dans un bécher contenant 50 mL de soude de concentration 1 mole par litre et isolé dans un calorimètre vide. Les deux solutions sont initialement à la même température $\theta_1 = 18{,}4\,^\circ\text{C}$. La température finale est $\theta_2 = 24{,}8\,^\circ\text{C}$. La valeur en eau du bécher est $\mu = 1{,}3$ g. Quelle est la quantité de chaleur produite par la réaction d'une mole d'acide avec une mole de soude ? On prendra la chaleur massique de la solution égale à celle de l'eau, soit 4 190 $\text{J.K}^{-1}.\text{kg}^{-1}$ et la masse volumique de la solution égale à 1 050 kg.m^{-3}.

[10] Un calorimètre contient 300 mL d'eau à la température de 18,4 °C. Après avoir introduit 200 mL d'eau à la température de 26,2 °C on obtient un nouvel équilibre à 21,4 °C.

Calculer la capacité calorifique C du calorimètre avec ses accessoires et en déduire sa valeur en eau. On donne la capacité calorifique massique de l'eau : 4 190 $\text{J.}^\circ\text{C}^{-1}.\text{kg}^{-1}$.

[11] On plonge dans un calorimètre contenant 200 g d'eau à 20 °C un morceau de fer de masse 90 g et de température 90 °C. La température d'équilibre est 23 °C. Calculer la capacité calorifique du calorimètre. On donne la chaleur massique de l'eau et celle du fer respectivement égales à : 4 186 $\text{J.K}^{-1}.\text{kg}^{-1}$ et 460 $\text{J.K}^{-1}.\text{kg}^{-1}$.

[12] Quelle énergie calorifique en kilojoules, faut-il fournir pour vaporiser 200 g d'éthanol pris à 20 °C sous la pression atmosphérique ? On donne la température d'ébullition de l'alcool, sa chaleur latente de vaporisation et sa capacité calorifique massique respectivement égales à : 78 °C, $8{,}53.10^5\ \text{J.kg}^{-1}$ et $2{,}42.10^3\ \text{J.}^\circ\text{C}^{-1}.\text{kg}^{-1}$.

[13] Calculer la quantité de chaleur nécessaire pour faire passer $m = 100$ g de glace de $\theta_1 = -10\,^\circ\text{C}$ à $\theta_2 = 20\,^\circ\text{C}$ sachant que :

- la chaleur massique de l'eau est $c = 4\,186\ \text{J.}^\circ\text{C}^{-1}.\text{kg}^{-1}$;
- la chaleur massique de la glace est : $c_g = 2\,100\ \text{J.}^\circ\text{C}^{-1}.\text{kg}^{-1}$;
- la chaleur latente de fusion est : $L_f = 330\ \text{kJ.kg}^{-1}$.

[14] Un réfrigérateur, qui consomme en moyenne une énergie électrique de 1 joule pour extraire un quantité de chaleur égale à 4 joules d'un aliment, est utilisé pour transformer 100 g d'eau prise à 20 °C en glace à 0 °C.

Quelle sera la consommation minimale (en négligeant les pertes) du réfrigérateur pour effectuer cette opération ? On donne la chaleur de fusion de la glace et la chaleur massique de l'eau respectivement égales à : $3{,}33.10^5\ \text{J.kg}^{-1}$ à 0 °C, 4 190 $\text{J.}^\circ\text{C}^{-1}.\text{kg}^{-1}$.

[réponses]

[1] Convertir 250 mg en kg, soit 250.10^{-6} kg : $Q = 250.10^{-6} \times 2\,420 \times 6$ soit $Q = 3{,}63$ J.

[2] La chaleur reçue par le mélange est : $Q = 120 \times 30 = 3\,600$ J ; $C = 720\ \text{J.}^\circ\text{C}^{-1}$; $c = 3{,}6\ \text{kJ.}^\circ\text{C}^{-1}.\text{kg}^{-1}$.

[3] On fournit au cube de glace : $Q = mc\Delta\theta$ soit $Q = 9.10^{-3} \times 2\,090 \times (-25) = -470$ J. On extrait donc $Q' = -Q = 470$ J.

[4] 167 kJ.

[5] $Q = 1{,}88.10^6\,\text{J.min}^{-1}$; $S = 1{,}25\,\text{m}^2$.

[6] $\theta' = \dfrac{(C_0 + mc)\theta + m_{\text{Fe}}c_{\text{Fe}}\theta_{\text{Fe}}}{C_0 + mc + m_{\text{Fe}}c_{\text{Fe}}}$ soit $\theta' = 16{,}3\,°\text{C}$.

[7] Posons $\theta_1 = 18{,}4\,°\text{C}$, $\theta_2 = 26{,}2\,°\text{C}$, $m_1 = 0{,}300\,\text{kg}$ et $m_2 = 0{,}200\,\text{kg}$ les masses d'eau correspondantes, θ' la température finale, c_0 la chaleur massique de l'eau.

En calculant les quantités de chaleur reçues par l'eau froide et par l'eau chaude comme dans l'exercice précédent, on trouve, μ étant exprimé en kg :

$$\theta' = \frac{(\mu + m_1)\theta_1 + m_2\theta_2}{\mu + m_1 + m_2},$$

soit $\theta' = 21{,}4\,°\text{C}$ (c_0 s'élimine dans le calcul).

[8] Avec $\mu_0 = 0{,}080\,\text{kg}$, $m_1 = 0{,}500\,\text{kg}$ pour l'eau, $\theta_1 = 20{,}6\,°\text{C}$, $m_2 = 0{,}720\,\text{kg}$, $\theta_2 = 54{,}6\,°\text{C}$, $c_2 = 390\,\text{J.°C}^{-1}.\text{kg}^{-1}$, $c_1 = 4\,186\,\text{J.°C}^{-1}.\text{kg}^{-1}$, on trouve :

$$\theta' = \frac{(\mu + m_1)c_1\theta_1 + m_2c_2\theta_2}{(\mu + m_1)c_1 + m_2c_2},$$

soit $\theta' = 24{,}1\,°\text{C}$.

[9] La chaleur de réaction Q est reçue par la solution (volume $100\,\text{cm}^3$) et le bécher, donc :

$$Q = (m + \mu)c(\theta_2 - \theta_1),$$

où $m = 1\,050 \times 100.10^{-6} = 0{,}105\,0\,\text{kg}$ est la masse de la solution (volume $100\,\text{cm}^3$ égal à $100.10^{-6}\,\text{m}^3$).

Donc $Q = 0{,}106\,3 \times 4\,190 \times 6{,}4$ soit $Q = 2{,}85.10^3\,\text{J}$ pour $\dfrac{50 \times 1}{1\,000} = \dfrac{1}{20}$ mole. Pour une mole on obtient $Q_0 = 20 \times 2{,}85.10^3$ soit $Q_0 = 5{,}70.10^4\,\text{J}$.

[10] $c = 83{,}7\,\text{J.°C}^{-1}$; 20 g.

[11] Avec $m = 0{,}200\,\text{kg}$, $\theta_0 = 20\,°\text{C}$, $m' = 0{,}090\,\text{kg}$, $\theta'_0 = 90\,°\text{C}$, $\theta_1 = 23\,°\text{C}$, $c = 4\,186\,\text{J.K}^{-1}.\text{kg}^{-1}$, $c' = 460\,\text{J.K}^{-1}.\text{kg}^{-1}$, on obtient pour la capacité calorifique C_0 du calorimètre :

$$C_0 = \frac{m'c'(\theta_1 - \theta'_0)}{\theta_1 - \theta_0} - mc,$$

soit $C_0 = 87{,}4\,\text{J.K}^{-1}$.

[12] Il faut d'abord porter l'alcool de $\theta_1 = 20\,°\text{C}$ à la température d'ébullition $\theta_2 = 78\,°\text{C}$ et fournir pour cela une quantité de chaleur Q_1, puis le vaporiser avec une quantité de chaleur Q_2. Au total, l'énergie qu'il est nécessaire de fournir est $Q = Q_1 + Q_2$. On pose $m = 0{,}200\,\text{kg}$, $L_v = 8{,}53.10^5\,\text{J.kg}^{-1}$, $c = 2{,}42.10^3\,\text{J.°C}^{-1}.\text{kg}^{-1}$.

On trouve $Q_1 = 2{,}81.10^4\,\text{J}$, $Q_2 = 1{,}71.10^5\,\text{J}$ et $Q = 199\,\text{kJ}$.

[13] La quantité de chaleur Q nécessaire se décompose en trois termes, tous positifs :

- Q_1 pour échauffer la glace de $\theta_1 = -10\,°\mathrm{C}$ à $\theta_2 = 0\,°\mathrm{C}$;
- Q_2 pour fondre la glace à $\theta_2 = 0\,°\mathrm{C}$;
- Q_3 pour échauffer l'eau obtenue de $\theta_2 = 0\,°\mathrm{C}$ à $\theta_3 = 20\,°\mathrm{C}$.

$Q_1 = 2{,}1\,\mathrm{kJ}$, $Q_2 = 33\,\mathrm{kJ}$, $Q_3 = 8{,}36\,\mathrm{kJ}$ et $Q = 43{,}5\,\mathrm{kJ}$.

[14] On pose $m = 0{,}100\,\mathrm{kg}$, $\theta_1 = 0\,°\mathrm{C}$, $\theta_2 = 20\,°\mathrm{C}$, $L_f = 3{,}33.10^5\,\mathrm{J.kg^{-1}}$, $c = 4\,190\,\mathrm{J.°C^{-1}}$. L'eau a *perdu* lors du refroidissement $Q_1 = -mc(\theta_2 - \theta_1)$ soit $Q_1 = 8\,380\,\mathrm{J}$, puis $Q_2 = mL_f$ soit $Q_2 = 33\,300\,\mathrm{J}$ lors de la solidification. Le réfrigérateur a consommé l'énergie électrique $Q = \dfrac{(Q_1 + Q_2)}{4}$ soit $Q = 10{,}4\,\mathrm{kJ}$.

[INDEX]

[A]

[B]

[C]

[D]

[E]

[F,G,H,I]

[K,L,M]

[N,O,P]

[Q,R,S]

[T,U,V]

[Z]

Lettres grecques usuelles

Nom	Minuscule	Majuscule
Alpha	α	
Bêta	β	
Gamma	γ	Γ
Delta	δ	Δ
Epsilon	ε	
Dzêta	ζ	
Êta	η	
Thêta	θ	Θ
Kappa	κ	
Lambda	λ	Λ
Mu	μ	
Nu	ν	
Xi	ξ	Ξ
Pi	π, ϖ	Π
Rhô	ρ	
Sigma	σ	Σ
Tau	τ	
Phi	φ, ϕ	Φ
Khi	χ	
Psi	ψ	Ψ
Oméga	ω	Ω

Achevé d'imprimer en novembre 1997 sur les presses de l'Imprimerie Carlo Descamps
59163 Condé-sur-l'Escaut — Dépôt légal : novembre 1997 — N° d'imprimeur : 97511
N° d'éditeur : M.J. 101 — *Imprimé en France*